# 聖賢之道

湯一介

戊子年夏

國學基本教材

# 礼记选读

白　坤◎编注

浙江古籍出版社

**图书在版编目（CIP）数据**

礼记选读 / 白坤编注 . — 杭州 : 浙江古籍出版社, 2013.9

国学基本教材

ISBN 978-7-5540-0157-8

Ⅰ . ①礼… Ⅱ . ①白… Ⅲ . ①礼仪－中国－古代 ②《礼记》－注释 ③《礼记》－译文 Ⅳ . ① K892.9

中国版本图书馆 CIP 数据核字（2013）第 223870 号

# 礼记选读

白 坤 编注

出版发行 浙江古籍出版社
（杭州体育场路 347 号 电话：0571-85176986）
网 址 www.zjguji.com
责任编辑 陈临士 潘铭明
特约编辑 秦 南 杨熙雯
责任校对 余 宏
美术编辑 刘 欣
责任印务 贾 敏
照 排 杭州立飞图文制作有限公司
印 刷 富阳美术印刷有限公司
开 本 880×1230 1/32
印 张 6.25
字 数 152 千字
版 次 2013 年 9 月第 1 版
印 次 2013 年 9 月第 1 次印刷
书 号 ISBN 978-7-5540-0157-8
定 价 12.50 元

# “国学基本教材”编辑委员会

**统　　筹：**

孙劲松　向　珂　蒋蔚芳　周金芝

**主　　编：**李耐儒

**编　　委：**

李南晖　陆有富　刘乃溪　徐　骆　须　强
可延涛　李　凯　刘　舫　毛文琦　房春草
李宏哲　张　华　黄晓芳　赵立学　介江岭
张志强　姜李勤　白　坤　晏子然　施仲贞
张　琰　汪佳敏　姚之均　余雅汝　干璐娜

**本册编注：**白　坤

# 总 序

秋霞圃书院创办有年，在民间推动国学普及工作，志在以独立之精神、自由之思想为宗旨，促进古今中外文化思想与学术的交流，为中华民族文化的复兴而尽心尽力。其志可嘉，其行可感！

近年，秋霞圃书院耐儒兄主持编撰“国学基本教材”。本套国学教材集复旦大学、武汉大学、南开大学、中山大学、华东师范大学、上海师范大学等名牌院校的二十多名青年学人，采各种版本的国学读本之长，广泛吸取中小学一线语文教师的教学经验，精心编撰，是中小学生比较理想的国学读本，也是便于教师们使用的、较为系统的国学教材。

读本的篇目有：《弟子规》、《三字经》、《千字文》、《千家诗选读》、《幼学琼林》、《诗词格律》、《唐诗选读》、《宋词选读》、《论语》（上、下）、《史记选读》（上、下）、《大学 中庸》、《诗经选读》、《孟子》（上、下）、《左传选读》、《颜氏家训》、《诸子文选》（上、下）、《汉魏六朝文选》、《唐宋文选》、《礼记选读》、《楚辞选读》。每册有指导性概述，有经典原文，有对原文的注释与新译（赏析），并配上文史链接（延伸阅读）、思考讨论等，图文并茂，准确生动，具有可读性与系统性。

梁启超先生说过，《论语》、《孟子》等经典“是两千年国人思想的总源泉，支配着中国人的内外生活，其中有益身心的圣哲格言，一部分久已在我们全社会形成共同意识，我们既做这社会的一分子，总要彻底了解它，才不致和共同意识生隔阂”。这就是说，“四书”等经典表达了以“仁爱”为中心的“仁义礼智信”等中华民族的核心价值观念，这是中国古代老百姓的日用常行之道，人们就是按此信念而生活的。

中国文化的大传统与小传统是打通了的。国学具有平民化与草根性的特点。中国民间流传着的谚语是：“勿以善小而不为，勿以恶小而为之”；“老吾老以及人之老，幼吾幼以及人之幼”；“积善之家必有余庆，积不善之家必有余殃”。这些来自中国经典的精神，透过《弟子规》、《三字经》、《百家姓》、《千字文》、《千家诗》等蒙学读物及家训、族规、乡约、谱牒、善书，通过大众口耳相传的韵语故事、俚曲戏文、常言俗话，成为“百姓日用而不知”的言行规范。



南宋以后在我国与东亚的民间社会流传甚广、深入人心的朱熹《家训》说：“事师长贵乎礼也，交朋友贵乎信也。见老者，敬之；见幼者，爱之。有德者，年虽下于我，我必尊之；不肖者，年虽高于我，我必远之。”“人有小过，含容而忍之；人有大过，以理而谕之。勿以善小而不为，勿以恶小而为之。”又说，“勿损人而利己，勿妒贤而嫉能。勿称忿而报横逆，勿非礼而害物命。见不义之财勿取，遇合理之事则从……子孙不可不教，童仆不可不恤。斯文不可不敬，患难不可不扶。”朱子说此乃日用常行之道，人不可一日无也。应当说，这些内容来源于诗书礼乐之教、孔孟之道，又十分贴近大众。它内蕴着个人与社会的道德，长期以来成为老百姓的生活哲学。

王应麟的《三字经》开宗明义：“人之初，性本善。性相近，习相远。苟不教，性乃迁。教之道，贵以专。”这就把孔子、孟子、荀子关于人性的看法以简化的方式表达了出来。儒家强调性善，又强调人性的养育与训练。

清代李毓秀《弟子规》的总序说：“弟子规，圣人训。首孝弟，次谨信。泛爱众，而亲仁，有余力，则学文。”以下分成“入则孝”、“出则悌”、“谨而信”、“泛爱众而亲仁”等几部分。这些纲目都来自《论语》。《弟子规》中对孩童举止方面的一些要求，如站立时昂首挺胸、双腿站直，见到长辈主动行礼问好，开门关门轻手轻脚，不用力甩门等，这些规范都是文明人起码应有的，是尊重他人而又自尊的体现。又如：“晨必盥，兼漱口，便溺回，辄净手。冠必正，纽必结，袜与履，俱紧切。”“斗闹场，绝勿近，邪僻事，绝勿问。将入门，问孰存，将上堂，声必扬。”“用人物，须明求，倘不问，即为偷。借人物，及时还，后有急，借不难。”这都是有助于文明社会的建构的，是文明人的生活习惯，也是今天社会公德的基础。

朱柏庐在《朱子治家格言》起首的一段说：“黎明即起，洒扫庭除，要内外整洁;既昏便息，关锁门户，必亲自检点。一粥一饭，当思来处不易；半丝半缕，恒念物力维艰。”这些都是平实不过的道理，体现到一个人身上就是他的家教。旧时骂人，说某某没有家教，那是很重的话，让其全家蒙羞。我们不是要让青少年一定要做多少家务，而是要他们从小学就动手打理好自己与家庭的事情，不要过分依赖父母，依赖他人，能够自己挺立起来，培养责任意识。同时，知道一粥一饭、半丝半缕都是辛劳所得，我们能够懂得去尊重家长与别人的劳动。如果我们真的有敬畏之心，就知道珍惜，不应该浪费。

南开中学的前身天津私立中学堂成立于1904年10月，老校长严范孙亲笔写下“容止格言”：“面必净，发必理，衣必整，纽必结。头容正，肩容平，胸容宽，背容直。气象：勿傲，勿暴，勿怠。颜色：宜和，宜静，宜庄。”这四十字箴言来自蒙学，又是该校对学生容貌、行止的基本要求。校内设整容镜，师生进校时都要照镜正容色。后来张伯苓先生治校，坚持了这些做法。

蔡元培先生在留德期间撰写了《中学修身教科书》，该书被商务印书馆于1912年至1921年间共印行了十六版，他还为赴法华工写了《华工学校讲义》，两书在民国间影响甚大，今人将其合为《国民修养二种》一书。蔡先生在民国初年为中学生与赴法劳工写教科书,重视社会基层的公民教育。蔡先生的用心颇值得我们重视，他从孝敬父母谈起，创造性地转化本土的文化资源，特别是以儒家道德资源来为近代转型的中国社会的公德建设与公民教育服务。

现今南京夫子庙小学的校训是“亲仁、尚礼、志学、善艺”。我认为这是非常好的。对孩童、少年的教育，首先是培养健康的心性才情，从日常生活习惯，从待人接物开始，学会自重与尊重别人。

我们今天强调成人教育，因为仅有成才教育是不够的，成才教育忽略了我们作为完整的人、健康的人所必需的一些素养，它在人格养成方面几乎是空白。这不是大学教育才有的问题，而是幼儿园、中小学教育就该关注的。养育青少年的性情，需要家庭、学校、社会的配合。

国学当中有很多修身成德、培养君子人格的内容。中国古典的教育，其实就是博雅教育。传统的教育并不是道德说教，也不是填鸭式满堂灌的教育，而是春风化雨似的，让学生在点滴中有所收获并自己体验，如诗教、礼教、乐教等。

我觉得应该让孩子们处在良好的文化氛围中。家长、老师们要以身作则、言传身教，这对孩子们影响很大。家长、老师有义务端正自己的言行，尤其在孩子们面前。要培养孩子分辨是非的能力，多在性情教育上下工夫，关注孩子的心理健康，多与孩子交流，洞察他们的情感，并作正确的引导。现在一些家长做不到以身作则，他们撒谎骗人，打骂斗狠，不尊重老人，这些都会给孩子的成长烙下负面的印记。

我们也希望同学们能趁着年轻记性好，多读些经典，最好能背诵一些，其中的意思以后可以慢慢领悟。南宋思想家陈亮说过："童子以记诵为能，少壮以学识为本，老成以德业为重……故君子之道不以其所已能者为足，而尝以其未能者为歉，一日课一日之功，月异而岁不同，孜孜矻矻，死而后已。"

本丛书所收经典与蒙学读物中有很多圣哲格言，都足以让我们受用终身。我们一直希望能有多一些的国学经典进入中小学课堂，至少让"四书"进入教材。我们希望能多一些国文课，让中小学生能接受到系统的传统语言与文化教育。中华民族有很多优根性，更需大大弘扬。

是为序。

郭齐勇

癸巳春于珞珈山

# 目 录

# 概述

《礼记》与《仪礼》、《周礼》合称为“三礼”，是一部儒家思想资料汇编。《礼记》最初为附在《仪礼》后的记文，有《大戴礼记》和《小戴礼记》之分。《大戴礼记》由西汉戴德整理，全书八十五篇，在其流传过程中散佚较多，现仅存三十九篇。《小戴礼记》由西汉戴圣整理，全书四十九篇。我们通常所说的《礼记》多指《小戴礼记》。最早将两书分别定名为《大戴礼记》和《礼记》的史书是《隋书·经籍志》。传统上认为《礼记》的作者是孔子弟子及其后学，四十九篇写成年代从春秋晚期到西汉早期各不相同。唐初颁布《五经正义》，《礼记》正式列为儒家经书，为唐代科考明经科所考“九经”之一。至宋代“十三经”形成至今，《礼记》一直列于儒家经典。

《礼记》由汉代经学家郑玄作注，唐代经学家孔颖达作疏。历代不乏研究《礼记》的学者著作，清代学者超越以往，成果颇丰，最著名的当属孙希旦的《礼记集解》六十一卷，该书纠正了郑注和孔疏中的诸多谬误，对历代解经之辞兼有自己的判断，功夫颇深。

《礼记》四十九篇所记十分庞杂，其性质类似于一部先秦、秦汉儒家思想的论文汇编，内容涉及先秦、秦汉时的礼仪制度、政治、经济和思想等诸多方面。西汉刘向奉汉成帝命校理宫廷藏书，编成《别录》。《别录》将《礼记》四十九篇分为通论、制度、丧服、吉事、祭祀、明堂阴阳、世子法、子法和乐记九类。除去《大学》和《中庸》，通论类包括《檀弓》上下、《礼运》、《玉藻》、《大传》、《学记》、《经解》、《哀公问》、《仲尼燕居》、《孔子闲居》、《坊记》、

《表记》、《缁衣》、《儒行》十四篇，多是从总体上论述礼，也包含一些讲述礼的细节的小故事；制度类包括《曲礼》上下、《王制》、《礼器》、《少仪》、《深衣》六篇，论述古人礼仪制度，内容涉及分封、爵位、祭祀、丧葬、养老、教育、器物、衣服制度等方方面面；丧服类包括《曾子问》、《丧服小记》、《杂记》上下、《丧大记》、《奔丧》、《问丧》、《服问》、《间传》、《三年问》、《丧服四制》十一篇，内容涉及丧葬程序、丧服制度、三年丧服等；吉事类包括《投壶》、《冠义》、《昏义》、《乡饮酒义》、《射义》、《燕义》、《聘义》七篇，各篇所记属“五礼”中的吉礼类，内容涉及昏、冠、燕、射、乡饮酒、聘等诸礼细节和义理；祭祀类包括《郊特牲》、《祭法》、《祭义》、《祭统》四篇，多是阐发祭祀义理的文字；明堂阴阳类包括《月令》和《明堂位》两篇,《月令》记述了一年中十二个月的天象、饮食、衣服、车马、政令等所宜之事,《明堂位》内容涉及周公事迹及四代礼制；世子法类包括《文王世子》一篇，记述世子孝养天子、世子教育等内容；子法类包括《内则》一篇，涉及子女侍奉父母、媳妇侍奉公婆的规则,平日的饮食制度等;乐记类包括《乐记》一篇，是儒家论述音乐的篇目，阐述了音乐与礼、人等的关系以及音乐对社会的作用。

编者依照刘向《别录》中对《礼记》篇目的分类，共列通论、制度、丧服、吉事、祭祀、其他六章，章下分节以《礼记》原篇名名之,按照原篇先后顺序排列,每节节选原文若干。文后附注释、译文，方便同学们理解原文；还附有与原文内容有关的文史链接，帮助同学们更好地理解原文内容。另有名家论礼的名篇，让同学们更深刻地认识“礼”。

每篇节选内容，意在让同学们大概了解什么是礼，古人为什么制礼，礼的作用是什么，礼有什么样的规定，古人怎么践行这套礼仪制度。编者在内容选择上更多贴近当今社会生活，希望同学们在学习过程中可以对相关命题有所思考。

本书原文以《四库全书》本《礼记正义》为底本，凡译文及注释部分参考孙希旦《礼记集解》，钱玄《三礼通论》、《三礼辞典》，杨天宇《礼记译注》和王文锦《礼记译解》。本书还参考了王力《中国古代文化常识》和彭林《中国古代礼仪文明》等著作。

对于今人而言，“礼”之文辞艰涩，仪节繁复，较难把握。但当今社会，学“礼”是必要并紧迫的。就制度层面的“礼”来说，其是儒术经世治国必不可少的一部分。自周公制礼作乐始，“礼”便成为国家制度的代名词，各代均在前朝的基础上制定包括职官、服制、祭祀、朝聘、刑律等在内的礼仪规矩，以确保国家和社会的正常运转。上到皇帝，下到普通百姓，其言行举止都要受到“礼”的约束。了解“礼”对读懂我国历史至关重要。就文本层面的“礼”而言，三礼文本是儒家重要经典，为历代传颂研习。中华传统文化之复兴在于国学之复兴，国学之复兴必仰赖经学之复兴。诵读理解这占去“十三经”之将近四分之一的礼学经典，意义非凡。就思想意识层面的“礼”来讲，其在中华民族特有的思维方式和价值取向形成过程中扮演着十分重要的角色，是中国文化的源头之一。如孝养父母、和睦兄弟、敬老扶幼、因时因地制宜、保蓄自然资源等礼的内容，对坚持可持续发展、建设社会主义和谐社会依旧有现实意义。

# 第一章　通　论

## 檀　弓

公仪仲子之丧[1]，檀弓免焉[2]。仲子舍其孙而立其子。檀弓曰："何居[3]？我未之前闻也。"趋而就子服伯子于门右[4]，曰："仲子舍其孙而立其子，何也？"伯子曰："仲子亦犹行古之道也[5]。昔者文王舍伯邑考而立武王[6]，微子舍其孙腯而立衍也[7]，夫仲子亦犹行古之道也。"子游问诸孔子[8]，孔子曰："否！立孙。"

（选自《礼记·檀弓上第三》）

### 注释

[1]公仪仲子：春秋时鲁国人，姓公仪，名仲子。　[2]檀弓：檀弓为公仪仲子友，依礼，朋友们一起在异国，其中有人死了，活着的朋友为死者主丧才着免，将死者灵柩送回国后，即将免去掉。檀弓此时并非在异国，特为非礼，借以讥讽仲子舍弃嫡子选立庶子之事。免（wèn）：丧礼，脱帽，以布自项中交于额上，又绕后系于发结。　[3]居：语助词。　[4]趋：小步快走。就：凑近，靠近。子服伯子：鲁国人。　[5]亦：也。　[6]"昔者"句：

此事指西周文王姬昌舍弃自己的长子伯邑考，而立次子姬发为王。伯邑考为周文王与太姒的嫡长子，武王同母长兄。　[7]“微子”句：微子，即微子开，又称微子启，殷帝乙长子，纣王庶兄。《史记·宋微子世家》云：“武王崩，成王少，周公旦代行政当国。管、蔡疑之，乃与武庚作乱，欲袭成王、周公。周公既承成王命诛武庚，杀管叔，放蔡叔，乃命微子开代殷后，奉其先祀，作微子之命以申之，国于宋。微子故能仁贤，乃代武庚，故殷之余民甚戴爱之。微子开卒，立其弟衍，是为微仲。”郑玄认为微子开的嫡子去世了，依照殷礼，应当立他的弟弟为王。但是孔子认为，腯（tú）是微子开的嫡孙，嫡子死了应当立嫡孙为王。腯，人名。　[8]子游：姓言，名偃，字子游，春秋末吴国人，孔子弟子，“孔门十哲”之一。孔子（前551—前479）：名丘，字仲尼，春秋时期鲁国陬邑（今山东曲阜）人。著名思想家、文学家、教育家。



## 译文

公仪仲子去世了，檀弓穿着免前去吊丧。仲子舍弃其嫡孙而立其庶子为继承人。檀弓说：“这是为什么呢？我没有听说过以前有这样的事情啊。”他快步走到门右边去问子服伯子，说：“仲子舍弃他的嫡孙而立他的庶子，这是为何？”伯子说：“仲子也是遵循古已有之的规矩。从前周文王舍弃他的嫡长子伯邑考，而立次子姬发为王，微子舍弃他的嫡孙腯而立他的弟弟衍为王，仲子也是遵循古已有之的规矩啊。”子游拿这事去问孔子，孔子回答说：“这是不对的，仲子应该立他的嫡孙为继承人。”

## 文史链接

### 嫡长子继承制

嫡长子继承制是我国历史上存在的一种权位继承制度。所谓嫡长子，是指嫡妻（正妻）所生的第一个儿子。嫡长子是其父亲爵位和宗室身份的合法继承者，而其父亲的财产则按照一定比例分给诸子。也就是说，在我国古代，继承的内容有政治范畴和经济范畴之分，政治范畴的内容由嫡长子分得，经济范畴的内容则是诸子按比例分配。嫡长子继承制与分封制和宗法制是密不可分的。

分封制并非始于周代，殷商时期就已经存在封邦建国的制度。武王伐纣取得胜利后，建立了周朝，定都镐京。面对刚刚取得的政权和土地，该如何统治以保千秋万代？这是周代统治者急需解决的问题。西周统治者对殷商时期的封邦建国制进行了完善，在武王和周公时期前后进行了两次大规模的分封。其分封的对象主

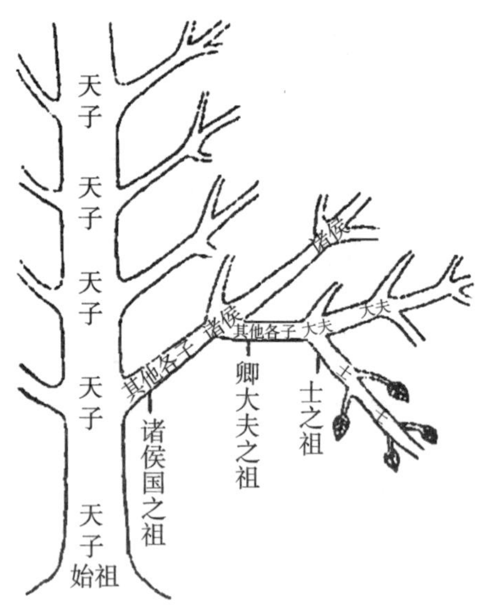


西周宗法制度示意图

要是姬姓宗亲、开国功臣、夏商遗民和古圣王之后。据史书记载，周初分封的诸侯国多达七十一个。这些诸侯国以镐京为中心，分布在全国各地。正所谓“选建明德，以藩屏周”(《左传·定公四年》)。

与西方诸文明不同，在我国古代，血缘关系并没有完全被地缘关系所取代，而是在我国古代政治生活中扮演着极为重要的角色。宗法制便是以血缘关系为基础的。按照宗法制的规定，嫡长子为大宗，其他诸子为小宗。大宗享有祭祀整个宗族祖先的权力。大宗和小宗是相对而言的，周天子为天下的大宗，被分封的诸侯相对于周天子而言是小宗，相对于自己封国内的卿大夫而言是大宗，以此类推。

宗法制与嫡长子继承制互为表里，在我国历史上相当长一段时间里，对政治生活和社会的稳定起到了积极的作用。我国历史上由王位继承而引发的诸子争斗屡见不鲜，譬如唐朝的“玄武门之变”和清朝的“九子夺嫡”，这些争斗不仅使兄弟手足相残，而且削弱了皇室的势力，对政权的稳定极为不利。嫡长子继承制明确了权位的继承人为嫡妻长子，很好地避免了因权位之争而引起的诸子纷争。同时，宗法制规定，给嫡长子之外其他诸子以封地、采邑，这样做既保证了其他诸子的生存，又很好地调和了嫡长子与其他诸子的矛盾，为政权的稳固带来了保障。

除嫡长子继承制外，我国历史上还存在过其他形式的权位继承制度。比如兄终弟及，即长兄死了，权位由其同母弟继承。同母弟轮完了，再轮长兄的长子，以此类推。此外，也有根据自己喜好选立权位继承人的情况，这种继承方式存在诸多不确定因素，在一定程度上会加剧诸子之间的争斗，不利于政权的稳定。

### 思考讨论

请结合所学知识，谈谈你对我国古代权位继承制度的看法。

**孔子过泰山侧[1]，有妇人哭于墓者而哀。夫子式而听之[2]，使子路问之曰[3]："子之哭也，壹似重有忧者[4]。"而曰："然[5]。昔者吾舅死于虎[6]，吾夫又死焉[7]，今吾子又死焉！"夫子曰："何为不去也[8]？"曰："无苛政[9]。"夫子曰："小子识之[10]！苛政猛于虎也。"**

## 注释

[1] 过:经过。 [2] 式:同"轼",车前横木,此处用作动词,指扶轼而听。 [3] 子路：仲由，字子路，春秋末年鲁国人，孔子的得意弟子,以长于政事见称。 [4] 壹似:确实像。重(chóng)有忧：有很多伤心事。 [5] 然：对，是。 [6] 舅：古时称丈夫的父亲为舅，即公公。 [7] 焉：于之，意为死于老虎。 [8] 去：离开。 [9] 苛政：残暴的政令。 [10] 小子：古时长者称晚辈为小子，这里指与孔子随行的弟子。

## 译文

孔子路过泰山旁，见有个妇人在墓前哭得很哀伤。孔子凭依着车轼听她哭，并让子路去问她，子路说："听您的哭声，像有很多的伤心事。"妇人说："是的。从前我的公公被虎咬死了，我的丈夫又被虎咬死了，现在我的儿子也被虎咬死了。"孔子说："那你为何不离开这个地方呢？"妇人说："这里没有苛暴的政令。"孔子说："你们可要记住，苛暴的政令比虎还厉害呢。"

**晋献公之丧[1]，秦穆公使人吊公子重耳[2]，且曰[3]：“寡人闻之，亡国恒于斯[4]，得国恒于斯。虽吾子俨然在忧服之中[5]，丧亦不可久也，时亦不可失也[6]，孺子其图之[7]！”以告舅犯[8]，舅犯曰：“孺子其辞焉[9]！丧人无宝[10]，仁亲以为宝[11]。父死之谓何？又因以为利，而天下其孰能说之？孺子其辞焉！”**



## 注释

[1] 晋献公（？—前 651）：春秋时晋国国君。 [2] 秦穆公：（？—前 621），春秋时秦国国君。公子重耳：即晋文公（前 697—前 628），晋献公之子。 [3] 且：并且。 [4] 恒：经常，普遍。斯：代词，此。 [5] 俨然：严肃庄重的样子。忧服：指重耳处在为父亲服丧的忧伤之中。 [6] 时：这里说的是夺回晋国政权的时机。 [7] 孺子：古代称天子、诸侯、世卿的继承人为孺子。此处或可理解为秦穆公对重耳的一种称呼，相当于“小子”。图：谋划，打算。 [8] 舅犯：重耳的舅舅狐偃，字子犯。 [9] 辞：推辞，回绝。 [10] 丧：流亡在外。宝：这里指宝贵的东西。 [11] 仁亲：郑注曰：“谓亲行仁义。”意为通过亲自为父亲服丧的行动来践行人子该有的仁义道德。

## 译文

晋献公去世了，秦穆公派使者前往吊唁流亡在外的晋国公子重耳，并且让使者转告重耳：“我听说，失去国家常常是在这个时候，

得到国家常常也是在这个时候。虽然你还严肃庄重地处在为你父亲服丧的忧伤中，但流亡在外的时间也不能太长了，夺回晋国统治权的机会也是不能失去的。你还是好好地谋划一下吧。”重耳将这些话告诉了自己的舅舅狐偃，狐偃说：“孩子啊，你还是快快地推辞掉吧！逃亡在外的人没有什么东西是宝贵的了，通过为自己的父亲服丧来践行为人子的仁义道德就是最宝贵的事情。父亲去世了意味着什么啊？又趁着父亲的丧事来为自己谋求利益，这样天下的人谁可以替你开脱这样的罪名呢？孩子啊，你还是赶快推辞掉吧！”

**公子重耳对客曰：“君惠吊亡臣重耳，身丧父死，不得与于哭泣之哀，以为君忧。父死之谓何？或敢有他志，以辱君义。”稽颡而不拜[1]，哭而起，起而不私[2]。**

## 注释

[1] 稽颡（qǐ sǎng）而不拜：拜而稽颡为丧礼拜中最重的一套环节，一般是丧主人，即死者的嫡长子对前来吊丧的宾客行这样的礼节。此处重耳没有对秦穆公派来的吊丧使者行这个礼节，意味着重耳不承认自己是父亲政治衣钵的继承者。 [2] 不私：不与来吊丧的使者有私下里的接触。

## 译文

重耳对前来吊问的使者说：“感谢贵国国君前来吊问我这个逃亡在外的人的恩德。我逃亡在外，又遭遇父亲的丧事，不能和兄弟们一起在父亲的殡前哭丧以尽自己的哀情，这给贵国国君带来了忧虑。父亲去世意味着什么啊？怎么敢有别的想法，侮辱了国君前来吊问的恩德！”重耳只对使者行了稽颡礼而没有行拜礼，哭泣着站了起来，站起来后也没有与使者有私下里的接触。

**子显以致命于穆公[1]，穆公曰：“仁夫公子重耳！夫稽颡而不拜，则未为后也，故不成拜。哭而起，则爱父也。起而不私，则远利也。”**

（选自《礼记·檀弓下第四》）

## 注释

[1]子显：秦穆公派去吊丧的使者。

## 译文

使者子显回国向秦穆公报告了这些事情。秦穆公说：“公子重耳真是仁义啊！只行稽颡礼而不行拜礼，意味着重耳没有将自己当做他父亲的继承人，因此不完成拜礼。哭着站起来，这是爱戴他的父亲的表现。他站起来后没有和使者有私下里的接触，这是远离利益啊。”

## 文史链接

### 晋文公重耳流亡的历史背景

晋献公有八个儿子，其中世子申生、公子重耳和公子夷吾都有贤能之行。世子申生的母亲是齐桓公的女儿，名叫齐姜，很早就去

世了。申生还有个同母妹妹，嫁给了秦穆公作夫人。公子重耳的母亲是翟方的一个狐氏家族的女儿。公子夷吾的母亲是重耳的母亲的妹妹。晋献公有一个宠妃，名叫骊姬。晋献公十二年（前 665），骊姬生了公子奚齐。

奚齐出生之后，晋献公甚是欢喜，想废掉世子申生，立骊姬的儿子奚齐为世子。有一天，晋献公把世子申生、公子重耳和公子夷吾叫到身边，说："曲沃是我们先祖宗庙所在的地方，蒲阪离秦太近，北屈离翟也很近，这样我们晋国很不安全。如果不让我的儿子们去这几个地方居住，我很害怕会发生战事。"于是就让世子申生居住在曲沃，公子重耳居住在蒲阪，公子夷吾居住在北屈。晋献公这是故意想疏远这三个有贤能的儿子。

晋献公私下里和骊姬说想废掉世子，改立奚齐。骊姬哭着对晋献公说："立申生为世子是大家都知道的事情，何况申生多次带兵打仗，立下了功劳，百姓也很信服于他，您怎能因为喜欢我而废掉嫡子改立奚齐这个庶子呢？如果您执意这么做，那我就只有以死明志了！"骊姬将这件事情详细地告诉了世子。谁知骊姬是个两面三刀的人，她私下里让人说申生的不是，事实上还是想要自己的儿子被立为世子。

晋献公二十一年（前 656）的一天，骊姬把申生叫来，对他说："我听国君说他梦见了您的母亲齐姜，请世子您速去曲沃祭祀您母亲的宗庙吧，也好让国君安心。"世子去曲沃祭祀完自己的母亲，将祭祀的牲肉带回来给晋献公，恰逢晋献公出门狩猎，申生只得将牲肉放在宫中。骊姬悄悄差人在牲肉中放了毒药。两天后，晋献公狩猎归来，掌管国君膳食的官吏将申生送来的牲肉呈上来。就在晋献公要享用的时候，骊姬制止了他。骊姬说："这牲肉是世子千里迢迢从曲沃带回来的，为了国君您的安全，还是试试有没有毒。”骊姬将牲肉割了一点给狗和一个小官，狗和人吃了之后都死了。骊姬哭着说：“世子怎么能忍心这么做呢？自己的父亲都敢谋害，更何况别人呢？您已年老，他竟然连这些日子都等不了了！世子之所以这么做，是我和奚齐的缘故。我们娘俩还是离开这里吧，要不就得被世子所鱼肉。”

申生听说了这件事后，逃到了新城，有人和他说：“那牲肉中的毒药本是骊姬搞的鬼，您为何不向国君说明白呢？”申生说：“国君已经年老，如果没有骊姬，他会寝食难安的。我这时候告诉他这件事情，他会不高兴的。”还有的人对申生说：“世子您何不逃到别的国家暂时避避难呢？”申生说：“我背着弑父谋逆的罪名出逃，哪个国家敢接纳我啊！我还是自杀吧。”这年十二月，世子申生在新城自杀而死。

这时公子重耳和公子夷吾从各自的封地来到国都。有人告诉骊姬：“重耳和夷吾对您谋害世子的事情耿耿于怀。”骊姬有些害怕，便在晋献公面前诋毁两位公子，说：“世子在牲肉里放毒药这件事情，重耳和夷吾都知道。”两人听闻骊姬这一举动很是惶恐，便跑回自己的封地。晋献公对公子重耳和公子夷吾的不辞而别很愤怒，认为他们俩肯定有谋逆之心，出兵伐重耳封地蒲阪。蒲阪的小官命重耳自杀，情急之下，重耳越过墙垣逃到了翟国。

## 思考讨论

1. 结合所学知识，说说晋文公重耳的其他事迹，并谈谈你对他的认识。

2. 谈谈你对世子申生的认识，并说说你对“国君已经年老，如果没有骊姬，他会寝食难安的。我这时候告诉他这件事情，他会不高兴的”这句话的体会。

# 礼　运

孔子曰："夫礼[1]，先王以承天之道[2]，以治人之情。故失之者死，得之者生。《诗》曰：'相鼠有体，人而无礼。人而无礼，胡不遄死[3]？'是故夫礼，必本于天[4]，殽于地[5]，列于鬼神，达于丧、祭、射、御、冠、昏、朝、聘[6]。故圣人以礼示之，故天下国家可得而正也。"（选自《礼记·礼运第九》）

## 注释

[1]夫：位于句首的语气助词。　[2]承：在下面接受，秉承。　[3]"相鼠"四句：出自《诗经·鄘风·相鼠》。遄（chuán），快速、迅速。　[4]本：源于。　[5]殽（yáo）：仿效。　[6]丧、祭、射、御、冠、昏、朝、聘：指丧葬、祭祀、射箭、驾车、加冠、结婚、来朝、聘问等礼仪活动。

## 译文

孔子说："礼是先王禀承天道，用来治理人的情欲的。因此，丧失了礼的人就会死掉，遵守礼的人就能生存。《诗经》说：'看那老鼠有肢体，做人反而没有礼；做人没有礼，为何还不赶快死去！'因此，礼必须源于天道，仿效地理，取法于鬼神，而贯彻于丧葬、祭祀、射箭、驾车、加冠、结婚、来朝、聘问等事情中。因此圣人将礼显示给众人，因此天下国家可以得到礼，达到安定的局面。"

## 文史链接

### 相　鼠

“相鼠有体，人而无礼。人而无礼，胡不遄死”出自《诗经·鄘风·相鼠》，原文为：

相鼠有皮，人而无仪。人而无仪，不死何为？
相鼠有齿，人而无止。人而无止，不死何俟？
相鼠有体，人而无礼。人而无礼，胡不遄死？

“相”是观察、察看之意；“俟”有等待之意。全诗的意思是：看老鼠有皮毛，做人却不讲礼仪。做人若没有礼仪，不死还活着干什么？看老鼠有牙齿，做人却没有节制。做人若没有节制，不死还等什么？看老鼠有肢体，做人却没有礼仪。做人若没有礼仪，那还不快快死掉？老鼠虽行容猥琐，但也皮毛肢体俱全。人若无礼，与鼠何别？本诗正是以人所不齿的老鼠来说明做人守礼的重要性。

《礼记》引用《诗经》中的句子来强调要所表之意的例子很多，如《缁衣》：

子曰：“言有物而行有格也，是以生则不可夺志，死则不可夺名。故君子多闻，质而守之。多志，质而亲之。精知，略而行之。《君陈》曰：‘出入自尔师虞，庶言同。’《诗》云：‘淑人君子，其仪一也。’”

## 思考讨论

1. 你认为“礼”是什么？

2. 请结合日常生活，谈谈你所见到的婚丧嫁娶中的礼节仪式。

# 玉　藻

**父命呼，“唯”而不“诺”[1]，手执业则投之[2]，食在口则吐之，走而不趋[3]。亲老[4]，出不易方[5]，复不过时[6]。亲疾[7]，色容不盛[8]，此孝子之疏节也[9]。父没而不能读父之书[10]，手泽存焉尔[11]；母没而杯圈不能饮焉[12]，口泽之气存焉尔[13]。**

（选自《礼记·玉藻第十三》）

## 注释

[1]唯：表示答应的语气词。语气较急，比“诺”更恭敬。诺：同“唯”，表示答应的语气词。语气较缓。　[2]业：篇卷，即今天的书本。　[3]走：古代指奔跑。趋：小步快走。　[4]亲：指父母双亲。　[5]出不易方：离家外出不改变目的地，意指父母双亲如果在儿子不在家期间出了什么事情，可以在儿子出发所至的目的地找到他。　[6]复不过时：回来不超过之前说好的期限，此举也是为了让年迈的双亲放心。　[7]疾(jí)：病。　[8]不盛：此处指儿子因双亲生病而面色忧虑。盛，丰富、华美。　[9]疏节：指简单的礼节。孔颖达疏曰：“今亲病，唯色容不充盛而已，不能憔悴、忧愁、危惧，此乃是孝子疏简之节，言孝心不笃也。”也就是说，双亲生病，儿子不是发自内心地害怕失去父母，只是面容不精神而已，这样算不上是真正的孝顺。　[10]没：通“殁”，去世。　[11]手泽：犹手汗，比喻先辈存迹，多用以称先人或先辈的遗墨、遗物等。焉：于之，即在书卷上。　[12]杯圈：

不加雕饰的木质饮器。 [13] 口泽：口饮润泽。孔颖达疏曰："谓母平生口饮润泽之气存在焉，故不忍用之。"

## 译文

父亲叫儿子，儿子要应答"唯"而不是"诺"。如果此时手里正拿着书卷，就要放下，口中有食物，就要吐掉，要奔跑而不是快步走到父亲身边听从父亲的教诲。父母双亲年老，儿子离家外出不改变目的地，返回家不应超过先行商量好的期限。双亲生病，儿子只是面色忧虑，这是孝子没有将礼节做全面，不算是真正意义上的孝顺。父亲去世了，儿子不读父亲读过的书卷，因为父亲的遗存在上面；母亲去世了，儿子不用母亲喝过水的杯子，因为母亲生前的口饮润泽留存在上面。

## 文史链接

### 古人衣饰佩玉

古人非常珍视玉。玉器不但用于祭祀、外交和社交等方面，而且用于服饰。《礼记·玉藻》说："古之君子必佩玉。"又说："君子无故，玉不去身。"可见佩玉是贵族很看重的衣饰。

据说礼服有两套相同的佩玉，腰的左右各配一套。每套佩玉都用丝绳联系着。上端是一枚弧形的玉，叫珩（héng）。珩的两端各悬着一枚半圆形的玉，叫璜，中间缀有两片玉，叫做琚和瑀（yú），两璜之间悬着的一枚玉叫做冲牙。走起路来冲牙和两璜相触，发出铿锵悦耳的声音。《诗经·郑风·女曰鸡鸣》说："杂佩以赠之。"据旧注，"杂佩"就是这套佩玉。此外，古书上还常常谈到佩环、佩玦（指有缺口的佩环）。妇女也有环佩。

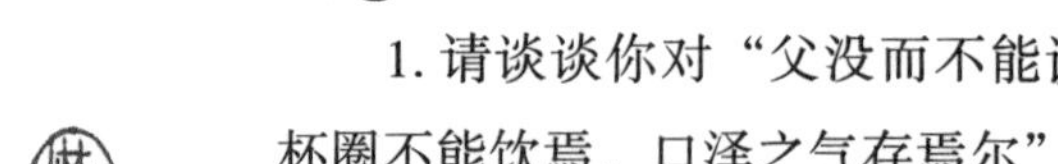

## 思考讨论

1. 请谈谈你对“父没而不能读父之书，手泽存焉尔；母没而杯圈不能饮焉，口泽之气存焉尔”这句话的认识。

2. 结合当下社会现实，请谈谈你认为孝顺父母应该怎么做。



# 大 传

**牧之野[1]，武王之大事也。既事而退[2]，柴于上帝[3]，祈于社[4]，设奠于牧室[5]，遂率天下诸侯执豆、笾[6]，逡奔走[7]。追王大王亶父[8]、王季历[9]、文王昌[10]，不以卑临尊也[11]。**

## 注释

[1] 牧之野：即牧野，大致位置在今河南新乡。这里指武王伐纣的牧野之战。　[2] 既：已经。　[3] 柴：祭祀名，燔（fán）柴祭天。柴上加牲和玉帛燔烧，使烟气上升。上帝：指五方天帝，亦称五帝，即苍、赤、黄、白、黑五帝。　[4] 祈：向神求福，此处指向社神求得庇佑。社：指土地神，也代指祭祀土地神的地方、日子及祭礼。　[5] 奠：向死者贡献祭品致敬。牧室：武王伐纣时在牧野筑的馆舍。　[6] 豆、笾（biān）：均为祭器名。豆为盛肉酱之类濡物的器皿，笾为盛干物的竹质器皿。　[7] 逡（qūn）：复，往来。　[8] 大（tài）：通“太”。亶（dǎn）父：即古公亶父，周文王的祖父，周武王追尊为太王。　[9] 季历：古公亶父的少子，

周文王之父，周武王灭商后追封为王。　[10] 昌：姓姬，名昌，殷商时为西伯，周武王的父亲，武王灭商后追封为文王。
[11] 临：面对，指上级对下级，引申为从上面监视着。

## 译文

牧野之战灭商，是周武王的大事。灭商之事完结后便退兵，燔柴祭祀天帝，向土地神祈求庇佑，在牧野的馆舍里摆设贡品祭祀先祖。于是率领天下诸侯拿着豆笾这样的祭器往来奔走祭祀。追封亶父为太王、季历为王、昌为文王，不使父祖以卑下的封号来面对自己天子的尊号。

**上治祖祢[1]，尊尊也。下治子孙，亲亲也。旁治昆弟[2]。合族以食，序以昭缪[3]。别之以礼义，人道竭矣[4]。**

## 注释

[1] 祖：祖庙。祢（nǐ）：父庙。　[2] 昆弟：指同族兄弟。
[3] 昭缪（mù）：亦作“昭穆”，古代宗法制度用以别远近亲疏的排列方式，用以祭祀、死后入祖庙等一系列事宜。　[4] 竭：尽，用尽。

## 译文

在上治理好祖庙和父庙，这是尊敬身份尊贵者的原则。在下要治理好子孙，这是亲近血缘亲属的原则。同时还要治理好同族兄弟。用饮食诸礼将整个宗族合起来，并按照宗法制度远近亲疏的关系排列好。用礼仪制度来分别宗法关系，人伦之道就全数体现在这了。

圣人南面而听天下[1]，所且先者五，民不与焉[2]。一曰治亲[3]，二曰报功[4]，三曰举贤，四曰使能，五曰存爱[5]。五者一得于天下，民无不足，无不赡者[6]；五者一物纰缪[7]，民莫得其死。圣人南面而治天下，必自人道始矣。立权、度、量，考文章[8]，改正朔[9]，易服色，殊徽号[10]，异器械[11]，别衣服，此其所得与民变革者也[12]。其不可得变革者则有矣。亲亲也，尊尊也，长长也，男女有别，此其不可得与民变革者也。（选自《礼记·大传第十六》）

## 注释

[1] 听天下：治理天下事务。 [2] 与：参与。 [3] 治亲：整顿亲属关系。 [4] 报功：报答有功之臣。 [5] 存爱：有爱民之心。 [6] 赡：富足，足够。 [7] 纰缪（pī miù）：错误。 [8] 文章：礼乐法度。 [9] 正朔：正和朔分别为一年和一月的开始。此处引申为历法。 [10] 徽号：尊号，此处指对不同等级的人的称谓。 [11] 器械：泛指武器等用具。 [12] 变革：改变，多指对制度的改变。

## 译文

圣明的人坐北朝南登上王位治理天下事务，必须先做五件事情，民众不能参与其间。第一件事是处理亲属之间的关系，第二件事是报答有功劳的臣子，第三件事是举荐贤德的人，第四件事是用有能力的人，第五件事是要有一颗爱民之心。这五件事情能够全部在天下施行，民众没有不满足的，没有不富足的。若这五件事情中出现一点错误，民众就会死无其所。圣明的人坐北朝南登上王位来治理天下，一定要从人伦道义开始。建立度量衡制度，考定礼仪法度，更改历法制度，变化服饰颜色，别易尊卑称呼，更改武器用具，变换衣服制度，（新朝刚立，变化这些制度是为了与前朝相区别，同时体现自己符合天命所给予的正统地位。）这些是可以变革的。以亲人为亲近、以尊长为尊敬、以年长为长辈，男女有别，应区别对待，这些是不能变革的。

## 文史链接

### 武王伐纣

周是商朝的一个诸侯国，位于今陕西渭河流域岐山以南的周原。商朝末年，纣王不行仁义，民怨沸腾。西伯侯姬昌暗中实行仁政，布施百姓，有很多诸侯都来归顺于他。在几代周族首领的治理下，周取得了较快的发展。

姬昌去世后，其子姬发即位，就是周武王。武王即位后，追谥其父西伯为文王，并追尊古公亶父为太王、公季为王季。同时，武王在国内进行了一系列改革，所谓“改法度，制正朔”。此外，武王还任用贤良，辅佐他的人包括太公望、周公旦、召公和毕公等贤能之士。这些举措都为周国灭商奠定了基础。与此同时，商

纣王统治下的商王朝摇摇欲坠。纣王听信谗言，残害忠良，引起了贵族集团的强烈不满，加剧了统治阶级内部的矛盾。纣王还大肆掠夺民脂民膏，建立了有名的鹿台以聚集搜刮来的奇珍异宝，民众怨声载道。

武王九年（前 1048）举行祭祀之礼，并会诸侯于孟津。据史书记载，这次到会的诸侯有八百之多。盟会上，诸侯都认为商纣王不行仁义，商朝奄奄一息，已经到了灭商的好时机。但武王认为时机未到，对八百诸侯说："你们不知道天命所归，商纣王气数未尽，现在还不能兴兵讨伐。"于是便各自回国，另待时机。

又过了两年，商纣王昏庸日甚，杀死了辅佐自己的贤臣王子比干，还囚禁了箕子。掌管音乐的官员抱着乐器逃到了周国。这两件事情恰恰说明商纣王逆天而行，迫害贤臣忠良，礼乐背其而去，也意味着他不再受到天命的眷顾。武王得知此事，深知灭商的时机已到。于是，武王遍告诸侯说："商纣王逆天而动，不尊天命，我们要替天行道，出兵讨伐！"于是，他带了戎车三百、虎贲三千、甲士四万五千人挥师东向，讨伐商纣王。军队全数渡过孟津，这时支持武王的诸侯尽数到达。武王举行誓师仪式，将纣王罪状宣告于诸侯庶众。

武王十一年（前 1046）二月，军队到达了商朝的郊外牧野，武王举行了誓师仪式。仪式结束后，在牧野摆开战阵。商纣王听闻武王率兵前来，便发兵七十万与武王对抗。纣王军队人数虽众，可是都无作战之心，大多归顺武王。商纣王见兵败城倒，大势已去，便披着那些奇珍异宝在鹿台上自焚而亡。

## 思考讨论

1. 你怎么理解武王“改正朔，易服色，殊徽号，异器械，别衣服”这些举动？

2. 谈谈商纣王为什么亡国。

# 学　记

**君子既知教之所由兴[1]，又知教之所由废，然后可以为人师也。故君子之教喻也[2]，道而弗牵[3]，强而弗抑[4]，开而弗达[5]。道而弗牵则和，强而弗抑则易，开而弗达则思。和易以思，可谓善喻矣[6]。**

## 注释

[1] 所由：由所，从哪里。　[2] 教喻：教导。　[3] 道：通“导”，引导。弗：不。　[4] 强：劝勉。抑：压制。　[5] 开而弗达：此处指为师者将所有的东西都为学生讲到，则不利于学生自己思考。开，开导。达，全面。　[6] 善：好的。

## 译文

君子懂得教育是怎样兴盛的之后，又知道教育是怎样衰亡的，这样便可以做老师了。因此，君子教导学生，要引导而非强迫，劝勉而非压制，为学生打开思路而非将知识全部讲出。引导而非强迫，老师、学问和学生的关系就很融洽；劝勉而非压制，学生就更容易投入学习中；开导思路而非全面灌输，就能促使学生自我思考。关系融洽、让学生积极主动学习，这才是好的教导。

**学者有四失，教者必知之。人之学也，或失则多[1]，或失则寡，或失则易，或失则止。此四者，心之莫同也[2]。知其心，然后能救其失也。教也者，长善而救其失者也。**

### 注释

[1]则：于。　　[2]莫：不，否。

### 译文

学生易犯四种过失，老师必须了解。学生学习，有的失于贪多，有的失于所学过狭，有的失于见异思迁，有的失于浅尝辄止。犯这四种过失的学生心态不一。知道了学生的心态，这样就能挽救他们在学习上的过失。老师就是使学生发挥长处并挽救学生过失的人。

**善歌者，使人继其声。善教者，使人继其志。其言也约而达，微而臧[1]，罕譬而喻[2]，可谓继志矣。**

### 注释

[1]臧：善，好。　　[2]罕譬而喻：说话少用比喻，大家都能明白。形容说话非常清楚明了。

## 译文

善于唱歌的人，能让人跟着他唱。善于教导人的人，能让人继承他的学术关怀。他的言辞简约易懂，含蓄精妙，少比喻易理解，就可以称得上让别人继承他的学术关怀了。

**君子知至学之难易[1]，而知其美恶[2]，然后能博喻[3]。能博喻然后能为师，能为师然后能为长，能为长然后能为君。故师也者，所以学为君也。是故择师不可不慎也。《记》曰："三王四代唯其师[4]。"此之谓乎？**

（选自《礼记·学记第十八》）

## 注释

[1]至：到达，此处指学到学问。　[2]而：表并列的连词，并且。　[3]博：广泛地。　[4]三王：指夏、商、周三代的开国君主。四代：指虞、夏、商、周。

## 译文

君子知道学到学问很难，并且知道学生们的长处和短处，这样就能广泛地因材施教。能广泛地因材施教便可以当老师，能当老师便可以当官吏，能当官吏便可以当国君。因此，老师是可以从其处学到为君之道的人。因此选择老师不可以不慎重。《记》中说："三王之所以开明，四代之所以为后世所尊崇，就是因为能够慎重地选择老师。"这句话说的就是这个意思吧？

## 文史链接

### 我国古代的教育

我国古代学校有官学与私学之分，官学分为小学和大学两级，有别于我们现在的小学、中学、大学。小学一般建在都城内，大学则建在近郊。能入官学学习的大多为贵族子弟，他们大概八岁左右进入小学学习，十五岁从小学结业，进入大学学习八到九年就可以出学了。

谈到老师，同学们熟知的便是孔子。孔子游历各国，晚年专心著述，开坛讲学，因材施教，有教无类。我国古代的老师和我们现在所说的老师还是有一些区别的。譬如《史记·孟子荀卿列传》中说的“而荀卿最为老师”，这个老师便不是我们现代意义上的老师。在我国古代，能为师者必须是贤人君子，只有贤人君子才能正确地引导学生。我国古代对师者的规定也是极为严格的，为大家所熟识的大概有“博学之，审问之，慎思之，明辨之，笃行之”（《中庸》）和韩愈的《师说》。正所谓“师者，所以传道授业解惑也”。何为传道？何为授业？何为解惑？为师者的最高目标为什么是传道？这些问题都是值得我们深思的。

贵族子弟可以上官学，自春秋战国兴起私人讲学之风，平民子弟也可以在私塾中学习知识。特别是科举制度设立之后，开科取士促进了学校的发展，相关制度也得以完备。还有宋代开始兴起的书院，这些都使得更广大的民众可以接受教育，并通过学习来改变自身和家族的境遇，进入统治集团。这样的现象以及制度不仅缓和了统治集团和一般民众之间的矛盾，同时也使有贤能的人不断进入统治集团，保证了社会的良性运转，更使前人学问不断发扬，保证了文明的延续不断。

古今虽多有不同，对老师的要求和对学生的规劝却是并无二致的。为使同学们读懂《礼记·学记》全文，了解古人对老师的要求和对学生的劝导，特别是面对晚清世界局势变化学人们对学习重要性的思考，特将《礼记·学记》、朱熹《朱子白鹿洞教条》和张之洞《劝学篇·序》附录于本课后，以便同学们阅读和学习。

## 礼记·学记

发虑宪，求善良，足以谀闻，不足以动众。就贤体远，足以动众，未足以化民。君子如欲化民成俗，其必由学乎。

玉不琢，不成器。人不学，不知道。是故古之王者，建国君民，教学为先。《兑命》曰："念终始，典于学。"其此之谓乎。

虽有嘉肴，弗食，不知其旨也。虽有至道，弗学，不知其善也。是故学然后知不足，教然后知困。知不足，然后能自反也；知困，然后能自强也。故曰教学相长也。《兑命》曰："学学半。"其此之谓乎。

古之教者，家有塾，党有庠，术有序，国有学。比年入学，中年考校。一年视离经辨志，三年视敬业乐群，五年视博习亲师，七年视论学取友，谓之小成。九年知类通达，强立而不反，谓之大成。夫然后足以化民易俗，近者说服而远者怀之，此大学之道也。《记》曰："蛾子时术之。"其此之谓乎。

大学始教，皮弁祭菜，示敬道也。《宵雅》肄三，官其始也。入学，鼓，箧，孙其业也。夏、楚二物，收其威也。未卜禘不视学，游其志也。时观而弗语，存其心也。幼者听而弗问，学不躐等也。此七者，教之大伦也。《记》曰："凡学，官先事，士先志。"其此之谓乎。

大学之教也，时教必有正业，退息必有居学。不学操缦，不能安弦；不学博依，不能安《诗》；不学杂服，不能安礼；不兴其艺，不能乐学。故君子之于学也，藏焉，修焉，息焉，游焉，夫然，故安其学而亲其师，乐其友而信其道，是以虽离师辅而不反。《兑命》曰："敬，孙，务，时，敏，厥修乃来。"其此之谓乎。

今之教者，呻其佔毕，多其讯，言及于数，进而不顾其安，使人不由其诚，教人不尽其材，其施之也悖，其求之也佛。夫然，故隐其学而疾其师，苦其难而不知其益也。虽终其业，其去之必速。教之不刑，其此之由乎。

大学之法，禁于未发之谓"豫"，当其可之谓"时"，不陵节而施之谓"孙"，相观而善之谓"摩"。此四者，教之所由兴也。

发然后禁，则扞格而不胜。时过然后学，则勤苦而难成。杂施而不孙，则坏乱而不修。独学而无友，则孤陋而寡闻。燕朋逆其师。燕辟废其学。此六者，教之所由废也。

君子既知教之所由兴，又知教之所由废，然后可以为人师也。故君子之教喻也，道而弗牵，强而弗抑，开而弗达。道而弗牵则和，强而弗抑则易，开而弗达则思。和易以思，可谓善喻矣。

学者有四失，教者必知之。人之学也，或失则多，或失则寡，或失则易，或失则止。此四者，心之莫同也。知其心，然后能救其失也。教也者，长善而救其失者也。

善歌者，使人继其声。善教者，使人继其志。其言也约而达，微而臧，罕譬而喻，可谓继志矣。

君子知至学之难易，而知其美恶，然后能博喻。能博喻然后能为师，能为师然后能为长，能为长然后能为君。故师也者，所以学为君也。是故择师不可不慎也。《记》曰："三王四代唯其师。"此之谓乎？

凡学之道，严师为难。师严然后道尊，道尊然后民知敬学。是故君之所不臣于其臣者二：当其为尸则弗臣也，当其为师则弗臣也。大学之礼，虽诏于天子，无北面，所以尊师也。

善学者，师逸而功倍，又从而庸之。不善学者，师勤而功半，又从而怨之。善问者如攻坚木，先其易者，后其节目，及其久也，相说以解。不善问者反此。善待问者如撞钟，叩之以小者则小鸣，叩之以大者则大鸣，待其从容，然后尽其声。不善答问者反此。此皆进学之道也。

记问之学，不足以为人师。必也其听语乎！力不能问，然后语之。语之而不知，虽舍之可也。

良冶之子必学为裘，良弓之子必学为箕。始驾马者反之，车在马前。君子察于此三者，可以有志于学矣。

古之学者比物丑类。鼓无当于五声，五声弗得不和。水无当于五色，五色弗得不章。学无当于五官，五官弗得不治。师无当于五服，五服弗得不亲。

君子曰："大德不官，大道不器，大信不约，大时不齐。察于此四者，可以有志于学矣。"

三王之祭川也，皆先河而后海，或源也，或委也。此之谓务本。

## 朱熹《朱子白鹿洞教条》

父子有规，君臣有义，夫妇有别，长幼有序，朋友有信。右五教之目。尧、舜使契为司徒，敬敷五教，即此是也。学者，学此而已。

而其所以学之之序，亦有五焉，其别如左：博学之，审问之，慎思之，明辨之，笃行之。右为学之序。学、问、思、辨四者，所以穷理也。

若夫笃行之事，则自修身以至处事、接物，亦各有要，其别如左：言忠信，行笃敬，惩忿窒欲，迁善改过。右修身之要。正其谊不谋其利，明其道不计其功。右处事之要。己所不欲，勿施于人。行有不得，反求诸己。右接物之要。

熹窃观古昔圣贤所以教人为学之意，莫非使之讲明义理，以修其身，然后推以及人，非徒欲其务记览，为词章，以钓声名、取利禄而已也。今人之为学者既反是矣，然圣贤所以教人之法具存于经，有志之士，固当熟读深思而问辨之。苟知其理之当然，而责其身以必然，则夫规矩禁防之具，岂待他人设之，而后有所持循哉！近世于学有规，其待学者为已浅矣，而其为法又未必古人之意也，故今不复以施于此堂，而特取凡圣贤所以教人为学之大端，条列如右，而揭之楣间。诸君其相与讲明遵守，而责之于身焉，则夫思虑云为之际，其所以戒谨而恐惧者，必有严于彼者矣。其有不然，而或出于禁防之外，言之所弃，则彼所谓规者，必将取之，故不得而略也。诸君其亦念之哉！

## 张之洞《劝学篇·序》

昔楚庄王之霸也，以民生在勤箴其民，以日讨军实儆其军，以祸至无日训其国人。夫楚当春秋鲁文宣之际，土方辟，兵方强，国势方张，齐晋秦宋无敢抗颜行，谁能祸楚者！何为而急迫震惧，如是之皇皇耶？君子曰："不知其祸，则辱至矣，知其祸，则福至矣。"今日之世变，岂特春秋所未有，抑秦汉以至元明所未有也。语其祸，则共工之狂，辛有之痛，不足喻也。

庙堂旰食，乾惕震厉，方将改弦以调琴瑟，异等以储将相，学堂建，特科设，海内志士，发愤搤捥，于是图救时者言新学，虑害道者守旧学，莫衷于一。旧者因噎而食废，新者歧多而羊亡；旧者不知通，新者不知本。不知通则无应敌制变之术，不知本则有非薄名教之心。夫如是，则旧者愈病新，新者愈厌旧，交相为瘉，而恢诡倾危乱名改作之流，遂杂出其说以荡众心。学者摇摇，中无所主，邪说暴行，植流天下。敌既至无与战，敌未至无与安，吾恐中国之祸，不在四海之外，而在九州之内矣！

窃惟古来世运之明晦，人才之盛衰，其表在政，其里在学。不佞承乏两湖，与有教士化民之责，夙夜兢兢，思有所以裨助之者。乃规时势，综本末，著论二十四篇，以告两湖之士，海内君子，与我同志，亦所不隐。内篇务本，以正人心，外篇务通，以开风气。内篇九：曰同心，明保国、保教、保种为一义，手足利则头目原，血气盛则心志刚，贤才众多，国势自昌也；曰教忠，陈述本朝德泽深厚，使薄海臣民咸怀忠良，以保国也；曰明纲，三纲为中国神圣相传之至教，礼政之原本，人禽之大防，以保教也；曰知类，闵神明之胄裔，无沦胥以亡，以保种也；曰宗经，周秦诸子，瑜不掩瑕，取节则可，破道勿听，必折衷于圣也；曰正权，辨上下，定民志，斥民权之乱政也；曰循序，先入者为主，讲西学必先通中学，乃不忘其祖也；曰守约，喜新者甘，好古者苦，欲存中学，宜治要而约取也；曰去毒，洋药涤染，我民斯活，绝之使无萌拚也。

外篇十五：曰益智，昧者来攻，迷者有凶也；曰游学，明时势，长志气，扩见闻，增才智，非游历外国不为功也；曰设学，广立学堂，储为时用，为习帖括者击蒙也；曰学制，西国之强，强以学校，师有定程，弟有适从，授方任能，皆出其中，我宜择善而从也；曰广译，从西师之益有限，译西书之益无方也；曰阅报，眉睫难见，苦药难尝，知内弊而速去，知外患而豫防也；曰变法，专已袭常，不能自存也；曰变科举，所习所用，事必相因也；曰农工商学，保民在养，养民在教，教农工商，利乃可兴也；曰兵学，教士卒不如教将领，教兵易练，教将难成也；曰矿学，兴地利也；曰铁路，通血气也；曰会通，知西学之精意，通于中学，以晓固

蔽也；曰非弭兵，恶教逸欲而自毙也；曰非攻教，恶逞小忿而败大计也。

二十四篇之义，括之以五知：一知耻，耻不如日本，耻不如土耳其，耻不如暹罗，耻不如古巴；二知惧，惧为印度，惧为越南缅甸朝鲜，惧为埃及，惧为波兰；三知变，不变其习不能变法，不变其法不能变器；四知要，中学考古非要，致用为要，西学亦有别，西艺非要，西政为要；五知本，在海外不忘国，见异俗不忘亲，多智巧不忘圣。凡此所说，窃尝考诸中庸而有合焉。鲁弱国也，哀公问政，而孔子告之曰："好学近乎知，力行近乎仁，知耻近乎勇。"终之曰："果能此道矣，虽愚必明，虽柔必强。"兹内篇所言，皆求仁之事也，外篇所言，皆求智求勇之事也。

夫中庸之书，岂特原心杪忽校理分寸而已哉？孔子以鲁秉礼而积弱，齐邾吴越皆得以兵侮之，故为此言以破鲁国臣民之聋聩，起鲁国诸儒之废疾，望鲁国幡然有为，以复文武之盛。然则，无学、无力、无耻则愚且柔，有学、有力，有耻则明且强。在鲁且然，况以七十万方里之广，四百兆人民之众者哉？吾恐海内士大夫狃于晏安，而不知祸之将及也，故举楚事。吾又恐甘于暴弃而不复求强也，故举鲁事。易曰："其亡其亡，系于苞桑。"惟勿亡，则知强矣。光绪二十四年三月南皮张之洞书。

## 思考讨论

1. 请谈谈你对"人之学也，或失则多，或失则寡，或失则易，或失则止"这句话的认识，并说说你自己在学习的过程中有无这样的过失。

2. 谈谈你认为什么样的人可以为师者，并说说对你的学习和成长产生重要影响的一位老师。

## 经 解

故朝觐之礼[1]，所以明君臣之义也；聘问之礼[2]，所以使诸侯相尊敬也；丧祭之礼，所以明臣子之恩也；乡饮酒之礼，所以明长幼之序也；昏姻之礼[3]，所以明男女之别也。夫礼[4]，禁乱之所由生，犹坊止水之所自来也[5]。故以旧坊为无所用而坏之者，必有水败[6]；以旧礼为无所用而去之者，必有乱患。



### 注释

[1] 朝觐（jìn）：朝见，拜见。此处指诸侯朝见天子。
[2] 聘问：诸侯国之间相互遣使访问。　[3] 昏：通“婚”。
[4] 夫：语气助词。　[5] 犹：像，好像。坊：古同“防”，堤防。
[6] 败：灾祸，祸乱。

### 译文

因此，朝觐礼是用来辨别君臣关系的，聘问礼是用来让诸侯互相尊敬的，丧祭礼是用来表明国君和父亲对臣子和儿子的恩情的，乡饮酒礼是用来辨明长幼秩序的，婚姻礼是用来表明男女之别的。礼禁止祸乱的发生，就好像堤防阻止水害泛滥。因此，以为旧堤防没用了就将其拆掉的，必定会发生水害；以为旧礼没用了就将其废弃的，必定会有祸患。

**故昏姻之礼废，则夫妇之道苦，而淫辟之罪多矣；乡饮酒之礼废，则长幼之序失，而争斗之狱繁矣；丧祭之礼废，则臣子之恩薄，而倍死忘生者众矣[1]；聘、觐之礼废，则君臣之位失，诸侯之行恶，而倍畔、侵陵之败起矣[2]。**

## 注释

[1]倍：通“背”。背弃，背叛。　[2]倍畔、侵陵：据郑注，“倍畔，谓据倍天子；侵陵，谓侵陵邻国也”。

## 译文

因此，婚姻礼废弃了，夫妇关系随之破坏，淫乱的罪孽就会增多；乡饮酒礼废弃了，长幼之间失去秩序，争斗的案件就会频繁发生；丧祭礼废弃了，君臣、父子之间的恩情就淡薄了，背弃死者忘记生者的人就愈加多了；聘问礼、朝觐礼废弃了，君臣上下等级失序，诸侯行不义之事，相互背叛、侵扰的祸乱就会发生。

**故礼之教化也微[1]，其止邪也于未形[2]，使人日徙善远罪而不自知也[3]，是以先王隆之也[4]。《易》曰：“君子慎始。差若豪氂[5]，缪以千里[6]。”此之谓也。**

（选自《礼记·经解第二十六》）

## 注释

[1]微：细致，此处意为礼教化人民于无形之中。 [2]止：阻止。 [3]徙：移动。 [4]隆：尊崇。 [5]豪氂（lí）：细微。豪，通“毫”，指细长而尖的毛。氂，通“厘”，长度单位。[6]缪：错误。

## 译文

因此，礼的教化是细致入微的，在邪恶未形成时便将其阻止。礼使人不知不觉中慢慢靠近美善、远离罪恶，所以先王们都尊崇礼。《易》中说：“君子要慎重对待诸事的开始。有一丝的差错，就会犯下弥天大错。”说的就是这个意思。

## 文史链接

### 我国古代的“礼”及其分类

在我国古代，“礼”是一个很宽泛的概念，它可以指礼物、礼仪，也可以指礼法、礼义。所谓礼物，是指举行礼仪活动或进行人际交往所需的器物和礼品。比如在我国古代，学生入学拜师要送“束脩”给老师，以表示对老师的尊重。礼仪一般指古代贵族们举行祭祀、丧葬等一系列活动的仪式和程序，这些仪式内容丰富，环节复杂。每个环节该用什么器物、穿什么衣服、行什么动作，都有很严格的规定。历代研究礼学的学者们将这些礼仪分为吉、凶、军、宾、嘉五类，即“五礼”。礼法一般指依据“礼”的原则制定的国家典章制度，礼义则指礼仪活动表象下隐藏的文化意义。礼物、礼法和礼义都要依靠各种各样的礼仪活动来体现。因此，了解这些礼仪活动对明白“礼”的内涵是十分重要的。

《周礼·春官·大宗伯》说："以吉礼祀邦国之鬼、神、示"，"以凶礼哀邦国之忧"，"以宾礼亲邦国"，"以军礼同邦国"，"以嘉礼亲万民"。从这几句话中我们可以看到，"五礼"担负着不同的职能。吉礼是用来祭祀天地鬼神的，凶礼是用来哀悼灾荒祸乱的，宾礼是用来密切各国关系的，军礼是用来合同各诸侯国的，嘉礼是用来密切统治者与百姓关系的。

凡是祭祀天神、地祇、人鬼的礼都属于吉礼。吉礼又包括十二个项目。祭祀天神的有禋（yīn）祀、实柴、槱（yǒu）燎三项；祭祀地祇的有血祭、狸沈（mái chén）、疈（pì）辜三项；祭祀人鬼的有祫（xià）、禘（dì）、祠、禴（yuè）、尝、烝六项。祭祀天神一般通过燔柴生烟的方式，古人以为这种烟气可以升上天际，这样天神就可以了解到人们对他的祭祀。出于同样的意图，古人祭祀地祇的方式多为掩埋，祭祀江河神时多将祭器和祭品沉入江河中。通过这些祭祀方式，我们可以对古人的神鬼观念管窥一二。

凡是吊丧、救荒的都属于凶礼。凶礼又包括丧礼、荒礼、吊礼、禬（guì）礼、恤礼五个项目。丧礼指的是对与自己有君臣、亲戚、朋友等关系的死人进行哀悼的各项礼仪，依据与自己关系的亲疏远近，会为死者服不同级别的丧服。荒礼是指诸侯国遭遇饥馑、疫病等灾难时，天子和大臣们会通过减少膳食、撤去乐器等方式来表示同情。吊礼是天子遣使去遭遇水火灾害的国家表达自己的慰问。禬礼是指同盟的诸侯国聚集财货来补偿他们中战败国的损失。恤礼是指邻国发生内乱或者遭遇外国侵扰时，遣使去慰问。

凡是接待宾客的礼仪都属于宾礼。宾礼主要包括朝、宗、觐、遇、会、同、问、视八个项目。前六项均为天子接待诸侯之礼，依据接待时间而命名，一年四季对应的宾礼依次称为朝、宗、觐、遇。天子对诸侯不定时的接见称为会。如果天子十二年没有到各诸侯国去巡狩，诸侯就要一起去拜见天子，这叫做同。问、视为诸侯遣使拜见天子之礼。其中诸侯不定期派遣使臣去拜见天子的礼叫做问，又称时聘；诸侯定时遣使聘问天子称作视，也叫做殷覜（tiào）。

凡是征伐、田猎、筑邑等活动都属于军礼。军礼包括大师、大均、大田、大役、大封五个项目。大师礼指的是天子或诸侯出师征伐的活动；大均礼就是国家统计户口、摊定赋税的活动；大田礼包括天子和诸侯定期的田猎和检阅军队等活动；大役礼指的是修建宫室城邑等国家事务；大封礼包括勘定国与国之间及封邑与封邑之间的疆界、开挖沟渠、建筑道路等活动。

凡是饮食、昏（同“婚”）冠、宾射、燕飨（xiǎng）、脤（shèn）膰（fán）、庆贺礼都属于嘉礼。《周礼·春官·大宗伯》说：“以饮食之礼亲祖宗兄弟，以昏冠之礼亲成男女，以宾射之礼亲故旧朋友，以脤膰之礼亲兄弟之国，以庆贺之礼亲异姓之国。”

礼在古人的政治生活和社会活动中扮演着很重要的角色，这也就不难理解为何礼的种类有如此之多了。

## 思考讨论

1. 谈谈你对朝觐、聘问、丧祭、乡饮酒、婚姻这些礼仪活动的基本认识，并说说这些礼仪活动分别属于“五礼”中的哪一类。

2. 先王为什么尊崇礼？

## 哀公问

**公曰："敢问何谓敬身[1]？"孔子对曰："君子过言则民作辞[2]，过动则民作则[3]。君子言不过辞，动不过则，百姓不命而敬恭。如是则能敬其身[4]。能敬其身，则能成其亲矣[5]。"**

### 注释

[1]何谓：什么叫做。　[2]过言：错误的言论。辞：优美的语言。　[3]过动：错误的行动。则：规程，制度。[4]敬其身：敬重自身。　[5]成其亲：成就父亲的名望。

### 译文

鲁哀公问孔子："请问怎么样才能称得上敬重自身呢？"孔子回答说："君子说错了话，人民却将其当做美好的言辞；君子做错了事情，人民却将其当做行为准则。君子不说错话，不做错事，不对百姓施加命令百姓也会对其恭敬有加，这样就能敬重自身了。能够敬重自身，就可以成就父亲的名望。"

**公曰："敢问何谓成亲？"孔子对曰："君子也者，人之成名也。百姓归之名，谓之'君子之子'，是使其亲为君子也，是为成其亲之名也已。"**

### 译文

鲁哀公问孔子："请问怎样才能称得上是成就父亲的名望呢？"孔子回答说："君子就是有名望的人。百姓将名声归于君子，称他为'君子的儿子'，这样就使他的父亲成为君子。这就叫做成就父亲的名望。"

**孔子遂言曰[1]："古之为政，爱人为大。不能爱人，不能有其身。不能有其身，不能安土[2]。不能安土，不能乐天[3]。不能乐天，不能成其身[4]。"**

### 注释

[1]遂：于是，接着。 [2]安土：安于土，即安定地生活在土地上。 [3]乐天：乐于天，即快乐地接受上天赐予的命运。 [4]成其身：谓成就自身。

### 译文

孔子接着说："古人行政事，爱别人是最重要的。不能爱别人，就不能保有自身。不能保有自身，就不能安居在土地上。不能安居在土地上，就不能快乐地接受上天赐予的命运。不能快乐地接受上天赐予的命运，就不能成就自身。"

**公曰："敢问何谓成身？"孔子对曰："不过乎物[1]。"**

（选自《礼记·哀公问第二十七》）

## 注释

[1]不过乎物：不做逾越规矩的事情。

## 译文

鲁哀公问孔子："请问怎么样才能称得上是成就自身呢？"孔子回答："做事不逾越规矩。"

## 文史链接

### 谥号小识

我国古代帝王、后妃、公卿大夫等去世后，朝廷会依据他们生前的行为，为他们拟定谥号。谥号可以概括一个人生前的德行。

谥号有一些固定的用字，这些字被赋予了特定的含义。谥号用字大致可分为三类。其一是表扬死者功德的。例如"经天纬地曰文，布义行刚曰景，威强睿德曰武。"汉文帝、汉景帝、汉武帝即是此类。其二是批评死者行为的。例如"乱而不损曰灵，好内远礼曰炀，杀戮无辜曰厉。"晋灵公、隋炀帝、周厉王归于此。其三是同情死者的。例如"恭仁短折曰哀，在国遭忧曰愍，慈仁短折曰怀。"本篇鲁哀公归于此类。

古人谥号有用一个字，也有用多个字的。少者如"秦穆公"、"武穆王"（岳飞）、"贞惠文子"，多者如清代慈禧太后的谥号"孝钦慈禧端佑康颐昭豫庄诚寿恭钦献崇熙配天兴圣显皇后"。

除此之外，一些有名望的学者死后，其门人亲友也会为他们追加谥号。如陶渊明死后，谥号"靖节征士"。

## 思考讨论

1. 请谈谈你对“百姓归之名，谓之‘君子之子’，是使其亲为君子也，是为成其亲之名也已”这句话的理解。

2. 请结合“吾十有五而志于学，三十而立，四十而不惑，五十而知天命，六十而耳顺，七十而从心所欲，不逾矩”（《论语·为政第二》），谈谈你对孔子所说的“不过乎物”的理解。



# 仲尼燕居

**子曰：“礼也者，理也；乐也者[1]，节也[2]。君子无理不动，无节不作。不能《诗》[3]，于礼缪；不能乐，于礼素[4]；薄于德，于礼虚[5]。”子曰：“制度在礼，文为在礼[6]，行之其在人乎！”**

## 注释

[1] 乐：音乐。 [2] 节：节制。 [3]《诗》：指《诗经》一书。 [4] 素：质朴，不加修饰。 [5] 虚：空的，不实的。 [6] 文为：文饰，泛指礼的一切外在表现。

## 译文

孔子说：“礼，就是道理；乐，就是节制。君子没有道理就不行动，没有节制就不做事。不会《诗》对于礼来说就是错谬，不会音乐对于礼来说就是不加修饰，德行淡薄对于礼来说就是空洞的。”孔子说：“制度在于礼，文饰在于礼，践行礼的是人啊！”

**子贡越席而对曰[1]：“敢问夔其穷与[2]？”子曰：“古之人与[3]！古之人也。达于礼而不达于乐[4]，谓之素；达于乐而不达于礼，谓之偏[5]。夫夔达于乐而不达于礼[6]，是以传于此名也，古之人也。”**

（选自《礼记·仲尼燕居第二十八》）



## 注释

[1] 子贡：春秋末期卫国（今河南鹤壁）人，孔子弟子。越席：起座，离席。 [2] 夔（kuí）：人名。传说为尧舜时期的乐官。穷：到达极点。 [3] 与：通“欤”，语气助词。 [4] 达：通晓。 [5] 偏：歪，不在中间。 [6] 夫：语气助词。

## 译文

子贡离席应对：“请问夔完全通晓礼乐吗？”孔子说：“古代的人吗？你说的是那个古代人吧！通晓礼而不通晓乐叫做素，通晓乐而不通晓礼叫做偏。夔这个人通晓乐而不通晓礼，因此这个名字流传下来了，他是个古代人。”

## 文史链接

### 礼与乐

礼与乐是内外相成的关系，《乐记》说：“乐者所以象德也，礼者所以缀淫（过头）也。”乐是内心德行的体现，礼的作用是防止行为出格。《乐记》也说：“礼乐皆得，谓之有德。”

《乐记》篇中论述乐内礼外的文字可谓触目皆是。可见，礼乐并行，则君子之身内和外顺，王者之治，四海清平。《乐记》特别强调执掌国政的君王的礼乐修养，要求臻于“德辉动于内”，“礼发诸外”，表率天下，推行礼乐之道。

在儒家的理论中，礼乐之于人类，犹如天地之于万物，具有本原的意义，所以《乐记》给予了最高的评价：“大乐与天地同和，大礼与天地同节”，“礼乐之极乎天而蟠乎地，行乎阴阳而通乎鬼神，穷高极远而测深厚”。认为礼乐充盈于天地，合于阴阳，通于鬼神，极其高远深厚，规范着人类社会的一切。

### 思考讨论

1. 请谈谈你对“薄于德，于礼虚”的理解。
2. 简要谈谈礼与乐的关系。

## 孔子闲居

子夏曰[1]：“三王之德，参于天地，敢问何如斯可谓参于天地矣？”孔子曰：“奉‘三无私’以劳天下[2]。”子夏曰：“敢问何谓‘三无私’？”孔子曰：“天无私覆[3]，地无私载，日月无私照。奉斯三者以劳天下[4]，此之谓'三无私'[5]。其在《诗》曰：'帝命不违，至于汤齐。汤降不迟，圣敬日齐。昭假迟迟，上帝是祇。帝命式于九围[6]。'是汤之德也。"

## 注释

[1]子夏：姓卜，名商，字子夏，春秋末晋国温人，孔子弟子。 [2]奉：尊重，遵守。劳：用语言或实物慰问。 [3]覆：覆盖。 [4]斯：代词，这。 [5]此之谓：这就是所说的。 [6]"帝命不违"七句：出自《诗经·商颂·长发》。降，降生。齐（jī），通"跻"，登，上升。

## 译文

子夏说："三王的德行可以参配天地。请问怎样的德行才能称得上是参配天地呢？"孔子说："奉行'三无私'来抚慰天下。"子夏说："请问什么是'三无私'呢？"孔子说："天无私地覆盖万物，地无私地承载万物，日月光辉无私地照耀四方。奉行这三点去抚慰天下，这就是'三无私'。这在《诗》里是这么说的：'不违背上帝的命令，到商汤与天心齐一。汤的降生适时不迟，圣明恭谨德行日增。德行光明至于永远，只把上帝加以崇敬。上帝命汤治理九州。'这是商汤的德行。"

"天有四时，春秋冬夏，风雨霜露，无非教也。地载神气，神气风霆[1]，风霆流形，庶物露生，无非教也。清明在躬，气志如神。嗜欲将至，有开必

**先。天降时雨，山川出云。其在《诗》曰：‘嵩高惟岳，峻极于天。惟岳降神，生甫及申。惟申及甫，惟周之翰。四国于蕃，四方于宣[2]。’此文武之德也。三代之王也，必先其令闻。《诗》云：‘明明天子，令闻不已[3]。’三代之德也。弛其文德，协此四国，大王之德也[4]。”**

## 注释

[1]霆(tíng):霹雷，霹雳。 [2]“嵩高惟岳”八句：出自《诗经·大雅·嵩高》。 [3]“明明天子”二句：出自《诗经·大雅·江汉》。 [4]大：通“太”。

## 译文

“天有四季，春夏秋冬，（天用）风霜雨露（无私化育万物），这些无不是对人的教化。地载神妙之气，神妙之气化生出风雷，风雷无私流布，于是众物显露而生长，这些无不是对人的教化。圣人自身有清明的德行，有如神的意志。统治天下的愿望即将实现，有神开导而必先降下贤德的辅佐人，就像天将下雨时，山川先吐出云气。这在《诗》里是这么说的：‘高大的山是四岳，高峻得已经到了天空。四岳降下神灵，生下甫侯和申侯。甫侯和申侯是周的骨干。四国靠他们去保卫，四方要他们去宣抚。’这说的是文王和武王的德行。三代的君主，必先有美好的名声传于天下。《诗》说：‘勤勉不倦的天子，美名传播不止。’这就是三代君王的德行。广泛施行他的文德，和洽四方各国。这说的是太王的德行。”

**子夏蹶然而起[1]，负墙而立[2]，曰："弟子敢不承乎。"**

（选自《礼记·孔子闲居第二十九》）

## 注释

[1] 蹶（jué）：急遽的样子。 [2] 负：仗恃，依靠。

## 译文

子夏急遽跳起来，倚靠着墙站着，说："学生敢不接受教导吗？"



## 文史链接

### 商汤灭夏

商的始祖是契，契的母亲简狄有娀（sōng）氏之女是帝喾（kù）的次妃。相传，有一天简狄一行三人到河边沐浴，简狄吞食了玄鸟的蛋而后有孕，生下了契。故《诗经·商颂·玄鸟》中有"天命玄鸟，降而生商"这样的句子。契辅佐禹治水有功，很受百姓爱戴。于是，禹将契封于商，并赐姓子氏。经过几代人的精心统治，商得到了很大的发展。但商的都城似乎很不固定，直到成汤即位，才定都亳，此后都城还是有变动，直到盘庚迁殷才将商的都城彻底固定下来。

汤即位后，发展生产，训练军队，积蓄粮草，并任用贤人伊尹，修饬内政。商汤的仁义之名远播，很多小诸侯国纷纷归附于他。商汤对夏的攻势逐步展开。商汤首先拿处在通往夏都城必经之路上的葛国开刀，大败葛国。

与商的蒸蒸日上形成鲜明对照的是日薄西山的夏。当时夏王朝的统治者是夏桀，桀是历史上有名的暴君，他淫荒无度，民众多叛。恰逢诸侯昆吾氏作乱，商汤趁此机会率军队大败夏于有娀氏之墟，夏桀也逃到鸣条去了。

### 思考讨论

1. 成汤、文、武三位帝王的德行为什么为后人所称颂？

2. 请说说你对盘庚之前商屡次迁都的看法。



## 坊记

子云："小人皆能养其亲，君子不敬[1]，何以辨[2]？"

子云："父子不同位，以厚敬也[3]。《书》云[4]：'厥辟不辟[5]，忝厥祖[6]。'"

子云："父母在，不称老，言孝不言慈。闺门之内[7]，戏而不叹[8]。君子以此坊民[9]，民犹薄于孝而厚于慈。"

子云："长民者[10]，朝廷敬老则民作孝。"

子云："祭祀之有尸也[11]，宗庙之主也[12]，示民有事也。修宗庙，敬祀事，教民追孝也[13]。以此坊民，民犹忘其亲。"

## 注释

[1]敬：恭敬。 [2]辨：辨别，分别。 [3]厚：重视。 [4]《书》：指《尚书》。 [5]厥：那个。辟（bì）：君主。 [6]忝：辱，有愧于。 [7]闺门：古代指内室的门，也指家门。 [8]戏而不叹：郑玄注："戏，谓孺子言笑者也；叹，谓有忧戚之声也。"戏而不叹就是说作为子女的，可以说笑，不可以发出忧虑的叹息声,这样可不让父母忧心。 [9]坊：通"防"，防范。 [10]长：这里指作为民众的首领。 [11]尸：代替死者接受祭祀的人，有男尸和女尸之分。若死者是男性，那么就把他的孙子或者孙子辈的人当做尸；如果死者是女性，必须以与她异姓的孙辈之妇为尸。 [12]主：死者的神位。 [13]追孝：追行孝道于前人。指敬重宗庙、祭祀等，以尽孝道。

## 译文

孔子说："小人都能赡养自己的父母，君子（若只是单纯地赡养而）不尊敬自己的父母，怎么和小人相区别？"

孔子说："父亲和儿子不站在同一个位置，这是为了让儿子重视对父亲的尊敬。《尚书》记载：'那个君主不是君主，有愧于祖先啊。'"

孔子说："父母双亲在世时，不说自己老，为人子的要多说孝敬父母的话，多做孝敬父母的事；为人父母的要少说慈爱子女的话，少做慈爱子女的事。在家里，为人子的也要多言笑，让父母高兴，不要发出忧虑的叹息声让父母担忧。即便是君子用这样的方法来防范民众，民众仍然淡薄于孝敬父母而重视慈爱子女。"

孔子说："作为民众首领的人，应该在庙堂之上尊敬老者，为民众做榜样，这样的话民众就会孝顺。"

孔子说："举行祭祀的时候要有代死去祖先接受祭祀的人，宗庙之中要摆放死去祖先的神位，这是告诉民众有尊敬先祖的事情可做。修葺宗庙，崇敬祭祀的事务，是为了让民众追行孝道于前人。即便用这样的方式来堤防民众，民众仍然有忘记自己死去的父母的。"

**子云："孝以事君，弟以事长[1]，示民不贰也[2]。故君子有君不谋仕，唯卜之日称二君。丧父三年，丧君三年，示民不疑也。父母在，不敢有其身，不敢私其财，示民有上下也。故天子四海之内无客礼，莫敢为主焉[3]。故君适其臣[4]，升自阼阶[5]，即位于堂，示民不敢有其室也。父母在，馈献不及车马[6]，示民不敢专也。以此坊民，民犹忘其亲而贰其君。"**

（选自《礼记·坊记第三十》）

## 注释

[1] 弟：通"悌"，敬爱兄长，引申为顺从长上。 [2] 贰：背叛，变节。 [3] 焉：语气词。 [4] 适：往，去。 [5] 阼（zuò）阶：指东阶。 [6] 馈献：奉送礼物。

## 译文

孔子说："用孝敬之心来侍奉君主，以顺从之心来侍奉长辈，这样向人民显示不背叛。因此，君子有自己的国君就不到他处谋求官职，只有在祭祀时才称有两位君主（一位为祭祀时代祖先受祭的尸）。为父亲服丧三年，为君主服丧三年，这样向人民显示对父与君的权威无所怀疑。父母双亲在世时，不敢将自己的身体视为己有，不敢有自己的财产，以此来向人民显示上下等级。因此，天子在四海之内不行客礼，因为没有人敢做天子的主人。因此君主前往臣子处，从堂前东阶往堂上走，站在堂上属于君主的位置上，以此来向人民显示不能把家看做是自己私有的。父母在世的时候，送礼物不能送车马，以此来向人民显示子不能专有家庭的财产。用这些来提防人民，人民仍旧会忘记双亲并背叛君主。”

## 文史链接

### 古人所谓“尸”

东汉许慎所著的《说文解字》卷八“尸部”云：“尸，陈也。象卧之形。凡尸之属皆从尸。式脂切。”由此可知，“尸”有陈放、象人凭依着案几时的形状两个含义。凡是与此相关的字如尾、屎都从“尸旁”。“式脂切”是“尸”的读音。《白虎通义·崩薨》：“尸之为言失也，陈也，失气亡陈，形体独陈。”古人认为，人死之后，魂魄之气脱离身体，只留下形体陈放在那了。后由陈放之意引申出列阵之意。

此外，“尸”还有一个特别重要的含义，郑玄注《仪礼·士虞礼》云：“尸，主也。孝子之祭不见亲之形，象心所系，立尸而主意焉。”古人祭祀死去的亲人时，要有活着的人来代替死去的人接受众人祭祀，享受祭品。那么，什么样的人可以担任“尸”的角色呢？《礼记·曲礼》说：“孙可以为王父尸。”古礼规定，若祭祀对象为男，就要由其孙或是孙辈的男性成员担任“尸”；若受祭者为女，则要以与其异姓的孙辈之妇担任“尸”。

《礼记·坊记》说：“唯卜之日称二君。”天子祭祀祖先时，充当尸之人的实际地位低于天子，但祭祀时其具有神性，是除天子之外的另外一君。古人祭祀祖先时，为祖先奠献牲肉、醴酒等，供祖先享用，实则是尸象征性地代为享用。“尸位素餐”一词，说的便是身在尸的位置，却没有尽到自己位置该尽的责任。

古文字中，“尸”与“屍”是两回事，“屍”是人死之后的尸体。汉字简化后，两者均写作“尸”。由此可见，若要了解汉字的准确含义，读懂经典，我们必须认真学习古文字，了解字形、字义的演变。

### 思考讨论

1. 君子和小人在对待父母时有什么差异？

2. 谈谈你对古人祭祀先祖“立尸”和宗庙里为先祖立神位的理解。

3. 谈谈你对“闺门之内，戏而不叹”这句话的理解。

## 表　记

子曰：“夏道尊命[1]，事鬼敬神而远之，近人而忠焉。先禄而后威，先赏而后罚，亲而不尊。其民之敝[2]，惷而愚[3]，乔而野[4]，朴而不文。殷人尊神，率民以事神[5]，先鬼而后礼，先罚而后赏，尊而不亲。其民之敝，荡而不静[6]，胜而无耻。周人尊礼尚施[7]，事鬼敬神而远之，近人而忠焉。其赏罚用爵列[8]，亲而不尊。其民之敝，利而巧，文而不惭[9]，贼而蔽[10]。”

## 注释

[1]夏：夏朝。尊：尊奉。 [2]敝：弊病，坏处。 [3]惷（chōng）：愚蠢。 [4]乔（jiāo）：通“骄”，自满，自高自大，不服从。 [5]率：全部。 [6]荡：行为不检，不受约束。 [7]尚：崇尚。 [8]爵：爵位。列：等级。 [9]惭：惭愧。 [10]贼：狡猾。蔽：蒙昧。

## 译文

孔子说：“夏朝治国尊奉天命，侍奉尊崇鬼神却疏远它们，亲近人民，待人民以忠厚，先俸禄后威严，先奖赏后惩罚，亲切而不疏远。这样给人民带来的弊病是笨拙愚钝，自满粗鄙，朴素而不文饰。商朝尊奉神明，全部人民都侍奉神明，先鬼神后礼仪，先惩罚后奖赏，疏远而不亲切。这样给人民带来的弊病是放荡而不安静，好胜而无廉耻。周朝尊崇礼仪崇尚布施，侍奉崇敬鬼神但疏远它们，亲近并忠厚待民，赏罚用爵位等级，亲切而不疏远。这样给人民带来的弊病是好利取巧，文饰而不知羞耻，狡猾而蒙昧。”

子曰：“夏道未渎辞[1]，不求备[2]，不大望于民，民未厌其亲。殷人未渎礼，而求备于民。周人强民，未渎神，而赏爵、刑罚穷矣[3]。”

### 注释

[1]渎：繁琐。　　[2]备：完备。　　[3]穷：尽。

### 译文

孔子说："夏代治理国政没有繁琐的文辞，不苛求完备，不对民众寄予太大期望，民众没有厌烦亲近统治者。商代没有繁琐的礼仪，却要求人民完备。周代用强求的方式教化民众，没有繁琐的宗教崇拜，但赏罚制度都用尽了。"

**子曰："虞、夏之道，寡怨于民[1]，殷、周之道，不胜其敝。"子曰："虞、夏之质[2]，殷、周之文[3]，至矣。虞、夏之文不胜其质，殷、周之质不胜其文。"**

（选自《礼记·表记第三十二》）

### 注释

[1]寡：少。　　[2]质：质朴。　　[3]文：文饰，修饰。

### 译文

孔子说："虞、夏治理国政的方法民众很少有怨言，商、周治理国政的方式让民众难以承受。"孔子说："虞和夏是质朴的，商和周是重文饰的，二者都达到了极致。虞和夏的文饰不及质朴，商和周的质朴不及文饰。"

## 文史链接

### 古人鬼神观念小识

在古人观念中，鬼神、魂魄是含义不同的概念。古人常将鬼神看做一组，指的是人死后的灵魂，鬼为阴，神为阳；魂魄一组，指人活着时候的灵魂，魂主宰人的精气，人的思维活动受其控制，魄主宰人的形体，人的感官活动受其控制。《礼记·郊特牲》云:“魂气归于天，形魄归于地。”这说的就是人去世之后，精气回归上天，形骸归于后土。古人认为，人死后而为鬼神，鬼神居住于北方幽冥所在。因此，丧礼中“复”（人始死为其招魂）的环节，负责招魂的人要“北面”。

殷人善事鬼神，他们认为，祖先去世后，其灵魂始终飘荡在生者的周围，起着保护和训诫的作用。因此，他们在祭祀之日饮酒，希望借酒达到与祖先相通的境界。至于后世妖魔鬼怪的闲谈，实与上古相异。

死对于古人而言，是与生同等重要的事。因此，“不得好死”对古人是极其恶毒的诅咒，而“寿终正寝”是古人最盼望的。如今有些乡村中，老人活到八十岁以后去世的称为“喜丧”，由此可见我们对于死的态度。儒家极其重视丧礼，提倡三年之丧，且认为人们应该“事死如事生”。透过这些表象，我们可以看到，儒家通过丧礼来表达孝子对父母的哀念，体现生者对死者的敬奉。祭祀祖先，忌日不用事等均是古人“慎终追远”、“孝亲为本”观念的体现。

## 思考讨论

1. 简要谈谈夏、商、周三代对待鬼神的态度及得失。

2. 谈谈你对“文”和“质”的看法。

# 缁衣

**子曰："民以君为心[1]，君以民为体。心庄则体舒[2]，心肃则容敬[3]。心好之，身必安之；君好之，民必欲之。心以体全[4]，亦以体伤[5]。君以民存，亦以民亡。《诗》云：'昔吾有先正，其言明且清，国家以宁，都邑以成，庶民以生。''谁能秉国成，不自为正，卒劳百姓[6]。'《君雅》曰[7]：'夏日暑雨，小民惟曰怨。资冬祁寒[8]，小民亦惟曰怨。'"**



## 注释

[1] 以：把……当做。 [2] 庄：严肃，端重。舒：从容，缓慢。[3] 肃：恭敬。敬：谨慎，不怠慢。 [4] 全：完整，完备。[5] 伤：损害。 [6] "昔吾"八句：前五句为逸诗，后三句出自《诗经·小雅·节南山》。 [7]《君雅》：雅，《尚书》写作"牙"。相传君牙为周穆王的司徒。 [8] 资：《尚书》写作"咨"。郑玄注云："连上句云怨咨。"祁：盛大，大。

## 译文

孔子说："人民把国君当做心，国君把民众当做体。心严肃端重则体从容舒缓，心恭敬则容谨慎。心喜欢什么，身体一定安于什么；国君喜好什么，人民必然想要什么。心因为体而完整，也因为体而损伤；国君因为人民而存在，也因为人民而消亡。《诗》说：

‘从前我们的先君，政教分明又清廉。国家因此安宁，都邑因此建成，民众因此生存。’‘谁能秉掌国政，不自以为是，安慰百姓。’《君牙》说：‘夏天暑热下雨，小老百姓埋怨。到冬天寒冷，小老百姓也埋怨。’”

**子曰：“下之事上也，身不正[1]，言不信[2]，则义不壹[3]，行无类也。”**



### 注释

[1]身不正：指自身行为不正直。 [2]言不信：说话不守信用。 [3]壹：专一。

### 译文

孔子说：“作为臣下侍奉君主的时候，自身行为不正直，言而无信，那么作为臣子该有的义就不专一，这样的行为就不能和臣子的行为归为一类了。”

**子曰：“言有物而行有格也[1]，是以生则不可夺志，死则不可夺名。故君子多闻，质而守之[2]。多志[3]，质而亲之。精知，略而行之[4]。《君陈》曰[5]：‘出入自尔师虞，庶言同。’《诗》云：‘淑人君子，其仪一也[6]。’”**

## 注释

[1]格：法式，标准。 [2]质：朴素，单纯。指好的东西。 [3]志：意向，所见所识。 [4]略：主题的概要，要点。 [5]《君陈》：相传为周公旦之子君陈所作。 [6]“淑人君子”二句：出自《诗经·曹风·鸤鸠》。

## 译文

孔子说：“要言之有物，行为要符合标准，因此活着的时候不能被夺去志向，死去的时候不能被夺去名声。因此君子要广阔见闻，选择好的去保有。要多见多识，选择好的去亲近学习。要认真思考所学，将其主旨付诸实践。《君陈》说：‘内外要出自众人的考虑，大家的意见要一致。’《诗》说：‘那位美善的君子啊，他的仪态始终如一。’”

**子曰：“唯君子能好其正[1]，小人毒其正[2]。故君子之朋友有乡[3]，其恶有方[4]。是故迩者不惑[5]，而远者不疑也。《诗》云：‘君子好仇[6]。’”**

（选自《礼记·缁衣第三十三》）

## 注释

[1]正：改变偏差或错误，纠正。 [2]毒：恨，以为苦。[3]乡：居所。 [4]其恶有方：君子厌恶的人有一定的居所。 [5]迩（ěr）：近处的。 [6]君子好仇：出自《诗经·周南·关雎》。仇，今本毛诗作“逑”。

## 译文

孔子说："只有君子能喜爱别人指出他的错误，小人憎恨指出他错误的人。因此，君子的朋友有固定的所在，君子讨厌的人也有固定的所在。因此和君子走得近的人不困惑，和君子走得远的人不怀疑。正如《诗》所说的：'君子的好配偶。'"

## 文史链接

### 阅读古书小常识

我国早期的文字大多刻画或书写在甲骨、青铜器、石碑、简牍和帛上。在造纸术发明之前，一般的书写材料为简牍和帛，前者比较容易获得，但不易携带；后者比较轻便，但较贵重。我国现存最早的纸是1986年在甘肃天水放马滩墓葬群中出土的，纸上有墨线勾勒出的山川、河流等图形，是一幅地图。随着造纸术的改进和推广，纸便成为我国古代主要的书写材料。

我国古代的书写习惯一般为竖排从上到下、从右到左，古人书写不加标点，所以断句对今人更好地理解文章的含义十分重要。鉴于古书难读，现代的学者们对很多古书进行了整理和断句，以便大家阅读和研究。这些标点本为繁体字竖排，从上到下、从左到右书写，因此，认识繁体字对我们阅读也是至关重要的。这些书的前面一般会有《凡例》或《点校说明》，这是介绍整本书的著作内容、编纂体例和点校情况的，认真阅读这部分内容极其重要。

古人写书，有特定的体例。就拿《缁衣》来说，我们现在见到的传世本《缁衣》可分成很多小段，除第一小段以外，其他每一小段的开头都是"子曰"，结尾都引用《诗》或者《书》中的几句话。《缁衣》第一小段的内容是：子言之曰："为上易事也，为下易知也，则刑不烦矣。"

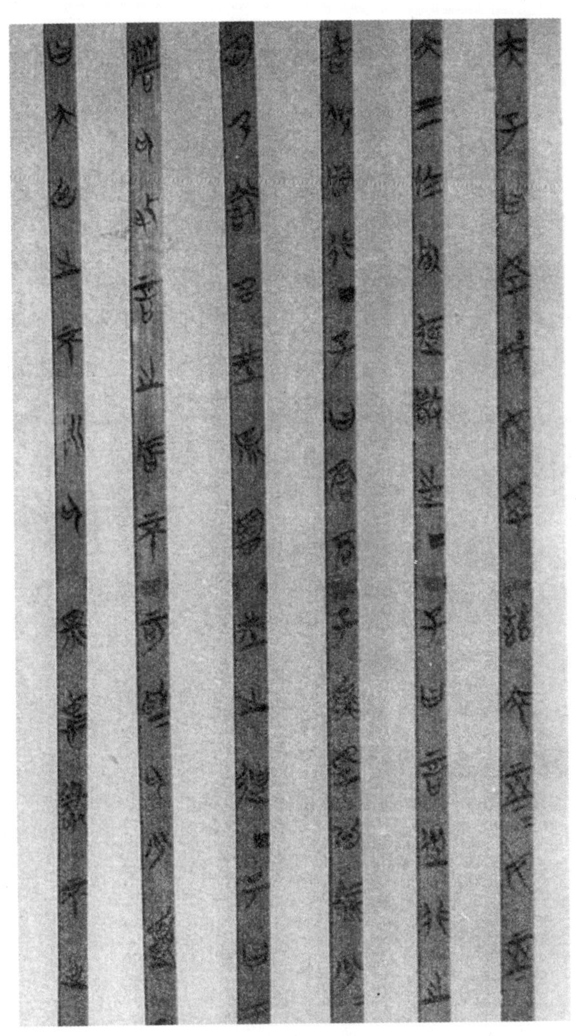

郭店楚墓竹简《缁衣》

这一段与其他小段明显不同，既不是以“子曰”开头，也没有引用《诗》或《书》结尾。因为第一段与其他段的体例不一致，历来就有学者怀疑这一段是后人加上去的。1993 年 10 月，湖北荆门

郭店村的楚墓里出土了一批竹简，这批竹简中就有一篇与我们现在看到的《缁衣》文句大致相当的文章，整理者遂将其命名为《缁衣》。出土的《缁衣》与传世本《缁衣》体例一致，但没有传世本《缁衣》的第一句。这便解决了学者们怀疑的问题，证明了我们现在看到的传世本《缁衣》的第一小段是古人后来加上去的。

举这个例子，是为了说明，出土的简帛文献中有很多可以与我们现在看到的古文相互对照，通过这样的对照，不仅有助于我们更快地读懂简帛上的生僻字和内容，更有助于我们了解现在看到的古文的流传状况。当然，这需要我们具备很多古文字的知识。

希望同学们在阅读完这篇小文后，自己找一些相关的材料来看一看，这不仅可以使我们对我国古代典籍有一个直观的认识，也可从中感受到我们先人的智慧和勤劳。

### 思考讨论

1. 结合所学知识，谈谈你对君民关系的认识。
2. 谈谈君子和小人对待朋友的差别。

## 儒　行

儒有上不臣天子[1]，下不事诸侯；慎静而尚宽[2]，强毅以与人[3]，博学以知服[4]；近文章，砥厉廉隅[5]；虽分国，如锱铢[6]，不臣不仕。其规为有如此者。

### 注释

[1]臣:臣服。　[2]慎:谨慎。　[3]强毅以与人:郑注云:“若有人与己辨言行,而彼人道不正,则己不苟屈从之,是用刚毅以与人也。”　[4]博学以知服:不以自己的博学来凌夸前贤。[5]砥厉:锻炼,磨炼。廉隅:棱角。　[6]锱铢(zī zhū):锱为四分之一两,铢为二十四分之一两。比喻极其微小的数量。

### 译文

儒者有在上不臣服天子、在下不侍奉诸侯的;谨慎静处崇尚宽和,遇到不正直的人不苟屈从,不以自己的博学来凌夸前贤;学习文章来磨炼自己的棱角;即使分封国邑给他,他也看得特别轻,不臣服、不出仕。儒者对自己的要求就是这样的。

**儒有合志同方[1],营道同术[2];并立则乐[3],相下不厌[4];久不相见,闻流言不信。其行本方立义[5],同而进,不同而退。其交友有如此者。**

### 注释

[1]合志同方:志趣相投,目标一致。　[2]营:谋求,经营。术:技艺,方法。　[3]乐:欢乐。　[4]相下:地位有差别。[5]本:依据。

### 译文

儒者有志同道合,谋求同样的道义,遵循同样的方法,在一起就觉得很欢乐,地位有高低也不相厌弃,很久没有见面,听到关于对方的流言也不会相信。儒者的行为都是依据方正道义，意见相同就进一步交流，意见相左就互相疏远。这就是儒者交朋友的态度。

**温良者，仁之本也。敬慎者，仁之地也[1]。宽裕者[2]，仁之作也[3]。孙接者[4]，仁之能也。礼节者，仁之貌也。言谈者，仁之文也。歌乐者[5]，仁之和也。分散者[6]，仁之施也。儒皆兼此而有之，犹且不敢言仁也。其尊让有如此者。**（选自《礼记·儒行第四十一》）



## 注释

[1]地：本质，质地。 [2]宽裕：宽大，宽容。 [3]作：起，兴起。 [4]孙接：以谦逊的言辞、态度接人待物。孙，通“逊”。 [5]乐：音乐。 [6]分散：散发，施与。

## 译文

温和善良是仁的根本，恭敬谨慎是仁的本质，宽宏大量是仁的兴起，谦逊地接人待物是仁的功能，礼仪节制是仁的面貌，言谈是仁的文饰，歌声乐曲是仁的和睦，散发和施与是仁的布施。这些品质儒者全部具有，仍然不敢说自己是仁德的。儒者的尊敬谦和就是这样的。

## 文史链接

### 胡适《说儒》(节选)

我们读孔门的礼书，总觉得这一班知礼的圣贤像基督教《福音》书里耶稣所攻击的犹太“文士”(Scribes)和“法利赛人”(Pharisees)。(“文士”与“法利赛人”都是历史上的派别名称，本来没有贬义。因为耶稣攻击过这些人，欧洲文字里就留下了不能磨灭的成见，这两个名词就永远带着一种贬义）犹太的“文士”和“法利赛人”都是精通古礼的，都是“习于礼”的大师，都是犹太人的“儒”。耶稣所以不满意于他们，只是因为他们熟于典礼条文，而没有真挚的宗教情感。中国古代的儒，在知识方面已超过了那民众的宗教，而在职业方面又不能不为做治丧助葬的事，所以他们对于丧葬之礼实在不能有多大的宗教情绪。老子已明白承认“礼者忠信之薄而乱之首”了，然而他还是一个丧礼大师，还不能不做相丧助葬的职业。(编者按：胡适先生认为老子是柔弱之儒的代表）孔子也能看透“丧，与其易也，宁戚”了，然而他也还是一个丧礼大师，也还是“丧事不敢不勉”。他的弟子如“堂堂乎”的子张也已宣言“祭思敬，丧思哀，其可已矣”了，然而他也不能不替贵族人家做相丧助葬的事。苦哉！苦哉！这种智识与职业的冲突，这种理智生活与传统习俗的矛盾，就使这一班圣贤显露出一种很像不忠实的俳优意味。

## 思考讨论

1. 归纳文中谈到的儒者的品质。

2. 结合所学知识，谈谈你对儒者的认识。

# 第二章 制 度

## 曲 礼

夫礼者，所以定亲疏[1]，决嫌疑[2]，别同异，明是非也。礼不妄说人[3]，不辞费[4]；礼不踰节[5]，不侵侮[6]，不好狎[7]。修身践言，谓之善行。行修言道，礼之质也[8]。礼闻取于人，不闻取人。礼闻来学，不闻往教[9]。

### 注释

[1]定：使不变动，确定。 [2]决：断定，拿定主意。嫌疑：疑惑难辨的事理。 [3]妄：胡乱，荒诞不合理。说：通"悦"，使愉快，取悦。 [4]辞费：话多而无用。 [5]踰（yú）节：超越了一定的规则、分寸。 [6]侵侮：侵犯轻慢，侵害欺侮。 [7]狎（xiá）：亲近而态度不庄重。 [8]质：本质。 [9]往：去。

### 译文

礼是用来确定人与人之间的亲疏关系，断定疑惑难辨的事理，辨别事物之间的异同，明确是非对错的。礼不胡乱取悦他人，不说多而无用的话。礼不超越一定的规则，不侵害欺侮他人，不过分亲近而不庄重。修养自身、言出必行，叫做好的行为。行为有修养，言谈有道理，是礼的本质。只听说过礼被人取法学习，没听说过礼要求他人来学。只听说过人们主动来学礼，没听说过礼主动教别人学的。

**道德仁义，非礼不成[1]；教训正俗[2]，非礼不备[3]；分争辨讼[4]，非礼不决；君臣、上下、父子、兄弟，非礼不定；宦学事师[5]，非礼不亲[6]；班朝治军[7]，莅官行法[8]，非礼威严不行[9]；祷祠[10]、祭祀、供给鬼神，非礼不诚不庄。是以君子恭敬、撙节[11]，退让以明。鹦鹉能言，不离飞鸟；猩猩能言，不离禽兽。今人而无礼，虽能言，不亦禽兽之心乎？夫唯禽兽无礼，故父子聚麀[12]。是故圣人作，为礼以教人，使人以有礼，知自别于禽兽。**

（选自《礼记·曲礼上第一》）

## 注释

[1]成：成就，成事。　[2]教训：教导，训悔。正俗：匡正风俗。　[3]备：完全。　[4]分争：争斗，争夺。辨：通“辩”。讼：争讼，诉讼。　[5]宦：官，做官。学：学习经艺。[6]亲：至、近，形容关系近、感情好。　[7]班朝：整肃朝班。[8]莅（lì）官：担任官职。　[9]威严：指威势。　[10]祷：

有灾病而祭，祈求神降福消灾。祠：得其所求而报祭，即今天说的还愿。　[11]撙（zǔn）：抑制，节制。　[12]聚麀（yōu）：本指兽类父子共一牝的行为，后以指两代的乱伦行为。聚，共。麀，牝鹿。

## 译文

仁义道德，没有礼就不能成就；教导训诲，匡正风俗，没有礼就不能完全；争斗诉讼，没有礼就不能决断；君臣、上下、父子、兄弟的关系，没有礼就不能确定；学习做官，学习经义，侍奉师长，没有礼就不亲近；整肃朝班，治理军事，担任官职，施行律法，没有礼就没有威势可言；祈神还愿、祭祀祖先、供奉鬼神，没有礼就不诚恳庄重。因此，君子恭敬有节，退让谦和，以此来表明礼。鹦鹉能说话，却是飞鸟；猩猩能说话，却是禽兽。现在做人却没有礼仪，虽然可以说话，心和禽兽不是没有差别吗？因为禽兽不讲礼仪，所以禽兽父子共牝。因此圣人制作礼来教导人们，让人们有礼仪，知道自己与禽兽不同。

**国君春田不围泽[1]，大夫不掩群[2]，士不取麛、卵[3]。**

## 注释

[1]田：打猎。泽：此处指猎场。　[2]掩群：尽取兽群。[3]麛（mí）：幼鹿，此处泛指幼兽。

## 译文

国君春天打猎不合围猎场，大夫打猎不尽取兽群，士打猎不取幼兽、动物卵。

**岁凶，年谷不登[1]，君膳不祭肺[2]，马不食谷，驰道不除[3]，祭事不县[4]。大夫不食粱[5]，士饮酒不乐[6]。**

## 注释

[1]登：谷物丰收。 [2]膳：进食。祭肺：此处意为不杀牲。郑注云："礼食杀牲则祭先，有虞氏以首，夏后氏以心，殷人以肝，周人以肺。不祭肺，则不杀也。" [3]驰道：道路。 [4]县（xuán）：通"悬"。此处指悬挂的钟磬等乐器。 [5]粱：精美的主食。 [6]乐：奏乐。

## 译文

遇上灾年，粮食没有丰收，国君进食不杀生，马不吃稻谷，不除去驰道上的草，逢祭祀时不悬挂钟磬等乐器，大夫不吃精美的主食，士在饮酒时不奏乐。

**君无故玉不去身[1]，大夫无故不彻县[2]，士无故不彻琴瑟。**

## 注释

[1] 故：原因，缘由。　　[2] 彻：毁坏。

## 译文

国君没有缘由不能将佩玉离身，大夫没有缘由不能毁坏悬挂的钟磬乐器，士没有缘由不能毁坏琴和瑟。



**士有献于国君[1]，他日，君问之曰："安取彼[2]？"再拜稽首而后对[3]。大夫私行出疆[4]，必请；反必有献[5]。士私行出疆，必请；反必告。君劳之[6]，则拜；问其行，拜而后对。**

## 注释

[1] 献：恭敬庄严地送给。　　[2] 安取彼：在哪里得到的那件东西。　　[3] 再拜稽首：吉礼中拜的一套程序。对：回答。[4] 疆：国境，边境。　　[5] 反：通"返"，返回，回来。[6] 劳：用言语或实物问候。

## 译文

士有礼物进献给国君，过了几日，国君问他："你是在哪里得到的那个东西呢？"士要行再拜稽首礼然后回答。大夫因为私事离开国境，必须要请示，回来后一定要给国君进献礼物。士因为私事出国，必须请示，回来的时候必须要告知。国君慰劳，就行拜礼；问他们出行如何，行拜礼之后再回答。

**国君去其国[1]，止之曰[2]：“奈何去社稷也！”大夫曰：“奈何去宗庙也！”士曰：“奈何去坟墓也！”国君死社稷[3]，大夫死众，士死制[4]。**

## 注释

[1]去：逃走，离开。　[2]止：阻拦，制止。　[3]死：死于，为了某事而死。　[4]制：法令制度。

## 译文

国君要离开自己的封国，要制止他说：“为什么要离开自己的国土呢？”大夫要离开自己的封地，要制止他说：“为什么要离开自己的宗庙呢？”士要离开，要制止他说：“为什么要离开自己的祖坟呢？”国君要为社稷而死，大夫要为民众而死，士要为法度而死。

**君天下，曰“天子”。朝诸侯，分职授政任功，曰“予一人”。践阼[1]，临祭祀，内事曰“孝王某”，外事曰“嗣王某”。临诸侯，畛于鬼神[2]，曰“有天王某甫”。崩，曰“天王崩”。复[3]，曰“天子复矣”。告丧，曰“天王登假”。措之庙[4]，立之主，曰“帝”。天子未除丧，曰“予小子”。生名之，死亦名之。**

（选自《礼记·曲礼下第二》）

## 注释

[1] 践阼:走上阼阶主位,此处为天子登基。 [2] 畛(zhěn):致意,祝告。 [3] 复:丧礼的一个环节,招魂。 [4] 措:安放,安置。

## 译文

做了天下君主的人要称“天子”。天子朝见诸侯,分配职务,授予政事,任命有功劳的人,要自称为“予一人”。登上天子之位,参加祭祀等宗族内事务,要称为“孝王某”;参加国家事务,要称为“嗣王某”。天子视察诸侯,祝告鬼神,称为“有天王某甫”。天子去世,称为“天王崩”。为死去的天子招魂,称为“天子复矣”。告知天子的丧事称为“天王登假”。将天子的神位安放在祖庙内,称为“帝”。新继位的天子在服丧期间,要自称为“予小子”。在世的时候有相应的称谓,去世了之后也有相应的称谓。

## 文史链接

### 荀子论“礼”

荀子名况,史书上又将他称为荀卿或孙卿,战国后期赵国人,儒家重要代表人物之一。他一生游历过很多国家。《史记·孟子荀卿列传》说他五十岁到齐国游学,齐襄王时荀子因才学出众“三为祭酒,最为老师”。在齐国遭人谗言,荀子又到了楚国。楚国的春申君听说了荀子的才华,便让他担任兰陵令一职。春申君去世后,荀子就一直待在兰陵,潜心著述。荀子有两位著名的弟子,韩非子和李斯,都是法家的重要代表人物,李斯还担任过秦始皇的丞相。

荀子崇“礼”，将礼泛化到政治生活和社会活动的方方面面，认为整个社会如果缺失了“礼”就不能正常运转，人如果缺失了“礼”就与禽兽无别。正如《礼记》里所说的：“道德仁义，非礼不成；教训正俗，非礼不备；分争辨讼，非礼不决；君臣、上下、父子、兄弟，非礼不定；宦学事师，非礼不亲；班朝治军，莅官行法，非礼威严不行；祷祠、祭祀、供给鬼神，非礼不诚不庄。”“今人而无礼，虽能言，不亦禽兽之心乎？”荀子的“性恶论”，也是基于他认为礼无所不能的观点。荀子说：“人之性恶，其善者伪也。”意思是说人天生有很多欲望和缺点，要靠后天的改变和作为来使人变得善良。那么，靠什么来使人性由恶向善呢？那就是“礼”。

为什么荀子的两个出众的学生会是法家的代表人物呢？荀子曾将“礼”比作“绳墨”、“量衡”、“规矩”，并说：“故绳墨诚陈矣，则不可欺以曲直；衡诚县矣，则不可欺以轻重；规矩诚设矣，则不可欺以方圆。”在荀子的论述中，“礼”是衡量一切是非的标准，这就使得“礼”在某种意义上具有了“法”的意味。荀子所说的“礼”有讲人情的一面，而韩非子和李斯则更多地继承并发扬了“礼”作为衡量标准的一面，故韩非子和李斯同时作为荀子的弟子和法家的代表人物，可以理解。

为了更好地学习和体会荀子的礼学思想，特节选《荀子·礼论》于下，供同学们阅读。

礼起于何也？曰：人生而有欲，欲而不得，则不能无求；求而无度量分界，则不能不争；争则乱，乱则穷。先王恶其乱也，故制礼义以分之，以养人之欲，给人之求，使欲必不穷乎物，物必不屈于欲，两者相持而长，是礼之所起也。

……

礼有三本：天地者，生之本也；先祖者，类之本也；君师者，治之本也。无天地恶生？无先祖恶出？无君师恶治？三者偏亡焉，无安人。故礼上事天，下事地，尊先祖而隆君师，是礼之三本也。

……

凡礼，始乎棁，成乎文，终乎悦校。故至备，情文俱尽；其次，情文代胜；其下，复情以归大一也。天地以合，日月以明，四时以序，星辰以行，江河以流，万物以昌，好恶以节，喜怒以当，以为下则顺，以为上则明，万物变而不乱，贰之则丧也。礼岂不至矣哉！

## 思考讨论

1. 根据课文内容，归纳出礼的作用。

2. “今人而无礼，虽能言，不亦禽兽之心乎？”谈谈你对这句话的认识。

3. 为什么“国君春田不围泽，大夫不掩群，士不取麛、卵”？

4. “岁凶，年谷不登……”一段所述内容属于“五礼”中的哪一类？



# 王　制

有虞氏养国老于上庠[1]，养庶老于下庠[2]；夏后氏养国老于东序[3]，养庶老于西序；殷人养国老于右学，养庶老于左学；周人养国老于东胶，养庶老于虞庠。虞庠在国之西郊。有虞氏皇而祭[4]，深衣而养老[5]。夏后氏收而祭，燕衣而养老[6]。殷人冔而祭，缟衣而养老[7]。周人冕而祭，玄衣而养老。

凡三王养老，皆引年[8]。八十者，一子不从政；九十者，其家不从政；废疾非人不养者，一人不从政．父母之丧，三年不从政；齐衰大功之丧[9]，三月不从政；将徙于诸侯，三月不从政；自诸侯来徙家，期不从政[10]。

（选自《礼记·王制第五》）



## 注释

[1]有虞氏:指舜帝。国老:告老退休的卿、大夫。上庠(xiáng):与下文的东序、右学、东胶，均为四代大学的称谓。 [2]庶老：古代退休的士。下庠：与下文的西序、左学、虞庠，均为四代小学的称谓。 [3]夏后氏：指夏朝。 [4]皇：与下文的收、冔(xū)、冕，均为四代祭冠的不同称谓。 [5]深衣:诸侯、大夫、士夕时所着之服，庶人以深衣为吉服。深衣服于外，衣裳相连，如后世之长袍。 [6]燕衣：飨燕宾客时所穿的礼服。[7]缟衣:白布做成的深衣。 [8]引年:校订年龄。 [9]齐衰(zī cuī)：丧服五服之一。齐，指衣裳边侧缏缝，衣裳用四升布。齐衰因服期不同分四种:一、齐衰三年,父卒为母,母为长子,服之。二、齐衰杖期，父在为母，夫为妻，服之。三、齐衰不杖期，为祖父母，世、叔父母，昆弟，服之。四、齐衰三月，庶人为国君，服之。[10]期(jī)：一年。

## 译文

舜帝时候，在上庠里奉养退休的卿大夫，在下庠里奉养退休的士；夏代，在东序里奉养退休的卿大夫，在西序里奉养退休的士；商代，在右学里奉养退休的卿大夫，在左学里奉养退休的士；周代，在东胶里奉养退休的卿大夫，在虞庠里奉养退休的士。虞庠在国家的西郊。舜帝时，祭祀戴着叫做皇的冠，穿着深衣举行养老礼；夏代祭祀，戴着叫做收的冠，穿着燕衣举行养老礼；商代祭祀，戴着叫做冔的冠，穿着缟衣举行养老礼；周代祭祀戴着叫做冕的冠，穿着玄衣举行养老礼。

三代养老均要校订年龄。年满八十的，一个儿子不用服徭役；年满九十的，一家子不用服徭役；残废有疾病没有人奉养的，自己不用服徭役；父母去世，三年不用服徭役；服齐衰和大功丧服的，三个月不用服徭役；将要从大夫采邑迁徙到诸侯国的人，三个月不用服徭役；从别的诸侯国迁徙来安家的人，一年不用服徭役。



## 文史链接

### 汉文帝时期的养老、敬老政策

传统社会中，皇帝要在太学和小学为退休的公卿大夫士举行养老礼，意在教导人们尊老敬老。上了年岁的老人可以享受国家赐予的布帛酒肉，汉代的皇帝还为这些老人颁发过王杖，通过王杖赋予老人某些权力。1959 年和 1981 年磨嘴子出土了“王杖十简”和“王杖诏令书”，简中明确规定，对年七十以上的老人，全社会都要给予尊重。还规定授王杖的老人，可以出入官府，可以在天子道上行走，在市场上做买卖可以不收税，触犯刑律如不是首犯可以不起诉。这些政令都充分显示出我国传统社会对老人的尊敬。

汉文帝元年三月，诏曰：“方春和时，草木群生之物皆有以自乐，而吾百姓鳏寡孤独穷困之人或阽于死亡，而莫之省忧。为民父母将何如？其议所以振贷之。”又曰：“老者非帛不煖，非肉不饱。今岁首，不时使人存问长老，又无布帛酒肉之赐，将何以佐天下子孙孝养其亲？今闻吏禀当受鬻者，或以陈粟，岂称养老之意哉！具为令。”

这则诏书是文帝刚即位就发布的，恰逢春季，万物滋生和乐。但是还有鳏寡孤独、穷困潦倒、濒于死亡之人，没有人去审视他们的疾苦。文帝自感身为民之父母，应该对这些人给予帮助，让他们继续生存。诏书还指出在存问长老的过程中，或没有酒肉布帛之赐，或是官员舞弊，用陈旧的粮食去送给那些法律规定要给粮食的人。针对这些现象，诏书对赐予物品及受赐人的年龄都做了详细规定，并要求相关官吏要对整个过程参与监督。除此之外，为了保证人们的正常生活，文帝还多次下诏减免或取消租税，并赏赐布帛棉絮给孤寡的人。这些措施不仅为这些人提供了生活保障，还有劝导人们向善、纯化社会风气的作用。



### 思考讨论

1. 谈谈你对四代让退休的卿大夫和士在学校中养老的理解。
2. 三王养老为什么要“引年”？

## 礼　器

先王之立礼也，有本有文[1]。忠信，礼之本也；义理[2]，礼之文也。无本不立，无文不行。

### 注释

[1] 本：根本。文：文饰。　　[2] 义理：此处指礼的内在含义。

### 译文

先代的圣贤君王制定礼仪，有根本，有文饰。忠信是礼仪的根本，礼的内在含义是礼仪的文饰。礼仪没有根本就不能建立，没有文饰就不能施行。

**礼也者，合于天时，设于地财，顺于鬼神，合于人心，理万物者也。是故天时有生也，地理有宜也，人官有能也[1]，物曲有利也[2]。故天不生，地不养，君子不以为礼，鬼神弗飨也[3]。居山以鱼鳖为礼[4]，居泽以鹿豕为礼[5]，君子谓之不知礼。故必举其定国之数[6]，以为礼之大经。礼之大伦，以地广狭。礼之薄厚，与年之上下 。是故年虽大杀[7]，众不匡惧[8]，则上之制礼也节矣。**

### 注释

[1] 官：官职。　　[2] 物曲：事物的性能。　　[3] 弗：不。飨：进献给鬼神的食物。　　[4] 鳖（biē）：甲鱼。　　[5] 豕（shǐ）：猪。　　[6] 举：总括，统筹。　　[7] 杀（shài）：这里指收成不好的年限。　　[8] 匡惧：恐惧，害怕。匡，通“恇”。

## 译文

礼仪，是符合天时，依据地财而设立，顺从于鬼神，迎合于人心，治理万物的。因此四季生长的事物各有不同，不同地势都有适宜的事物，人的官职都有自己的职能，事物的性能各有所利。因此，天时不生长的东西，当地不养育的东西，君子不会用这些东西来作为进献的礼物，即使进献了鬼神也不会享用。住在山地里的用鱼鳖做礼物，住在川泽附近的用鹿猪做礼物，君子称这种行为是不知道礼节。因此,一定要统筹全国的收入作为行礼的大纲。行礼的规模要依据国家的大小。行礼的贵重程度要依据一年的收成好坏。因此，即便遇上灾荒歉收的年份，民众也不会恐惧，这是因为君上制定礼仪有一定的节度。

**礼，时为大，顺次之，体次之，宜次之，称次之。尧授舜，舜授禹，汤放桀[1]，武王伐纣，时也。《诗》云：“匪革其犹，聿追来孝[2]。”**

## 注释

[1]汤放桀：汤指商朝开国君王商汤，桀指夏代最后的天子夏桀。 [2]“匪革其犹”二句：出自《诗经·大雅·文王有声》。

## 译文

对于礼，时是最重要的，其次是顺，再次是体，再次是宜，最后是称。尧交给舜，舜交给禹。商汤打败夏桀，武王攻伐商纣，这就是时。《诗》说：“不是急于贯彻自己的方针，而是追承祖业来表达孝心。”

天地之祭，宗庙之事，父子之道，君臣之义，伦也。社稷山川之事，鬼神之祭，体也。丧祭之用，宾客之交，义也。羔、豚而祭，百官皆足；大牢而祭，不必有余，此之谓称也。诸侯以龟为宝，以圭为瑞。家不宝龟，不藏圭，不台门[1]，言有称也。

### 注释

[1] 台门：天子诸侯宫门之上，两边起土为台，台上架屋，称为"台门。

### 译文

祭祀天地诸神，祭祀宗庙祖先，父子之间的道义，君臣之间的道义，这是伦常。祭祀山川和鬼神，这是体。丧礼祭祀的花销，结交宾客的费用，这是道义。用羊羔和小猪作为牺牲的祭祀，参加祭祀的人会得到一份牲肉；用牛、羊等作为牺牲的大规模祭祀，也不一定有剩余，这就是称。诸侯将龟视为宝贝，将圭作为祥瑞的信物。家里面不将龟视为宝贝，不私下里藏圭，不建造台门，这说的是身份要与用度相称。

礼有以多为贵者：天子七庙[1]，诸侯五，大夫三，士一。天子之豆二十有六[2]，诸公十有六，诸侯十有二，上大夫八，下大夫六。诸侯七介、七牢[3]，大夫五介、五牢。天子之席五重[4]，诸侯之席三重，

**大夫再重[5]。天子崩，七月而葬，五重八翣[6]；诸侯五月而葬，三重六翣；大夫三月而葬，再重四翣。此以多为贵也。**

（选自《礼记·礼器第十》）

## 注释

[1]庙：祭祀祖宗的场所。　[2]豆：盛肉酱等濡物的器皿，或以木为之，或以瓦为之，或以青铜为之。有：通“又”。[3]介：副手。牢：二牲以上称牢。三牲为大牢，二牲为少牢，一牲为特。　[4]重：层。　[5]再：两，二。　[6]重：丧礼用于悬鬲的木架。未葬前以重为神主，葬后另立主，将重埋在祖庙门外。翣（shà）：棺饰，以木为框，蒙以白布，有柄，送葬时使人拿着。

## 译文

礼有以多为贵的。天子为祖先建七个庙，诸侯五个，大夫三个，士一个。豆这种礼器，天子有二十六个，诸公有十六个，诸侯有十二个，上大夫有八个，下大夫有六个。觐见天子时，诸侯有七个副手，天子用七个太牢招待；大夫配五个副手，天子用五个太牢招待。天子坐的席子有五层，诸侯三层，大夫两层。天子去世七个月下葬，设五个重、八个翣；诸侯去世五个月下葬，设三个重、六个翣；大夫去世三个月下葬，设两个重、四个翣。这就是礼以多为贵的情形。

## 文史链接

### 我国古代的礼器与尊卑

礼器，顾名思义，是古人举行各种典礼活动时所使用的器物、服饰及相关物品。礼器种类繁多，举行典礼的场合不同，使用礼器的种类也各有差异。比如，天子祭祀昊天上帝时使用的玉瑞是礼器，举行丧礼时的棺椁也是礼器。我国古代对使用礼器有着颇为严格的规定，天子、诸侯、公卿大夫以及士都要使用与自己身份级别相称的礼器。如果诸侯戴了有十二旒的冕，就要说他僭越了。因为按照礼的规定，天子的冕是十二旒，诸侯的冕为九旒。《礼记·檀弓下》有这样一个故事：齐国的大夫晏子为自己父亲办丧事的时候，只用了一辆装载牲肉的小车。但是，按照礼的规定，大夫举行丧礼，要用五辆装载牲肉的小车。因此，有若便批评晏子算不上是一个懂礼的人。

根据《礼器》记载，古人使用礼器有以下一些规定：

第一，礼器的数量越多表示身份越尊贵。如天子可以立七座祭祀先祖的宗庙，诸侯可以立五座，大夫立三座，士只可以立一座，而“持手而食者不得立宗庙”（《荀子·礼论》）。也就是说士以下的庶人是没有宗庙的，他们只能在正寝祭祀自己的祖先。

第二，以数量少来显示身份的尊贵。礼规定天子祭祀天神的时候只用一头牲牛；天子巡狩到诸侯的封国，诸侯要奉上的膳食也只一头牲牛。这是因为天神以质朴为贵，诸侯侍奉天子也要像天子侍奉天神那样，所以也用一头牲牛。另外，天子一天只吃一顿饭食，因为天子“以德为饱”；诸侯德行较天子降一等，因此一日吃两顿饭；大夫和士德行又次于诸侯，故一日三顿饭；至于平日里靠劳动才能获得粮食的庶人们，一天要吃好几顿饭。这也是“以少为贵”的一种体现。

第三，用礼器的大小来显示身份的高低。天子乘的车称为“大路”，天子用的弓叫做“大弓”，这是礼器以大为贵的例子。祭祀宗庙的时候，身份尊贵的人为先祖进献容量一升的爵，地位卑下的人进献容量有五升的散，这是礼器以小为贵的情形。

第四，以使用器物高低来表明身份。天子居所，堂的侧边距离地面有九尺，诸侯的是七尺，大夫五尺，士只有三尺。祭天的时候不在地面上做高坛，只是将祭祀的地方除草休整一下。以上两个例子说的就是礼器以高为贵和以低为贵的情形。

第五，以器物的文饰或素朴来显示身份的贵重。例如天子穿的衮冕上衣绣有龙、山、华虫、火、宗彝五种图案，称为“五章”，下裳绣着藻、粉米、黼（fǔ）、黻（fú）四种图案，称作“四章”，共九章。而士只能穿没有图案的黑色上衣和浅红色裳。这是“以文为贵”的例子。再如天子祭祀天神用的大圭不假任何雕琢，这便是以素朴来显示尊贵的情况了。

在我国古代，礼是用来辨别尊卑等级的。所以，尊者不用卑者之礼，卑者更不能用尊者之礼。1978 年，位于我国湖北随县（今随州）的曾侯乙墓出土了“九鼎八簋”的随葬青铜器。在我国古代，只有天子下葬才能随葬“九鼎八簋”。曾侯乙只是战国时期的一个

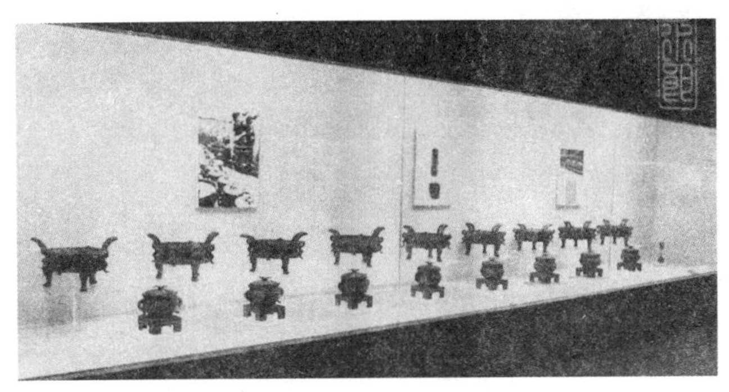

曾侯乙墓“九鼎八簋”图

小诸侯，随葬器物竟用天子的礼制，这就是典型的僭越。但春秋战国时期战争频繁，礼崩乐坏，这种情况是十分常见的。随着中央集权的大一统，战乱渐渐平息，新政权改正朔、易服饰，社会便在“礼”的规定下又开始正常有序地运转了。

### 思考讨论

请谈谈你对“故天不生，地不养，君子不以为礼，鬼神弗飨也”这句话的理解。



## 少　仪

**毋拔来[1]，毋报往[2]，毋渎神[3]，毋循枉[4]，毋测未至。士依于德[5]，游于艺。工依于法[6]，游于说[7]。毋訾衣服成器[8]，毋身质言语。**

### 注释

[1]毋：不要，不可以。拔：突然，迅速。　[2]报(fù)：通“赴”。投入，去。往：去，到。　[3]渎：轻慢，对事物不尊重。[4]循：遵守，沿袭。枉：行为不合正道或违法曲断。　[5]依：按照，依据。　[6]工：指工匠。　[7]说：此处指技术原理。　[8]訾（zī）：希求。

## 译文

不要突然来，不要马上去，不要亵渎神明，不要遵守不合正道的行为，不要预测没发生的事情。士人要凭依德行，来往于六艺之间。匠人要凭依法则，来往于技术之间。不要希求别人的衣服器皿，不要用自身去验证言语的真实性。

**言语之美，穆穆皇皇[1]。朝廷之美，济济翔翔[2]。祭祀之美，齐齐皇皇[3]。车马之美，匪匪翼翼[4]。鸾和之美，肃肃雍雍[5]。**

## 注释

[1] 穆穆皇皇：恭敬美好。　[2] 济济翔翔：整齐吉利。　[3] 齐齐皇皇：诚敬向往。　[4] 匪匪翼翼：形容马车行走时整齐威武。　[5] 肃肃雍雍：庄严雍容，整齐和谐。形容祭祀时的气氛和乐声。此处指马车前面的铃铛的声音优美。

## 译文

言语的美好，在于庄严肃穆。朝廷的美好，在于整齐吉利。祭祀的美好，在于诚敬向往。车马的美好，在于整齐威武。鸾和铃声的美好，在于庄严雍容、整齐和谐。

**问国君之子长幼，长，则曰“能从社稷之事矣[1]”；幼，则曰“能御[2]，未能御”。问大夫之子长幼，长，则曰“能从乐人之事矣[3]”；幼，则曰**

**“能正于乐人，未能正于乐人”。问士之子长幼，长，则曰“能耕矣”；幼，则曰“能负薪[4]，未能负薪”。**

### 注释

[1]从：参与。　[2]御：驾驶马车。　[3]乐人：指从事音乐的乐师。　[4]负薪（xīn）：背柴火。



### 译文

询问国君儿子的年龄大小，如果是年长的，就说“能参与国家大事了”；如果是年幼的，就说“能驾马车了”或“还不能驾马车”。询问大夫儿子的年龄大小，如果是年长的，就说“可以参与乐师的事情了”；如果是年幼的，就说“能够接受乐师的指正了”或“还不能接受乐师的指正”。询问士的儿子的年龄大小，如果是年长的，就说“能够从事农事了”；如果是年幼的，就说“可以背柴火”或“还不能背柴火”。

**国家靡敝[1]，则车不雕几[2]，甲不组縢[3]，食器不刻镂，君子不履丝屦[4]，马不常秣[5]。**

（选自《礼记·少仪第十七》）

### 注释

[1]靡敝：残破凋敝。　[2]几：孔颖达疏曰：“几，谓沂鄂，不雕画漆饰以为沂鄂。”　[3]组：古代指丝带。縢（téng）：系衣带。　[4]履：此处作动词，穿鞋。屦（jù）：鞋子。[5]秣（mò）：喂牲口。

## 译文

如果国家残破凋敝，那么乘坐的车子不雕刻花纹，铠甲就不用丝带做的系衣带，吃饭用的器皿不雕花镂空，君子不穿丝质的鞋子，不常喂马。

## 文史链接

### 我国古代的车马

许慎《说文解字》“车部”曰：“车，舆轮之总名。”舆是指车可以装载东西的部分，后代指车；轮指有辐条可以转动的部分。凡是有这两部分的，均称作车。车也叫做路、辂、舆，古代天子乘坐的车子就称为“大路”。

我国古代，车的种类繁复多样，依据乘车者的等级、性别，用车的场合等，车的名称也不同。用于作战的车称作戎车，公、卿、大夫、士、庶人乘坐的车，有叫做夏篆、夏缦的，有叫做墨车、栈车、役车的。夫人们乘坐的车叫做鱼轩，这是一种有车盖和藩蔽的车。四匹马驾一辆车叫做一乘，由此可知古书上常说的“千乘之国”是怎样的规模。

古人将马分为种马、戎马、齐马、道马、田马、驽马六等，六种马分别驾不同的车。郑玄注《周礼》云：“玉路驾种马，戎路驾戎马，金路驾齐马，象路驾道马，田路驾田马，驽马给宫中之役。”马的名称也很多，《诗经·鲁颂·駉》中就提到十六种马名。天子、诸侯、公、卿、大夫的车马均有装饰，走起路来，垂饰相互撞击，发出美妙的声音，正如文中所说“鸾和之美，肃肃雍雍”。

## 思考讨论

1. 谈谈你对“毋拔来，毋报往”的理解。
2. 为什么问国君年长的儿子要说“能从社稷之事矣”？
3. “国家靡敝”一段所述属于“五礼”中的哪一类？为什么？



# 深 衣

**古者深衣，盖有制度[1]，以应规、矩、绳、权、衡[2]。短毋见肤，长毋被土[3]。**

汉代深衣

## 注释

[1]盖：虚词，大概，可能。　　[2]规、矩、绳、权、衡：引申为法则、规则、标准。规，画圆的仪器。矩，画直角或方形的器具。绳，木工用的墨线。权，秤锤。衡，秤杆。　　[3]被：遮盖，遮覆。

## 译文

古代的深衣，大概有一定的制度来与圆规、尺子、墨线、秤锤、秤杆相适应。不能短得露出肌肤，不能长得覆盖住地面。

**五法已施[1]，故圣人服之。故规、矩取其无私，绳取其直，权、衡取其平。故先王贵之。故可以为文，可以为武，可以摈、相[2]，可以治军旅，完且弗费[3]，善衣之次也。**

## 注释

[1]施：实行。　　[2]摈（bìn）、相：古时引导他人行礼的人。　　[3]完且弗费：制度完善而又节俭。

## 译文

（规、矩、绳、权、衡）五种法制都运用到深衣上，因此圣贤的人才穿着它。与圆规和直尺相适应，是取这两个物件不自私的含义；与墨线相适应，是取它正直的含义；与秤锤和秤杆相适应，是取它们公平的含义，因此先王们将深衣看得很贵重。深衣可以当做文服穿，可以当做武服穿，也可以当做治理军队的衣服穿，制度完善而又不浪费，是仅次于朝服和祭服的好衣裳。

**具父母、大父母，衣纯以缋[1]。具父母，衣纯以青。如孤子[2]，衣纯以素。纯袂、缘、纯边[3]，广各半寸。**

（选自《礼记·深衣第三十九》）

## 注释

[1] 纯：镶边。缋（huì）：文饰。 [2] 孤子：二十九岁以下丧父的人。 [3] 袂（mèi）：袖子。

## 译文

如果父母、祖父母都健在，深衣就要镶带文饰的边。如果父母健在，深衣就要镶青色的边。如果是孤儿，深衣就要镶白色的边。在袖口和衣襟的边缘镶边，镶边各宽一寸半。

## 文史链接

### 不该穿错的“衽”

古人着装，上穿衣，下穿裳。上衣的领，有直领和交领两种穿法：直领相当于对襟，交领称为旁襟。旁襟又分为右衽与左衽。右衽即用左边的衣襟盖住右边的衣襟，在右腋下打结系带；左衽就是用右边的衣襟盖住左边的衣襟，在左腋下打结系带。古代人一般都采用右衽穿法，这是古人的常服。为什么这样穿呢？唐代人解经时指出，右衽穿法对于解开纽结比较方便（一般人以使用右手为主）。

左衽的使用，仅限于两种情况：一是人死之后；二是中原之外的少数民族。

给死者穿左衽，来源于中国古代的生死观念。古人认为，人死之后一切都应当与生前相反，包括阴阳、方位、时间、颜色等。所以，人死后的穿着也应当由右衽改为左衽，其宗旨在于“反生时”。《礼记·丧大记》规定，不仅给死者穿的服装要左衽，而且不用袢纽，要打上死节，因为死者的衣服不必再解开了。

《尚书》说“四夷左衽”，披发、文身和左衽，成为周边少数民族的文化符号。春秋时期的管仲，曾经帮助齐桓公“救中国而攘夷狄”，所以孔子感叹说：“微管仲，吾其被发左衽矣。”意思是说，如果没有管仲，我们早就沦为夷狄了。这多少带有一些中原人的文化优越感，是文化中心主义的表现。

楚国偏居南方，与中原文化确实有些差别。屈原的祖先熊渠曾经说：“我蛮夷也，不与中国号谥。”意思是说，我们楚人本来就是蛮夷，不必遵守中原文化的礼仪。说这话时，约为公元前九世纪。可是经过几百年的文化同化，到公元前三四世纪时，楚国早已成为中华文化的主流区域，楚人已相当“讲礼”了。与中原其他国家相比，楚人的礼仪制度、礼仪教育毫不逊色。屈原确实喜欢奇装异服，在《涉江》篇中他说自己“幼好奇服”，而且这种兴趣“年老而不衰”，看他戴崔嵬的切云冠，带闪亮的长剑，佩晶莹的宝璐，真是一个异类。但是，他怎么也不会去穿一件左衽的衣服。

从考古发掘的实物材料来看，屈原也应当是右衽。信阳楚墓出土的十件木俑上，衣着均为交领右衽。江陵马山楚墓中出土了八件木俑，其中四件彩绘女俑的着装方式是“用红黑二色绘交领右衽”，四件男立俑的着装方式也是“墨绘直领、右衽，上衣下裳”，

这与文献记载没有什么不同。这些楚墓的下葬时间与屈原生活的年代相差不远，足以凭信。

服饰是传统文化的重要组成部分，其颜色、花纹、裁剪之法、穿着之法均因时、因地、因等级地位而异。欲详其制度沿革，可参看沈从文《中国古代服饰研究》、周锡保《中国服饰史》等书。

## 思考讨论

1. 谈谈深衣的用处。
2. 归纳深衣的几种穿着情况。

# 第三章　丧　服

## 曾子问

**曾子问曰[1]："三年之丧[2]，吊乎[3]？"孔子曰："三年之丧，练[4]，不群立，不旅行[5]。君子礼以饰情，三年之丧而吊哭，不亦虚乎[6]？"**

### 注释

[1] 曾子（前505—前432）：名参，字子舆，春秋末年鲁国南武城（今山东济宁嘉祥）人。孔子杰出弟子，后世儒家尊他为"宗圣"。　[2] 三年之丧：丧服五服中，子为父、臣为君、妻为夫服斩衰三年；父卒为母，服齐衰三年。三年之丧，自始至丧毕，实为二十七个月。　[3] 吊：吊问。　[4] 练：小祥之祭称练。　[5] 旅行：众人一起行走。　[6] 虚：不真实的。

### 译文

曾子问孔子说："服三年丧，可以去别人家吊丧吗？"孔子说："服三年丧，过了小祥之祭，不能和众人站在一起，不能和众人一起行走。君子用礼仪来表达自己的感情。身服着三年丧还去别人家吊丧，这不是很虚伪吗？"

**曾子问曰："父母之丧，弗除可乎[1]？"孔子曰："先王制礼，过时弗举，礼也。非弗能勿除也，患其过于制也，故君子过时不祭，礼也。"**

### 注释

[1]除：去掉，脱掉。

### 译文

曾子问孔子说："为父母服丧，可以在服丧期满后不脱掉丧服吗？"孔子说："先王制作礼仪时规定，超过时间就不再进行了，这是礼的规定。为父母服丧不是不能做到到了期限不脱掉丧服，是害怕这样的做法超出了礼的规定。因此君子过了时间就不举行祭祀了，这是礼的规定。"

**贱不诔贵[1]，幼不诔长，礼也。唯天子称天以诔之。诸侯相诔，非礼也。** （选自《礼记·曾子问第七》）

### 注释

[1]诔（lěi）：述死者的功德，以表示哀悼之辞。

### 译文

地位低的不为地位高的追述功德，年纪小的不为年纪大的追述功德，这是礼的规定。只有天子可以自称是天，可以为已经去世的天子追述功德。诸侯互相追述功德也是不符合礼仪规定的。

## 文史链接

### 胡适《三年丧服的逐渐推行》(节选)

汉初几十年中，帝国的宗教上有一个最重大的变化，就是“以孝治天下”的观念称为国教的一部分。汉帝国的创立者多是无赖粗人，其中虽有天才的领袖，但知道历史掌故制度的人却不多。在这个当儿，叔孙通便成了一个极有用的人才。叔孙通制定了汉帝国的朝仪，又制定了宗庙仪法；他是孝惠帝的师傅，孝惠帝特别请他专管先帝园陵寝庙的事，故他所定的宗庙仪法和改定的汉朝“诸仪法”，很含有儒家伦理的色彩。他的朝仪是“辨上下，定民志”的制度，而他的宗庙仪法是“以孝治天下”的制度。如皇帝谥法上加一个“孝”字，大概即是叔孙通的创制。

……

这个孝的宗教在汉朝很有势力。如袁盎说汉文帝之孝：

陛下居代时，太后尝病三年，陛下不交睫，不解衣，汤药非陛下口所尝弗进。夫曾参以布衣犹难之，今陛下亲以王者修之。过曾参孝远矣。(《史记》一〇一)

三年目不交睫，这是绝不可能的事。但在这段话里，我们可以看出当时已有曾参等孝子的故事在社会上作“孝的宗教”的宣传品，略如后世的“二十四孝”故事。我们看后世出土的汉人坟墓里有曾参等孝子故事的壁画，也可以见当日孝的宗教的流行。

孝的宗教包括养生送死的种种仪节，在汉朝都渐渐成为公认的制度。如丧服一项,在古代本无定制。三年之丧只是儒家的创制；孔子的弟子宰我便有反对的言论(《论语·阳货第十七》)；墨家很明白地说三年之丧是儒者之礼(《墨子·非儒》篇)；孟子劝滕文公行三年之丧，滕国的父兄百官皆不赞成，说“吾宗国鲁先君莫之行。吾先君亦莫之行也”。但儒家的宗教传到的地方，三年之丧渐有人行。这是儒教的一种宗教仪式，还不能行于儒家以外的家。

……

后世学者（如何焯，如近人程树德先生）都以为汉制但不许大官告宁丁忧，而士人小吏却都行三年之丧。他们的意思似乎以为一般民人更容易行丧礼了……历史演进的痕迹并不如此。三年之丧在西汉晚年还是绝稀有的事。光武以后，不准官吏丁忧，此制更无法行了。直到二世纪上半，邓太后始著于诏令，长吏不为父母行服者不得典城，不得选举；又有诏许大臣行三年丧。但久丧实在太不方便，故几年之后，大官丁忧之制仍取消了。只剩“不行三年服，不得选举”一条律文，汉末的应劭还引此文。大官既不行此礼，小吏士人也必须用禁令去消极鼓励，小百姓自然不行此礼了。久丧不便于做官，更不便于力田行商的小百姓。刘恺不曾说吗？“浊其源而望流清，曲其形而欲影直，不可得也。”但安帝以后，三年之丧已成为选举的一种资格，故久而久之，渐成为风俗，这是《淮南王书》所谓“以伪辅情”的结果。千百年后，风气已成，人都忘了历史演变沿革的事实，遂以为三年之丧真是“天下之通丧”，真是“三代共之”的古礼了！殊不知这种制度乃是汉朝四百年的儒教徒逐渐建立的呵！

我举此一端，以表现“孝的宗教”在汉朝逐渐推行的历史。

## 思考讨论

1. 请谈谈你对“非弗能勿除也，患其过于制也”这句话的理解。

2. 你认为“三年之丧”是否合理？说明理由。

# 丧服小记

**为父母，长子稽颡[1]。大夫吊之，虽缌必稽颡[2]。妇人为夫与长子稽颡，其余则否。**

## 注释

[1]稽颡：拜时头叩地。凶事之拜中最重者。 [2]缌（sī）：称为缌衰或缌麻，丧服五服中最轻之服。其服用布，为六百缕，缕经漂洗，织成布后不再漂洗。王为诸侯之吊服。据《丧服》，凡为族曾祖父母、族父母、族昆弟、妻之父母、舅、甥、婿等，均服缌衰三月，既葬除之。

## 译文

为父母服丧，长子拜宾时要头叩地。大夫来吊问，即使是服缌麻的人也要对大夫行稽颡礼。妇人为丈夫和长子服丧时，拜谢宾客要头叩地，为其他人就不用了。

**父为士，子为天子、诸侯，则祭以天子、诸侯，其尸服以士服[1]。父为天子、诸侯，子为士，祭以士，其尸服以士服。**

## 注释

[1]尸：见《坊记》注[11]。

### 译文

父亲为士，儿子是天子或诸侯，祭祀死去的父亲时就要以天子和诸侯的礼仪，代死者受祭的尸要穿符合死者生前爵位的士服。父亲是天子或诸侯，儿子为士，祭祀死去父亲时就要以士的礼仪，代死者受祭的尸要服符合儿子爵位的士服。

**哭朋友者[1]，于门外之右[2]，南面[3]。**

（选自《礼记·丧服小记第十五》）

### 注释

[1]哭：哭丧。　[2]于门外之右：此处意为站在门外的右边。　[3]南面：面向南方。

### 译文

为朋友哭丧的人，要站在死去朋友家门外的右边，面朝南方哭。

### 文史链接

我国古代的跪拜礼

跪拜礼是我国古代各种礼仪活动中比较重要的环节，跪和拜是两套不同的动作，两者搭配使用。跪要两膝着地，上半身挺直，股不坐到脚跟上。行拜礼要先跪好，然后拱手，头俯在手上，手和头的位置要与心齐平。

依据行礼动作的不同，跪拜礼可以分为五种，分别是稽首、顿首、空首、振动和肃拜。空首也叫做拜手，是拜礼中最常用的，行礼的动作大概是先跪好，然后拱手、低头，头和手的位置要与心齐平。稽首一般用于婚礼、冠礼等吉事场合，为该种场合中最恭敬的礼节。行稽首的动作要先行空首的动作，然后拱手至地，手到地面时不分开，然后头缓缓触地。丧礼等凶事的场合一般行顿首礼，动作大概与顿首差不多，只是要脑门碰到地面，并且头至地时要迅速。其实顿首也就是我们所说的稽颡礼，是丧礼中最重的一种拜礼。关于振动有很多说法，但一般认为振动就是丧礼中的踊，因为行礼时与稽颡礼相连，所以也把振动叫做拜了。肃拜一般是妇女行的礼，因为妇女平日里穿戴首饰和假发，低头不便，只要跪好后，头略低一下就好。古人行礼，还有一种动作叫做“揖”，行揖礼时不用下跪，只拱手就可以了。这是古人行礼最轻的一种，就是人们相见互相作揖。

按照行礼场合的不同，跪拜礼又有吉拜和凶拜之分。所谓吉拜，就是在举行宾礼、嘉礼、吉礼等吉事场合行的跪拜礼。行礼时，男子拱手左手包住右手，女子拱手右手包住左手。所谓凶拜则指在丧礼、凶礼等凶事场合行的跪拜礼。行礼时，男子拱手要右手包住左手，女子拱手要左手包住右手。这是因为古人以左为尊、生死不同的缘故。除稽颡礼为丧礼场合专用之外，其他的都是通用于两种场合的。

按照行礼的次数，跪拜礼又有奇拜和褒拜之别。拜一次称作奇拜，拜两次或两次以上叫做褒拜。古人行礼一般只拜一次，如果表示恭敬有加一般拜两次，拜三次则是向所有宾客表示敬意。此外，古人有时候也讲究“变礼为宜”，也就是依据具体场合来加重或减轻礼仪的动作，以衬托行礼者的心情。比如，古人在举行丧礼时，会行三次或三次以上的拜礼来衬托自己内心的哀情。

### 思考讨论

1. 为什么妇人要为其夫与长子行稽颡礼？

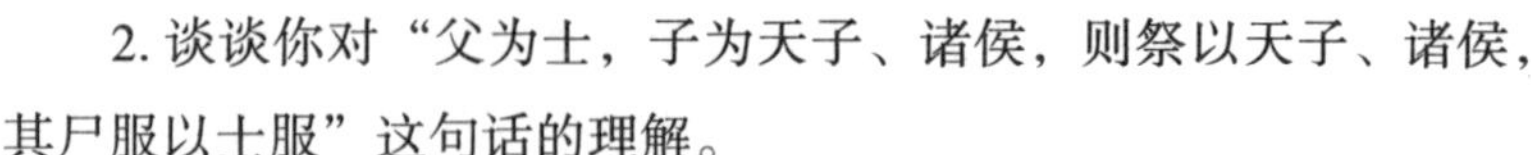
2. 谈谈你对“父为士，子为天子、诸侯，则祭以天子、诸侯，其尸服以士服”这句话的理解。

## 杂　记

凡讣于其君[1]，曰“君之臣某死”。父母、妻、长子，曰“君之臣某之某死”。君讣于他国之君，曰“寡君不禄，敢告于执事”。夫人，曰“寡小君不禄”。大子之丧[2]，曰“寡君之适子某死[3]”。大夫讣于同国，适者，曰“某不禄”。讣于士，亦曰“某不禄”。讣于他国之君，曰“君之外臣寡大夫某死”。讣于适者，曰“吾子之外私寡大夫某不禄，使某实”。讣于士，亦曰“吾子之外私寡大夫某不禄，使某实”。士讣于同国，大夫，曰“某死”。讣于士，亦曰“某死”。讣于他国之君，曰“君之外臣某死”。讣于大夫，曰“吾子之外私某死”。讣于士，亦曰“吾子之外私某死”。

## 注释

[1] 讣(fù):告丧。 [2] 大(tài)子:太子。 [3] 适(dí)子:指嫡子。适,通“嫡”。

## 译文

凡是臣子死了向国君告丧,就说“国君的臣子某人死了”。臣子的父母、妻或者长子死了,向国君告丧,就说“国君的臣子某人的什么人死了”。国君死了,向别国国君告丧,就说“寡君不禄,请告诉管事的人”;夫人死了,向别国国君告丧,就说“寡小君不禄”;太子死了,就说“寡君的嫡子某死了”。大夫死了,向同国的人告丧,地位相等的,就说“某人不禄”;向士告丧,也说“某人不禄”;向别国的国君告丧,就说“国君的外臣寡大夫某人死了”;向外国与自己地位相等的人告丧,就说“您的国外的好朋友寡大夫某人不禄,让我前来告丧”;向外国的士告丧,也说“您的国外的好朋友寡大夫某人不禄,让我前来告丧”。士死了,向同一个国家的人告丧,向大夫告丧,就说“某人死了”;向士告丧,也说“某人死了”;向外国的国君告丧,就说“国君的外臣某人死了”;向外国的大夫告丧,就说“您外国的好朋友某人死了”;向国外的士告丧,也说“您外国的好朋友某人死了”。

**大夫冕而祭于公,弁而祭于己[1]。士弁而祭于公,冠而祭于己。士弁而亲迎[2],然则士弁而祭于己可也。**

## 注释

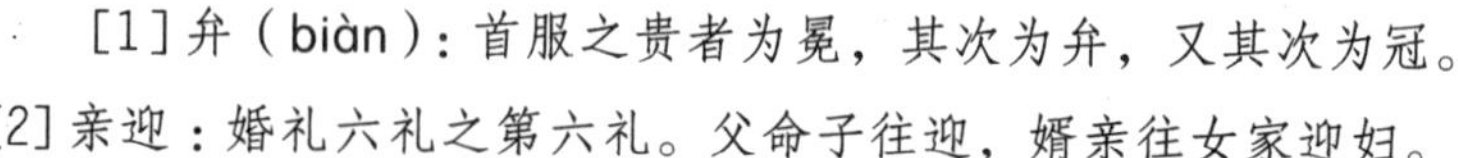

[1] 弁（biàn）：首服之贵者为冕，其次为弁，又其次为冠。[2] 亲迎：婚礼六礼之第六礼。父命子往迎，婿亲往女家迎妇。

## 译文

大夫戴着冕参加国君的祭祀，戴着弁祭祀自己的宗庙。士戴着弁参加国君的祭祀，戴着冠祭祀自己的宗庙。士戴着弁迎娶妇人，然而士戴着弁祭祀自己的宗庙也是可以的。



**为君使而死[1]，公馆复[2]，私馆不复。公馆者，公宫与公所为也。私馆者，自卿大夫以下之家也。**

## 注释

[1] 使：出使别国。　　[2] 复：招魂。

## 译文

为国君出使他国死了，如果死在公馆，就为他招魂；如果死在私馆，就不能为他招魂。公馆指的是国君的宫室和国君的别馆。私馆指的是卿大夫以下的私人家。

**士丧有与天子同者三：其终夜燎[1]，及乘人[2]，专道而行。**

（选自《礼记·杂记上第二十》）

## 注释

[1]燎：搭火把照明。 [2]乘人：人挽车，不用马。

## 译文

士级别的丧礼与天子级别的丧礼有三样事情是一样的：迁棺柩到祖庙的那天夜里彻夜点着火把照明，用人来拉引柩车，有专门的路让柩车行走。

**子贡问丧。子曰："敬为上，哀次之，瘠为下[1]。颜色称其情[2]，戚容称其服[3]。""请问兄弟之丧。"子曰："兄弟之丧，则存乎书策矣[4]。"**

## 注释

[1]瘠（jí）：瘦弱。 [2]颜色：面容，面色。 [3]戚容：忧伤的面色。 [4]则：规定，法则。

## 译文

子贡请教关于父母丧事的问题。孔子说："敬意是最重要的，其次是内心的哀伤，最后是身体的瘦弱。面容要和内心的感情相符合，忧伤的面色要与丧服相符合。"子贡又问关于兄弟丧事的问题，孔子说："关于兄弟丧事的礼仪规定，已经记载在书里了。"

**三年之丧，言而不语[1]，对而不问。庐、垩室之中[2]，不与人坐焉。在垩室之中，非时见乎母也，**

**不入门。疏衰皆居垩室[3]，不庐。庐，严者也。**

## 注释

[1]言：说自己的事情。语：为他人说事。 [2]庐：居丧之处，又称倚庐。垩（è）室：粉刷成白色的屋子。 [3]疏衰：指粗糙的丧服。衰，丧服的上衣。

## 译文

服三年丧的时候，可以言说自己的事情，不能为别人议论事情，只对答不发问。居住在倚庐和垩室中，不和其他人住在一起。住在垩室中，除非按时去看望母亲，否则不能进入寝门。服丧服的人都住在垩室，不住在倚庐。居住在倚庐的人都是非常悲伤的人。

**三年之丧，以其丧拜[1]；非三年之丧，以吉拜[2]。三年之丧，如或遗之酒肉[3]，则受之，必三辞。主人衰绖而受之[4]。如君命，则不敢辞，受而荐之[5]。丧者不遗人。人遗之，虽酒肉，受也。从父昆弟以下，既卒哭[6]，遗人可也。**

**县子曰[7]：“三年之丧如斩[8]，期之丧如剡[9]。”**

（选自《礼记·杂记下第二十一》）

## 注释

[1]丧拜：稽颡而后拜手为丧拜。 [2]吉拜：先拜手，然

后稽颡。也是丧礼的拜，比先稽颡后拜手要轻。　[3] 或：有人。遗（wèi）：给予，馈赠。　[4] 衰绖（dié）：此处代指丧服。[5] 荐：进献，祭献。　[6] 卒哭：祭名。在葬后三虞之祭后。丧礼，自大殓以后，朝一哭，夕一哭，期间哀至则哭。至卒哭之祭后，则唯朝夕哭，期间不再哭，故祭名卒哭。　[7] 县（xuán）子：人名。　[8] 斩：用刀砍断。　[9] 剡（yǎn）：刮，削。

## 译文

在服三年之丧期间，要行稽颡而后拜手的丧拜礼；如果不是服三年之丧，要行先拜手而后稽颡的吉拜礼。在服三年之丧期间，如果有人馈赠酒肉，就接受，必须要再三辞谢。丧主人要服着丧服来接受别人的馈赠。如果是国君的命令，就不敢推辞，接受馈赠并进献给先祖。服丧的人不能馈赠东西给别人。别人馈赠东西，即便是酒肉，也要接受。死者堂兄弟以下的亲属，等卒哭祭结束后，就可以馈赠东西给别人了。

县子说："服三年之丧的哀痛就像是用刀砍断，服一年之丧的哀痛就像是用刀刮。"

## 文史链接

### 我国古代的冠冕

所谓冠，就是我们俗称的帽子，古人称作首服。但古人的帽子可不是随便戴的，根据爵位等级、典礼场合等的不同，帽子的材料、形制、颜色以及与衣裳的搭配都有不同。

古人首服分冕、弁、冠三种。

冕是首服中最尊贵的。其形制如下图。上面覆盖的木板叫做延，

古代冠冕图

延外包有麻布，朝上一面是黑色，朝下一面是红色。帽圈叫做武，延和武不相连。延的两边有丝带做的环状纽，武的两边有小孔。古人穿带冕的时候，用笄（簪子）依次穿过冕一边的纽、孔、发髻，从冕另一边的纽和孔穿出，这样便可以将冕固定。延的前面有旒，旒用五彩的绳子和玉石制成。爵位等级不同，旒数以及每一旒上玉石的数量也是不同的。古礼规定，天子十二旒，每旒穿玉十二片；诸侯九旒，每旒穿玉九片；卿、上大夫七旒，每旒穿玉七片；大夫五旒，每旒穿玉五片。另外还有绕在两腮下的红色丝带，叫做纮。纮的两端分别系在簪子的两端，多余部分系玉石垂在耳边，叫做垂珥或瑱。

与冕相配套的服制叫做冕服。冕服有六种，分别是大裘冕、衮冕、鷩（bì）冕、毳（cuì）冕、希冕和玄冕。所有的冕服上衣的颜色都是黑色，下裳的颜色是浅红色，依据爵位等级和典礼场合不同，衣裳上所绣的图案也不同。

弁是仅次于冕的首服，根据材料不同，弁分为三种：用赤褐色的布做的爵（què）弁，用鹿皮做的皮弁，用浅赤色熟牛皮做的韦弁。爵弁形制与冕相似，但没有旒。皮弁和韦弁上尖下宽，呈圆锥状。用皮革裁成若干个三角形，以一角为顶点缝合。缝合的缝叫做会，每一会中都嵌有五彩的珠玉。弁的顶点处有用象骨做成的邸。弁用笄和纮固定住，与冕的固定方法类似。

与弁相搭配的服制叫做弁服。依据弁的材质不同，弁服又分为三种，分别用于不同的典礼场合。一种是爵弁服，带爵弁，着白色上衣和浅红色下裳。士一级别的人举行婚礼迎亲的时候要穿着爵弁服。一种是皮弁服，带白色鹿皮做的皮弁，穿白衣素裳。一种是韦弁服，带浅赤色熟牛皮做的韦弁，穿浅赤色熟牛皮衣裳，是古代的兵服。

冠又次于弁。冠有黑布做成的缁布冠，这是庶人的常服；也有用黑色的缯做成的玄冠，也叫做委貌，是大夫、士级别的人的礼冠。

古人对服饰的讲究由此可见一斑。服饰是礼的重要组成部分，不同爵位、不同典礼场合要穿着不同的服饰，以显示等级尊卑。我国古代的服饰多种多样，其做工之精良、外形之美观，无不彰显着古人的审美观与智慧。古代服饰作为中华民族传统文化的重要组成部分，需要我们去继承和弘扬。

## 思考讨论

1. 归纳出各级别告丧的用语。

2. 谈谈你对“为君使而死，公馆复，私馆不复”这句话的理解。

3. 做一做冕、弁和冠的模型，和同学们分享你的制作过程。

# 丧大记

**疾病，外内皆埽[1]。君、大夫彻县[2]，士去琴瑟。寝东首于北牖下[3]，废床[4]，彻亵衣[5]，加新衣，体一人。男女改服。属纩以俟绝气[6]。男子不死于妇人之手，妇人不死于男子之手。君、夫人卒于路寝[7]，大夫、世妇卒于适寝[8]，内子未命则死于下室[9]，迁尸于寝，士、士之妻皆死于寝。**

## 注释

[1] 埽（sǎo）：用笤帚等除去尘土。　[2] 彻：撤去，除去。县：通“悬”。此处指悬挂在筍簴上的钟磬等乐器，叫做乐悬，也简称悬。　[3] 东首：头朝东。北牖（yōng）：此处为“墉”的误写，室中房中之墙。　[4] 废：停止，不再使用。　[5] 亵衣：内衣。　[6] 属纩（zhǔ kuàng）：棉絮。俟：等待。　[7] 路寝：即正寝。　[8] 适（dí）寝：正寝。　[9] 命：国君任命官职。下室：内室，内堂。

## 译文

病人病情严重时，要把室内外都打扫干净。国君、大夫要撤去钟磬等乐器，士要撤去琴瑟。病人头朝东躺在室中之北墙下，撤去床和内衣，穿上新衣，四个人扶持病人的四肢。家中男女换上新衣服。用棉絮放在病人鼻孔处来观察病人是否断气。男子不能死在妇人的手中，妇人不能死在男子的手中。国君及夫人要死在正寝里，大夫和世妇要死在正寝里面，卿的正妻没有由国君赐予爵位的就应该死在自己的内屋，小殓后将尸体迁到正寝，士和士的妻子要死在正寝。

**复[1]，有林麓则虞人设阶[2]，无林麓则狄人设阶[3]。小臣复，复者朝服。君以卷[4]，夫人以屈狄[5]，大夫以玄赪[6]，世妇以襢衣[7]，士以爵弁[8]，士妻以税衣[9]，皆升自东荣[10]，中屋履危[11]，北面三号[12]，卷衣投于前，司服受之[13]，降自西北荣。其为宾，则公馆复，私馆不复。其在野，则升其乘车之左毂而复[14]。复衣不以衣尸，不以敛。妇人复，不以袡[15]。凡复，男子称名，妇人称字。唯哭先复，复而后行死事。**

（选自《礼记·丧大记第二十二》）



## 注释

[1]复：丧礼，为死者招魂。 [2]林麓（lù）：山林。虞人：职官名，掌管山泽、苑囿、田猎。 [3]狄人：掌管音乐的下级官吏。 [4]卷（gǔn）：通"衮"。衮冕，礼服之一，玄衣纁裳，衣花有龙、山、华虫、火、宗彝五章，裳绣以藻、粉米、黼、黻四章，共九章。天子及九命之三公可服。 [5]屈（què）狄：王后六服之一。王后祭群小祀服之，诸侯之夫人亦得服之。其色赤。屈，

通“阙”。　[6]玄赪（chēng）：玄衣赤裳，为古代的礼服。

[7]襢（zhàn）衣：妇人礼服之一。无画绣，白色。亦作展衣。
[8]爵弁：以赤而微黑之布为之，形如冕，无旒。其服制为上黑色丝衣，下红色丝裳，黑大带，红色韦韨。爵弁服，为大夫祭于家庙，士助祭于君之服。士冠礼三加，士婚礼亲迎亦服爵弁服。
[9]税（tuán）衣：王后六服之一。黑色，为王后燕居之服；诸侯之夫人至士之妻均得服之，以为礼服。　[10]东荣：正房东边的廊檐。　[11]履危：蹈践高危之处。　[12]北面：面朝北方。号：拖长声音大声呼叫。　[13]司服：职官名，掌管王之吉凶衣服，辨别其名号、物色及用途。　[14]毂（gǔ）：车轮中心的原木，周围与车辐的一端相接。　[15]袡（rán）：古代女子出嫁时所穿的结婚礼服。



## 译文

招魂，如果封国里有山林，就由掌管山林川泽的虞人搭设上房的木梯子；如果国土内没有山林，就由掌管音乐的小官搭设上房的木梯子。小臣招魂，招魂的人要穿上朝的礼服。为国君招魂，要用衮冕礼服；为夫人招魂，要用阙狄礼服；为大夫招魂，要用玄赪礼服；为世妇招魂，要用襢衣礼服；为士招魂，要用爵弁礼服；为士的妻子招魂，要用税衣礼服。都是由招魂的小臣拿着礼服从正房东边的廊檐上房，蹈践屋脊这样高危的地方，面向北拖长声音大叫死者的名字三次，将招魂的礼服卷起来扔在房前，掌管衣服的官员将礼服拿起来，招魂的小臣从正房西边的廊檐下来。若受国君派遣出使他国并死在他国，就在他居住的公共办事处为他招魂；如果是因为自己的私事出国并死在私人的家中，则不举行招魂礼。如果在田野中死了，就从他乘着的车子的左边车轴上去为他招魂。招魂所用的礼服不能用来给尸穿，也不能用来装殓。为妇人招魂不能使用她结婚时所着的礼服。凡是招魂，为男子招魂就叫他的名，为女子招魂就叫她的字。病人刚刚死去，只有哭是在招魂之前，其他的丧礼环节都在招魂之后举行。

## 文史链接

### 古人丧礼简介（一）

在我国古代，人们特别看重生命中的三个环节：一曰生，一曰死，一曰成人。古人说生生不息是天地之大德，古人还要求人们要慎终追远，享孝祖先。正因为对天地、祖先的敬畏和崇拜，古人才特别重视这三点。

古人为死去的亲人置办丧事，程序仪式复杂，参与人数众多，持续时间很长。为死者主丧的人是其嫡长子，也称作主人。丧礼的规格要与死者生前的爵位相当，这是礼要求“称”的体现。所有人都要依与死者关系的亲疏程度来确定丧服的规格和服丧期的长短，这些都要与对死者的哀悼之情相符合。在仪式与哀情的抉择中，古人还是倾向于哀情的。宁可哀情有余而礼不足，也不可哀情不足而礼有余。

古人讲究“寿终正寝”，平时居住在燕寝中，但病重时要移居到正寝里。听闻有人病重，国君会遣使去问病，朋友邻里也会前来探望。家里人还要祭祀祷告诸位神明，希望神灵庇佑病人。病人快要死的时候，气息已经很微弱了。为了判断病人是否还有气息，随侍的人会用少许棉絮放在病人的鼻子前面，如果棉絮不飘动，就证明病人已经断气了。

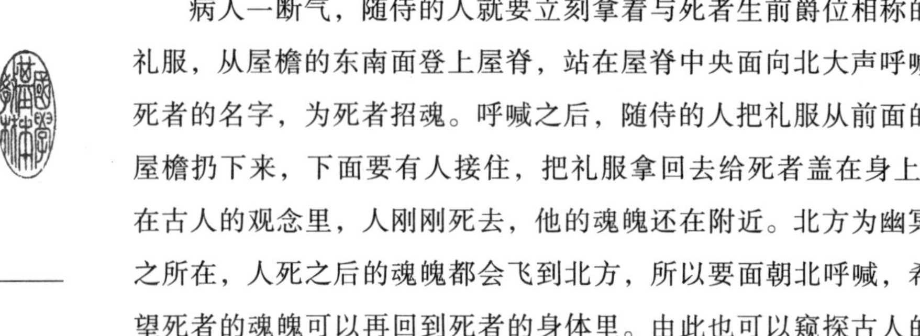

病人一断气，随侍的人就要立刻拿着与死者生前爵位相称的礼服，从屋檐的东南面登上屋脊，站在屋脊中央面向北大声呼喊死者的名字，为死者招魂。呼喊之后，随侍的人把礼服从前面的屋檐扔下来，下面要有人接住，把礼服拿回去给死者盖在身上。在古人的观念里，人刚刚死去，他的魂魄还在附近。北方为幽冥之所在，人死之后的魂魄都会飞到北方，所以要面朝北呼喊，希望死者的魂魄可以再回到死者的身体里。由此也可以窥探古人的生死观念。

招魂之后，死者要被移动到室中南窗下的床上，脱掉招魂的礼服和死时所穿的衣服,用殓被覆盖。因为人死后尸体会变得僵硬，所以要把提前准备好的木楔放在死者的上下牙齿之间，保证稍晚些可以在死者口里放进贝壳或珠玉。用燕几把死者双脚卡住，是害怕尸体僵硬不直。

对死者尸体安顿一番后，再在尸体东面摆上肉酱、醴酒等祭品为死者设奠，供死者的灵魂凭依，并用布帷把堂遮起来，希望亲人不要嫌恶。

## 思考讨论

1. 国君、大夫和士为什么要撤去乐器？

2. 谈谈你对古人为死者招魂的认识。

## 奔 丧

奔丧之礼：始闻亲丧，以哭答使者，尽哀，问故，又哭，尽哀。遂行[1]，日行百里，不以夜行。唯父母之丧[2]，见星而行，见星而舍[3]。若未得行，则成服而后行[4]。过国，至竟哭[5]，尽哀而止，哭辟市朝[6]。望其国竟哭。至于家门，入门左，升自西阶，殡东[7]，西面坐，哭尽哀，括发、袒[8]。降，堂东即位，西乡哭[9]，成踊[10]。袭、绖于序东[11]，绞带[12]，反位，拜宾，成踊，送宾，反位。有宾后至者，则拜之、成踊、送宾皆如初。众主人、兄弟皆出门，出门哭止，阖门[13]，相者告就次[14]。于又哭，括发、袒，成踊。于三哭，犹括发、袒，成踊。三日成服，拜宾，送宾，皆如初。

（选自《礼记·奔丧第三十四》）

### 注释

[1]遂：于是，就。　[2]唯：只，只有。　[3]舍：放开，停下来。　[4]成服：丧礼，殡之明日，即第四日，有服者，各服丧服规定的冠衰履，叫做成服。成服后，始歠(chuò)粥，朝夕哭。[5]竟：通“境”，国境。　[6]辟：通“避”，避开。　[7]殡：丧礼，大殓将尸体放进棺材，棺暂停于肂中，叫做殡。　[8]括发：丧礼，去掉束发的布帛，而用麻结发。　[9]乡：通“向”，面

朝。 [10]成踊：踊，丧礼中哀恸的表示。一踊三跳，三踊九跳，称为成踊。 [11]袭：丧礼，始死之日，为尸沐浴、饭含之后，为尸加幎目、履、穿衣、加帽等，总谓之袭事。绖：丧服所系之带，以麻为之。在首为首绖，在腰为腰绖。 [12]绞带：丧服。以苴（jū）麻绞成的绳子，系在腰中。 [13]阖（hé）：关闭。 [14]相者：古代引导行礼的人。次：以布帷、芦席临时张设供休息的场所。凡大祭祀、朝觐、田猎、射礼、冠礼、丧礼均有设次之事。

## 译文

奔丧的礼仪：刚开始听闻亲人的丧事，用哭来回答告丧的使者，以尽自己的哀情，询问缘故，又哭，以尽自己的哀情。然后出发，白天行走百里路，不在晚上行路。只有父母的丧事，还没出太阳的时候就出发，晚上看见星星就停止。（如果因为身负国君的命令）未能出发的，就在死者死后第四天换好自己的丧服出发。经过别的国家，到达国境了就要哭，表达了自己内心的哀情之后就停止，哭的时候要避开集市和办公的地方。看见了自己国家的边境就要哭。到了家门口，从门左边进去，从西阶上堂，在殡的东边面向西坐下，哭要尽自己内心的哀情，去掉束发的布帛而用麻结发，袒露左臂。下堂，在东阶就哭位，面向西哭，行三踊九跳礼。为尸体加幎目、履、穿衣、加帽后，在东序东边加绖带，在腰间系上苴麻做的带子，返回哭位，拜谢前来吊问的宾客，行三踊九跳礼，将宾客送至哭位。有来迟的宾客，拜谢后行三踊九跳礼，送宾客到哭位，这些环节都和刚才一样。死者的庶兄弟和丧主人的兄弟都出殡宫门，出门后就停止哭，然后将殡宫门关上，引导行礼的人号令大家都站在临时搭建的休息场所中。第二次哭的时候，用麻绳束发，袒露左肩，行三踊九跳礼。第三次哭的时候，仍然用麻束发，袒露左肩，行三踊九跳礼。三天后大家就穿上自己该服的丧服，拜谢来吊问的宾客、送宾客，都和刚开始一样。

## 文史链接

### 古人丧礼简介（二）

如果一家有了丧事，除了要告知亲戚朋友，主人还要遣使告诉国君和上级官员。如果死者是卿、大夫或者士，那么其丧事还要告知其他诸侯国的国君和诸位官员们。遍告上级、亲友之后，死者的诸位亲戚就要按照性别、与死者的亲疏关系，各自站在应该站的位子上哭泣，以表示对死者的哀戚之情。

得知某家有丧事，国君、官员及亲戚朋友们都要去登门吊问死者，并送上为死者装殓用的衣服和衾被。国君一般不亲自登门吊问，而是派遣使者去。国君的使者来吊问时，主人要先将帷堂撤去，并亲自在寝门外迎接。行完相关礼节后，主人要在大门外拜送使者。大夫以下级别的人来吊问，主人就不用在门口迎送了，这是礼有等级差别的体现。

在古人的观念里，人刚死时，其灵魂会在其生前居住的地方停留。为了让死者的灵魂有所凭依，人们除了在人刚死时为他设奠外，还会为死者做旌铭。旌铭是用一尺长、三尺宽的黑布条和二尺长、三尺宽的红布条拼接而成，红布条上要书写“某氏之某柩”来表明死者的身份。死者入殡之前，旌铭要挂在竹竿上树于西面的台阶，入殡后便撤下来盖在殡上。

死者装殓之前，亲人要为死者沐浴修整，然后穿上事先准备好的衣物，并在死者嘴里放上用米填满的贝壳。这一切都安顿好之后，要在庭里设一个木头做的十字架，古人称之为“重”，架子

两边各悬挂一个叫做鬲（lì）的容器。“重”是供死者灵魂凭依的，两个鬲则是用来煮稀饭的。出于心情悲伤及忙于为死者筹备丧礼等原因，古人在守丧期间不吃饭食。为了让守丧的人不至于饿死，要在院子里煮一些稀粥供他们饮食。晚上还要在院子里点上火把，用于照明。

以上及《古人丧礼简介（一）》中所述的内容，均是病人死的第一天要做的事情。第二天天明了，就要为死者穿上小殓的衣服并设小殓奠。第三天天一亮，在堂上西阶的地方挖一个坑，把棺放进坑中。然后把小殓奠和帷堂撤去，为死者穿上大殓的衣物，将死者放入棺中，盖上棺盖。主人拜送吊丧的宾客之后，死者的亲人们就要按照与死者的亲疏关系居住在门外设好的丧次中为死者守丧了。

### 思考讨论

用自己的话叙述古人奔丧礼的环节。

## 问丧

其往送也，望望然[1]，汲汲然[2]，如有追而弗及也。其反哭也，皇皇然[3]，若有求而弗得也。故其往送也如慕[4]，其反也如疑。

求而无所得之也，入门而弗见也，上堂又弗见也，入室又弗见也。亡矣，丧矣，不可复见矣[5]！

**故哭泣辟踊[6]，尽哀而止矣。心怅焉[7]，怆焉[8]，惚焉[9]，忾焉[10]，心绝志悲而已矣。祭之宗庙，以鬼飨之[11]，徼幸复反也[12]。**（选自《礼记·问丧第三十五》）

## 注释

[1]望望然：据郑注，“望望然者，瞻望之意也”。 [2]汲汲然：据郑注，“汲汲然者，促急之情也”。 [3]皇皇然：据郑注，“皇皇然者，彷徨也”。 [4]慕：号慕，小儿号哭母亲。 [5]复：再次。 [6]辟踊：捶胸顿足，形容哀痛至极。 [7]怅：失意，不痛快。 [8]怆：悲伤。 [9]惚(hū)：仿佛。 [10]忾(xì)：叹息。 [11]飨：祭祀。 [12]徼(jiǎo)幸：希望得到意外。

## 译文

孝子送葬时，一副不断瞻望的样子，心情着急焦虑，好像是有追的东西却没有追到。孝子送葬返回来哭泣时，一副彷徨的样子，好像有所求却没有得到。因此，孝子为父母送葬时就像孩子号慕自己的母亲，送葬归来时疑疑惑惑，就像自己的亲人又回来了。

寻求亲人却找不到，进了门没有见到，上了堂也没见到，进了室也没见到。亲人已经去了，已经去了，再也见不到了！因此哭泣、捶胸顿足，尽情表达自己的哀情才停止。内心失意，悲伤，恍惚，叹息，内心绝望意志悲怆。将死去的亲人供奉在宗庙里祭祀，把他们当做鬼神来祭祀，希望他们可以再回来。

## 文史链接

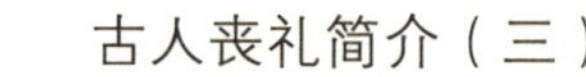

### 古人丧礼简介（三）

我国古代有公共墓地。死者殡后，掌管墓地的官员会将死者下葬的区域划好，并挖去表层的土，对墓地的凶吉进行占卜。若得吉兆，就地开挖。若得凶兆，则要另选墓地。此外，古人下葬的日子也要占卜来决定。按照礼的规定，天子死后七个月下葬，诸侯五个月，大夫、士死后三个月就要下葬。下葬的日子应在葬前的一个月卜得，并告诉国君、官员以及死者的亲戚朋友。

古人下葬除用棺之外，棺的外面还有椁。下葬时使用棺和椁的数量是根据死者生前的爵位等级来确定的。死者殡后十天，主人会将制作椁的木材交给工匠，工匠做好之后，主人要亲自查看。古人下葬时还会有陪葬的明器放在棺椁中，这些随葬品制作好了，主人也要亲自查看。

快到下葬的时候，要把死者的棺柩从殡中抬出来，去祖庙举行死者与祖宗的告别仪式。我国古代的礼规定，人们出行的时候要到祖庙里去告知众位祖先。此时抬着死者的棺柩去告庙，也带有这样的意味。告庙之后，来吊丧的亲戚朋友们在商祝的引导下拉着装有棺柩的车子前往墓地。到达后，将随葬物品陈放好，众人把椁和棺放入墓室，在棺椁之间放一些随葬品和提前包好的牲肉，然后盖上椁板，覆上席子和木头架子，用土封好就可以了。

至此，死者的亲人们便再见不到死者的面容了，正所谓“入门而弗见也，上堂又弗见也，入室又弗见也”。在哪里都再看不到死去的亲人了。所以死者下葬后，其亲人的内心是失落的、悲伤的，只能将他们供奉在祖庙里，希望死去的亲人的灵魂可以再回来。

死者下葬之后，主人和众位亲戚以及来吊丧的宾客们就返回到祖庙里去哀哭了。在祖庙里哭过，主人拜送宾客，并和亲人们一起返回殡宫里哀哭。哭完，主人将众位亲戚送走，自己就居住在守三年丧的倚庐里了。

死者下葬的那天要举行祭祀，这次祭祀叫做首虞；隔一天再祭祀一次，叫做再虞；再虞的第二天再举行祭祀一次，叫做三虞。三虞之后隔一天要举行卒哭祭。所谓卒，就是最后的意思。卒哭，也就是最后一次哀哭。卒哭祭过后，就要停止每天早晨和傍晚哀哭死者了。卒哭祭后的第二天，死者的灵位会按照昭穆的顺序被奉进祖庙，正式享受后代的祭祀。死者葬后一周年举行小祥祭，小祥祭又叫做练祭。两周年举行大祥祭。大祥祭后一个月举行禫祭。到此，三年之丧就结束了。



### 思考讨论

1. 谈谈你对“故其往送也如慕，其反也如疑”这句话的理解。
2. 结合文史链接，复述一下我国古代丧礼的程序。

## 服问

三年之丧既练矣[1]，有期之丧既葬矣，则带其故葛带，绖期之绖，服其功衰[2]。有大功之丧亦如之[3]。小功无变也[4]。

## 注释

[1]练：小祥祭，在死者葬后一周年举行。　[2]功衰：代指丧服。　[3]大功：丧服五服之一。其服用熟麻布做成，较小功略粗。衣裳布用七升，服期九个月。为姑、姊妹、出嫁的女儿、从父昆弟等服之。　[4]小功：丧服五服之一。其服以熟麻布制成，略优于大功。衣裳用十升布，服期五个月。为曾祖父母、从祖父母、从昆弟等服之。

## 译文

服三年丧已经过了小祥祭了，期间又遭遇了一年丧也已经入葬，这时腰绖就系原来三年丧的葛腰绖，首绖就系一年丧的葛首绖，丧服穿大功的丧服。期间又遭遇的大功丧也已经入葬，丧服也和上面一样。又遭遇小功丧，丧服也不变化。

**麻之有本者[1]，变三年之葛[2]。既练，遇麻断本者，于免绖之[3]，既免去绖。每可以绖必绖，既绖则去之。**

## 注释

[1]麻：此处指麻质的首绖和腰绖。有本：指有根的麻。遇大功衣裳的丧事，首绖和腰绖都用带根的麻制成。小功以下丧事，首绖和腰绖则用没有根的麻制成。　[2]葛：指葛质的首绖和腰绖。　[3]免（wèn）：丧礼，以免代冠，以布自项中交于额上，又绕后系于发结。

## 译文

遇到大功衣裳的丧事，要使已经改系葛绖的服三年丧的人易为麻绖。过了小祥祭，遇到小功以下的丧事，在小功以下丧事需要着免的时候就系麻首绖，需要着免的事情过去了就把麻首绖去掉。类似上面这样每当可以加首绖的时候就一定加上首绖，加首绖的事情过去了就除去首绖。

**小功不易丧之练冠，如免，则绖其缌、小功之绖，因其初葛带。缌之麻，不变小功之葛；小功之麻，不变大功之葛。以有本为税[1]。**

（选自《礼记·服问第三十六》）



## 注释

[1] 税（tuì）：丧期过而追丧服。

## 译文

遇到小功、缌麻之丧不改变三年丧小祥祭时所戴的练冠。如果遇到小功、缌麻之丧需要着免，就系缌麻、小功之丧的首绖，仍系三年丧的葛腰绖。缌麻初丧虽系麻腰绖，但不改变小功丧已经改系的葛腰绖。因为只有大功衣裳之丧才能使前面的重丧在改系葛腰绖之后又换系麻腰绖。

## 文史链接

### 释“五服”

古人所说“五服”，有多层意思，若分辨不清，不仅会误读经文，还会闹出笑话。这就需要结合文义语境来确定其具体含义。

“五服”可以就服饰而言，分为吉服五服和凶服五服。

吉服五服是指天子、诸侯、卿、大夫、士所穿的五等服式。

凶服五服即丧服，是生者为死者居丧期间所着的衣服。丧服依据生者与死者关系的远近亲疏可分为斩衰、齐衰、大功、小功、缌麻五等。丧服又依据六种不同的情况分为十一章，这六种情况是：冠、衰、裳使用麻布升数和缝制方法不同；首绖、腰绖使用材料有麻、葛、布之差；服丧期间用杖与否；鞋子使用材料有草、麻、布之别；服丧期间有无更易较轻丧服，若无更换，古人称为“不受”，若更换，古人称作“有受”；服期长短不同。

一般而言，与死者关系越密切，所服丧服等级越高，丧服材质越粗糙，服期也越长。相反，与死者关系越疏远，所服丧服等级越低，丧服越接近常服，服期也越短。

由丧服引申，“五服”也可以代指亲属关系。例如，现代仍有人用“出了五服”来指代别人与自己亲属关系较远。

此外，古人将王畿之外每五百里称作“服”，以王畿为中心，由近及远可划分为侯服、甸服、绥服、要服、荒服，这也称作“五服”。

## 思考讨论

什么是“大功”和“小功”？

## 间 传

**斩衰之哭[1]，若往而不反[2]；齐衰之哭，若往而反；大功之哭，三曲而偯[3]；小功、缌麻，哀容可也[4]。此哀之发于声音者也。**

### 注释

[1] 斩衰：为丧服五服中最重之服。斩，指衣裳边不缝。衰，上衣。衣裳用最粗三升布。服期三年。在三月葬后，服逐步减轻。二十七月丧毕。子为父、父为长子、妻为夫、臣为君服之。
[2] 若：好像。反：通“返”。回，归。　[3] 偯（yǐ）：哭的余声，曲折委婉。　[4] 缌麻：丧服五服之最轻者，亦叫做缌衰。其服用布为六百缕，缕经漂洗，织成布后不再漂洗。王为诸侯之吊服。凡为族曾祖父母、族祖父母、族父母、族昆弟、妻之父母、舅、甥、婿等，均服缌衰三个月，既葬除之。哀容：致哀时稍微容饰。

### 译文

服斩衰丧服的哭声好像哭出来了就收不回来了；服齐衰丧服的哭声好像哭出来还可以收回来；服大功丧服的哭声好像是哭的余声，委婉曲折；服小功和缌麻丧服，只要在致哀时稍微容饰即可。这就是哀痛在声音上的表现。

**斩衰唯而不对[1]，齐衰对而不言[2]，大功言而不议[3]，小功、缌麻议而不及乐[4]。此哀之发于言语者也。**

## 注释

[1]唯：表示应答的语气词。对：答，回答。　[2]言：指主动和别人说话。　[3]议：评论是非。　[4]乐：指和别人说话用以娱乐。

## 译文

服斩衰丧服只应不答，服齐衰丧服答而不主动和别人说话，服大功丧服可以主动说话但不能评议是非，服小功和缌麻丧服可以评议是非但不能以此为乐。这就是哀痛在言语上的表现。



**斩衰三日不食，齐衰二日不食，大功三不食，小功、缌麻再不食[1]，士与敛焉则壹不食[2]。故父母之丧，既殡食粥，朝一溢米[3]，莫一溢米[4]。齐衰之丧疏食[5]，水饮，不食菜果。大功之丧不食醯酱[6]。小功、缌麻不饮醴酒。此哀之发于饮食者也。**

## 注释

[1]再：两，此处指两顿饭不吃。　[2]敛：指死者入殓。壹：指一顿饭不吃。　[3]朝：早晨。溢：一又二十四分之一为一溢。　[4]莫：晚上。　[5]疏食：吃粗粮。　[6]醯（xī）酱：醯，酸醋。调于醢（hǎi）酱中，故常醯醢、醯酱连称。

## 译文

服斩衰三天不吃饭，服齐衰两天不吃饭，服大功三顿不吃饭，服小功和缌麻两顿不吃饭，士参加入殓了就一顿不吃饭。因此父母的丧事，殡之后才能喝粥，早晨喝一溢米，晚上喝一溢米。齐衰之丧吃粗粮，喝水，不吃水果蔬菜。大功之丧不吃肉酱。小功、缌麻之丧不喝醴酒。这就是哀情在饮食上面的表现。

**父母之丧，既虞卒哭，疏食水饮，不食菜果。期而小祥[1]，食菜果。又期而大祥[2]，有醯酱。中月而禫[3]，禫而饮醴酒。始饮酒者先饮醴酒，始食肉者先食干肉。**

（选自《礼记·间传第三十七》）

## 注释

[1] 小祥：即小祥祭。 [2] 大祥：即大祥祭。 [3] 禫：丧祭名。三年之丧二十七月而禫，于大祥祭中隔一月。三年之丧至此而毕。

## 译文

为父母服丧，等虞祭和卒哭祭结束后，只吃粗粮和水，不吃水果蔬菜。到了一周年的小祥祭，可以吃水果蔬菜。再过一年，到了两周年的大祥祭，可以吃用酸醋调过的肉酱。再过一个月，举行禫祭，可以喝醴酒。开始喝酒的先喝醴酒，开始吃肉的先吃干肉。

## 文史链接

### 古人饮食小常识

古人的饮食大致由谷类、肉类和蔬果组成。谷物作为主食，是古人每餐必不可少的。自古就有五谷、六谷、百谷之说。一般认为，五谷是指黍、稷、麦、菽、麻五种作物。黍是黄米，北方人称作黍子。《论语·微子第十八》有“杀鸡为黍而食之”的记载，可见黍在古代是比较重要的粮食。稷是小米，我们熟知的“社稷”一词，即是社神和稷神合称来指代国家。社神即土地神，稷神即谷物神，由此可见稷的重要性。麦有大麦和小麦两种。菽是豆子。麻是指麻子，不是主要的粮食作物。

肉类作为辅助食物，在日常饮食和祭祀中扮演着重要角色。古人祭祀时用牲肉，一般以牛、羊、豕为牲。祭祀用牲肉又有太牢、少牢之分。若三牲均用，称为太牢；若只用羊和豕而不用牛，称为少牢。此外，古人还食鸡、鸭、鹅、狗等其他肉类。

古人还吃干肉和肉酱。古人称干肉叫脯或脩，古代孩童拜师时所奉的束脩即干肉。肉酱称为醢，种类十分丰富。此外，古人还用醢腌制瓜菜或鱼肉以作为食物。

古人饮酒之风流行极早，酿酒技术高超，酒器十分精美。酒的称谓更是种类繁多，《礼记》中所见，就有清、医、浆、酏、糟、秩酒、陈酒、郁鬯（chàng）、秬鬯、衅鬯、酌、澄酒、粢（zī）醍、旧泽等说法。酒不仅用于日常饮食，更在祭祀时充当重要祭品。

除酒之外，古人还饮茶。南北朝时，饮茶之风盛行。以后便成为中国人必不可少的饮品了。

## 思考讨论

1. 什么是丧服中的“五服”？

2. 服不同丧服的人，其哀情在声音、言语、饮食上都有不同的体现。请说说你的体会。

# 三年问

三年之丧何也？曰：“称情而立文[1]，因以饰群，别亲疏贵贱之节，而弗可损益也，故曰‘无易之道’也。创钜者其日久[2]，痛甚者其愈迟。三年者，称情而立文，所以为至痛极也，斩衰苴杖[3]，居倚庐，食粥，寝苫[4]，枕块[5]，所以为至痛饰也。三年之丧，二十五月而毕，哀痛未尽，思慕未忘，然而服以是断之者，岂不送死有已、复生有节也哉[6]！”

## 注释

[1] 称：适合。立文：订立制度。 [2] 创：伤痛。钜：同“巨”，大。 [3] 苴杖：丧服，斩衰三年，用苴杖。其以竹制成，苴黑色，故称。 [4] 苫（shān）：草垫子。 [5] 块：土块。 [6] 已：停止，终止。复生：恢复正常的生活。

## 译文

为什么要服三年之丧呢？回答说："三年之丧是适合孝子丧亲的哀痛而订立的制度，用这样的规定来辨别亲疏关系，表明贵贱等级，并且不可以随意增减，因此说三年之丧是'不可以改变的规定'。创伤巨大的人要恢复需要很久的时间，痛苦深厚的人要痊愈会很迟。服丧三年，是适合孝子丧亲哀情而制订的规矩，这是丧亲的孝子为父母服丧的极限。孝子身穿斩衰丧服，手里拿着苴杖，住在倚庐里，吃稀粥，睡在草垫子上，枕着土块，这是为丧亲后哀痛的孝子装饰的。三年之丧，实际上二十五个月就结束了，这个时候孝子的哀痛没有完结，对双亲的思慕之情还没有忘记，但是丧服要除，这就是为死者送行有停止的时候，恢复正常生活有节制啊！"

**凡生天地之间者，有血气之属必有知[1]，有知之属莫不知爱其类。今是大鸟兽则失丧其群匹，越月踰时焉，则必反巡，过其故乡，翔回焉，鸣号焉，蹢躅焉[2]，踟蹰焉[3]，然后乃能去之。小者至于燕雀，犹有啁噍之顷焉[4]，然后乃能去之。故有血气之属者，莫知于人，故人于其亲也，至死不穷。**

（选自《礼记·三年问第三十八》）

## 注释

[1]属：类别。知：知觉。 [2]蹢躅（zhí zhú）：徘徊不进貌。 [3]踟蹰（chí chú）：缓行的样子。 [4]啁噍（zhōu jiào）：象声词，鸟虫鸣叫。

## 译文

凡是生存在天地之间的事物，有血气的就一定有知觉，有知觉的就没有不爱自己同类的。现在的这些大的鸟兽丧失了自己的同伴，过了些时日，就一定会返回来巡视，经过它们的故乡就要飞翔盘旋，鸣叫哀嚎，徘徊缓行，然后才能离去。小到燕雀，还要对死去的同伴鸣叫一阵然后才能离开。因此，有血气的没有比人更有知觉的了，所以人对于自己的父母，思念之情到死也不会穷尽。

## 文史链接

### 礼之“称情”

东汉许慎《说文解字》卷十“心部”：“情，人之阴气有欲者。从心青声。”清代段玉裁《说文解字注》云：“人欲之谓情，情非制度不节。”情从心部，用我们现代人的理解，情就是从内心发出的喜、怒、哀、乐、惧、爱、恶、欲等情绪。由于心在中国传统文化中具有主观性，情由心而生。因而，情也具有主观性。古人讲究节度，因此，做了礼乐制度来节制人的情欲。

人在不同礼仪场合，其表露的情绪也不同。若遇吉礼，情必喜乐；若遇凶礼，情必哀怒。但任何场合，情的表露并非肆无忌惮，也不可毫无表达。那怎能做到如此呢？儒家用礼来约束情。例如，举行丧礼时，与死者关系的亲疏不仅决定了众亲属的丧服等级，也决定了他们对死者该有的哀情。《礼记·间传》云：“斩衰之哭，若往而不反；齐衰之哭，若往而反；大功之哭，三曲而偯；小功、缌麻，哀容可也。”这是服不同等级丧服者的哀情通过声音表达的例子，从中可以看到哀情的等差。其他礼仪场合也是如此。情的表达与礼仪场合中自己的身份相适应，这便是礼之“称情”。

现实中往往存在这种状况，贤德之人情过于礼，不肖之徒情欠于礼。儒家通过礼乐制度，节制贤德，鞭策不肖，以此来教化社会风气。但在情与礼的抉择中，儒家选择了情，宁可情有余而礼不足，也不愿礼有余而情不足。

### 思考讨论

1. 古人在服三年丧期间为什么要“斩衰苴杖，居倚庐，食粥，寝苫，枕块”？

2. 三年之丧结束后，对死去亲人的哀痛仍然没有结束，为什么礼规定丧事结束就要脱去丧服？



## 丧服四制

**夫礼，吉凶异道[1]，不得相干[2]，取之阴阳也。丧有四制，变而从宜，取之四时也。有恩，有理，有节，有权，取之人情也。恩者，仁也。理者，义也。节者，礼也。权者，知也。仁、义、礼、知，人道具矣。**

### 注释

[1] 吉凶异道：谓吉礼和凶礼的器物、服饰、仪节等诸方面都不相同。 [2] 干：触犯，冲犯。

### 译文

吉礼和凶礼有不同的制度，不能相互触犯，这是取法于阴阳的。丧礼有四个制度，变化礼仪要适宜，这是取法四季的。丧礼有恩情的原则，有道理的原则，有节制的原则，有变通的原则，这是取法于人情的。恩为仁，理为义，节为礼，权为智。仁、义、礼、智，做人的道理就齐备了。

**始死，三日不怠[1]，三月不解[2]，期悲哀，三年忧，恩之杀也[3]。圣人因杀以制节[4]，此丧之所以三年，贤者不得过，不肖者不得不及。此丧之中庸也，王者之所常行也。**（选自《礼记·丧服四制第四十九》）

### 注释

[1] 怠：轻慢，不尊敬。　　[2] 解：通“懈”，不紧张。　　[3] 杀（shài）：减损。　　[4] 节：节制。

### 译文

亲人刚刚去世，三天不怠慢，三个月不松懈，一周年过了仍然悲伤，三年丧过了还有忧思，这就是悲哀的感情逐渐减损了。圣人正因此制定了礼的节制，丧礼之所以规定三年，为的就是贤德的人不超过这个期限，不肖的人必须要达到这个期限。这就是丧礼的中庸之道，是王者时常尊奉的制度。

## 文史链接

### 为父母服三年之丧

对于子女而言，父母之恩没有高低。《礼记·丧服四制》说“资于事父以事母而爱同”，意思是说，用侍奉父亲之道去侍奉母亲，恩爱是相同的。

既然如此，为何为父亲服斩衰三年，为母亲只能服齐衰一年呢？《丧服四制》解释说：“天无二日，土无二王，国无二君，家无二尊，以一治之也。故父在为母齐衰期者，见无二尊也。”可见，只要父亲尚健在，就只能为母亲服期年之丧，这是为了突出父亲的家长地位。但为了顾及子女的哀思，期年之后可以“心丧”，直至三年期满。

如果父亲先去世，那么可以为母亲服“齐衰三年之丧”，丧期与父亲相同，但丧等为“齐衰”，依然与斩衰有别。到了唐代武则天时，规定父母之丧一律为三年。

## 思考讨论

1. 谈谈你对丧礼“恩”、“理”、“节”、“权”四个原则的认识。

2. 谈谈你对“圣人因杀以制节，此丧之所以三年，贤者不得过，不肖者不得不及”这句话的理解。

3. 结合所学知识，说说“礼”为什么要有节制。

# 第四章　吉　事

## 投　壶[1]

投壶之礼：主人奉矢[2]，司射奉中[3]，使人执壶。主人请曰："某有枉矢、哨壶[4]，请以乐宾[5]。"宾曰："子有旨酒嘉肴[6]，某既赐矣，又重以乐，敢辞。"主人曰："枉矢、哨壶，不足辞也，敢固以请[7]。"宾曰："某既赐矣，又重以乐，敢固辞。"主人曰："枉矢、哨壶，不足辞也，敢固以请。"宾曰："某固辞不得命，敢不敬从！"

（选自《礼记·投壶第四十》）

古人投壶图

## 注释

[1] 投壶：古代宾主宴饮时的一种游戏。设特制之壶，宾主依次以矢投入壶中。以竹算（suàn，计数的竹器，射礼及投壶礼时使用）计数。投中多者为胜，负者则饮酒。在投壶时，有乐工击鼓为节。 [2] 矢：箭，此处是古代投壶游戏用的筹。 [3] 中：盛算的器物。中容八算。 [4] 某：此处代指主人名讳。枉矢、哨壶：这里指弯曲的箭和口不正的壶，这是主人的谦辞。枉，弯曲的。哨，口不正。 [5] 乐：使动用法，使……快乐。 [6] 旨酒嘉肴：美味的酒菜。 [7] 固：本来，原来。

## 译文

投壶的礼仪：主人手捧着矢，司射手捧着中，另外叫人拿着壶。主人邀请说：“我有弯曲的矢、口歪的壶，请让我用它们来使宾客快乐。”宾客说：“您的美味酒菜，我已经受赐了，又加上娱乐，不敢不推辞。”主人说：“弯曲的矢、口歪的壶，不值得您推辞，我再次邀请您参加。”宾客说：“我已经受赐了，又加上娱乐，不敢不再次推辞。”主人说：“弯曲的矢、口歪的壶，不值得您推辞，再次邀请您参加。”宾客说：“我一再推辞得不到您允许，不敢不恭敬从命。”（古人为了表示互相尊重，宾主都要相互谦让）

## 文史链接

### 古人投壶时的辞让

投壶是我国古代宾主宴饮时，用于娱乐宾客的一种游戏，属吉礼，或属宾礼。虽为餐饮中助兴的小游戏，但古人行容均有节度，投壶礼有一套完整的仪式，并非胡乱进行。

有　初

连　中

有初贯耳

贯　耳

连中贯耳

散　箭

全　壶

有　终

骁　箭

败　壶

举行投壶礼时，由主人捧着游戏用的筹，掌管射仪的小吏捧着装用来计数的竹签的容器，另外叫人拿着壶。一切准备就绪，主人对宾客说："我这里有弯曲了的箭和口歪了的壶，请允许我使用它们来使在座诸位愉悦。"宾客接着说："您为我们准备的美味酒菜，已经是受赐了，再加上娱乐，不敢不推辞。"主人说："弯曲的箭和口歪了的壶，实在不值得您推辞，请您参加吧。"宾客再次推辞，主人三次邀请，宾客就说："我一再推辞都得不到您的允许，不敢不从命了。"宾主互行拜礼后，宾客拿着箭，开始游戏。投中少者要饮酒。

读到这里，同学们一定对宾主间的反复推辞有些疑问。主人三次邀请，宾客前两次均推辞，最后一次才接受邀请，参加游戏。从表面看来，如此举动有些繁复，看似没有太大必要。若深究其含义，便知如此并非无用。宾与主之间的辞让，正体现了对彼此的尊重和对自身行容的节制。礼无再三，若第三次仍有推辞，那便是受邀宾客对主人的不尊敬，主人也不会进行第四次邀请了。

### 思考讨论

1. 你认为投壶礼属于"五礼"中的哪一类？为什么？

2. 谈谈你对投壶礼中主人与宾客互相辞让这一现象的理解。

## 冠　义

凡人之所以为人者[1]，礼义也。礼义之始，在于正容体[2]，齐颜色[3]，顺辞令[4]。容体正，颜色齐，

**辞令顺，而后礼义备[5]。以正君臣，亲父子，和长幼。君臣正，父子亲，长幼和，而后礼义立[6]。故冠而后服备，服备而后容体正，颜色齐，辞令顺。故曰："冠者，礼之始也。"是故古者圣王重冠。**

（选自《礼记·冠义第四十三》）

## 注释

[1]凡：凡是，所有的。 [2]正：端正，和于法则。容体：容貌体态。容，相貌、仪表。体，体态。 [3]齐：整齐，齐备。[4]顺：顺从。 [5]备：完备。 [6]立：存在，生存。

## 译文

大凡使人成为人的，是礼义。礼义的开始，在于使仪表体态端正，使表情得当，使言辞和顺。仪表体态端正，表情得当，言辞和顺，然后礼义就完备了。礼义是用来使君臣关系端正、父子关系亲密、长幼关系和睦的。君臣关系端正，父子关系亲密，长幼关系和睦，然后礼义就能确立。因此，行冠礼，然后服装齐备。服装齐备，然后仪表体态端正，表情得当，言辞和顺。所以说："冠礼是礼义的开始。"因此古代的圣明君主尊崇冠礼。

## 文史链接

### 古人冠礼简介

古人所谓冠礼，是指古代男子的成丁礼。古礼规定男子加冠的年龄为二十岁，但实际情况有早有晚，据《史记》记载，秦始皇嬴政二十二岁加冠。

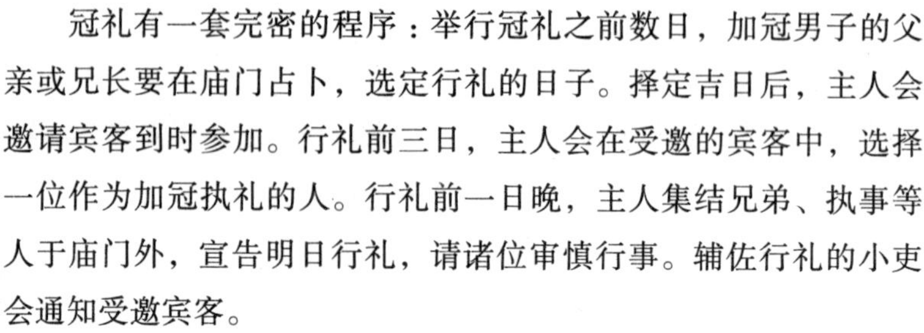

冠礼有一套完密的程序：举行冠礼之前数日，加冠男子的父亲或兄长要在庙门占卜，选定行礼的日子。择定吉日后，主人会邀请宾客到时参加。行礼前三日，主人会在受邀的宾客中，选择一位作为加冠执礼的人。行礼前一日晚，主人集结兄弟、执事等人于庙门外，宣告明日行礼，请诸位审慎行事。辅佐行礼的小吏会通知受邀宾客。

行礼当日，将行礼所用器物、服饰等陈设好，主人宾客等就位后，便开始行礼。提前选好执礼的宾客为男子加冠三次：第一次加缁布冠，寓意加冠者拥有治人之权；第二次加皮弁，表示加冠者可以服兵役；第三次加爵弁，寓意加冠者从此拥有了祭祀的权力。所谓“冠者，礼之始也”，说的便是加冠男子可以行使这三方面的权力。

三次加冠完毕，加冠者要为宾客敬酒，然后拜见自己的母亲。执礼宾客会为加冠者取字，此后人们便可称其字了。拜见完兄弟、姑姊等人，加冠者穿戴好礼服，拿着礼物去拜见国君、卿大夫等人。主人向宾客敬酒后，礼就成了。男子加冠后便可以娶妻了。

## 思考讨论

1. 谈谈你对“凡人之所以为人者，礼义也”这句话的理解。

2. 为什么“古者圣王重冠”？

# 昏义

昏礼者，将合二姓之好，上以事宗庙，而下以继后世也，故君子重之。是以昏礼，纳采[1]、问名[2]、纳吉[3]、纳征[4]、请期[5]，皆主人筵几于庙[6]，而拜迎于门外，入，揖让而升[7]，听命于庙，所以敬慎、重正昏礼也。



## 注释

[1]纳采：婚礼六礼之第一礼。夫家使使者至女家纳其采择之礼。今作“纳彩”。 [2]问名：婚礼六礼之第二礼。夫家使使者至女家问女之名，将卜其凶吉。 [3]纳吉：婚礼六礼之第三礼。问名后，卜得吉兆，使使者告女家。 [4]纳征：婚礼六礼之第四礼。使使者至女家纳币，以订婚。 [5]请期：婚礼六礼之第五礼。夫家卜得行婚礼之吉日，使使者告女家。 [6]筵：人坐跪之具，以竹或蒲草编织而成，铺在地上，席铺在筵上，筵大席小，有时筵、席二字通用。几：坐时用以凭倚安体之具，亦作为神之所依。 [7]揖让：拱手为礼，拱手而向外伸。

## 译文

婚礼，是将两个不同的姓氏结合，使两个家族结为欢好，在上可以祭祀宗庙，在下能够延续后嗣，因此，君子重视婚礼。所以，婚礼的纳彩、问名、纳吉、纳征、请期等礼仪，女方家的主人都要在宗庙里摆设好筵几等物件，然后到庙门外去拜迎男方的媒人，进入祖庙，同媒人揖让行礼后登上庙堂，在庙中听取媒人转达男方主人有关婚礼的事情，这是为了表示对婚礼恭敬、谨慎、尊重的态度。

**父亲醮子而命之迎[1]，男先于女也。子承命以迎[2]，主人筵几于庙，而拜迎于门外。婿执雁入，揖让升堂，再拜奠雁，盖亲受之于父母也。降出，御妇车[3]，而婿授绥[4]，御轮三周，先俟于门外。妇至，婿揖妇以入，共牢而食，合卺而酳[5]，所以合体同尊卑，以亲之也。**

## 注释

[1] 醮（jiào）：古代婚娶时用来祭神的酒。 [2] 承命：接受命令。 [3] 御：驾驶车马。 [4] 绥（suí）：登车时手挽的索。 [5] 合卺（jǐn）：将葫芦一剖为二，将两柄相连，盛酒，夫妇共饮，表示合体。酳（yìn）：吃东西后用酒漱口。

## 译文

（迎娶新娘的时候，）新郎的父亲敬酒给儿子并命令他去迎接新娘，这是为了表示男先女后、夫唱妇随。儿子接受命令去迎娶，新娘的父亲在祖庙里面摆放供祖先神灵凭依的筵几，在庙门外拜迎新郎。女婿拿着雁进来，行揖让礼后上堂，女婿再拜叩头，将雁放在堂上，这大概是为了表明女婿是亲自从新娘父母手上接过新娘的。新郎下堂出庙，新娘跟着出来，新郎驾驶着接新娘的车子，将车前挽手的绳子递给新娘，等待新娘坐好之后，新郎驾驶车子车轮转三周，就将车交给驾车的人，自己先回到自己家门口等着。新娘到达，新郎向新娘行揖让礼然后进门，两个人共同享用俎中的鱼、肉，吃完饭，夫妇分别拿着一个葫芦剖成的两个瓢饮净口安食的酒，这都是为了表示夫妇二人从此合而为一、尊卑同体，使他们亲密。

**敬慎重正，而后亲之，礼之大体，而所以成男女之别[1]，而立夫妇之义也[2]。男女有别，而后夫妇有义；夫妇有义，而后父子有亲；父子有亲，而后君臣有正。故曰："昏礼者，礼之本也。"**



## 注释

[1]成：成就。 [2]立：建立。

## 译文

经过恭敬、谨慎、隆重、堂堂正正的一系列礼节之后亲近她，这是礼的大体，这是为了成就男女之间的分别，建立夫妇之间的道义。男女有了分别，夫妇之间才有道义；夫妇有道义，然后父子之间才有亲情；父子有亲情，然后君臣关系才能端正。因此说："婚礼是礼仪的根本所在。"

**夫礼，始于冠，本于昏，重于丧、祭，尊于朝、聘，和于射、乡[1]，此礼之大体也。**

（选自《礼记·昏义第四十四》）

## 注释

[1]和：和睦。

## 译文

礼仪，开始于冠礼，以婚礼为根本，重视丧礼和祭礼，尊崇朝礼和聘礼，和睦射礼和乡饮酒礼，这是礼的大体内容。

## 文史链接

### 古人婚礼纳彩的礼物

古代婚礼有纳彩、问名、纳吉、纳征、请期和亲迎六礼。纳彩是男方带礼物到女方家求亲；问名是男方家问中意女子的姓名生辰，以便卜问吉凶；纳吉是占卜得吉兆后告知女方家；纳征是男方家向女方家送聘礼，宣告订婚；请期是确定举行婚礼的日期；亲迎是男子去女方家宗庙里迎娶女子。

纳彩这一环节中，男方家会选择很多种礼物送给女方家，并且这些礼物均有美好的寓意。据史书记载，纳彩所用礼物有三十种，分别是玄纁、羊、雁、清酒、白酒、粳米、稷米、蒲、苇、卷柏、嘉禾、长命缕、胶、漆、五色丝、合欢铃、九子墨、金钱、禄得香草、凤凰、舍利兽、鸳鸯、受福兽、鱼、鹿、乌、九子妇、阳燧等。郑玄《通典》五十八云："总言言物之印象者，玄象天，纁法地。羊者，祥也，群而不党。雁则随阳。清酒降福。白酒欢之由。粳米养食。稷米粢盛。蒲众多性柔。苇柔之久。卷柏屈卷附生。嘉禾须禄。长命缕缝衣。延寿胶能合异类。漆内外光好。五色丝章采，屈伸不穷。合欢铃音声和谐。九子墨长生子孙。金钱和明不止。禄得香草为吉祥。凤凰雌雄伉合俪。舍利兽廉而谦。鸳鸯飞止须匹，鸣则相和。受福兽体恭心慈。鱼处渊无射。鹿者禄也。乌知反哺，孝于父母。九子妇有四德。阳燧成明安身。又有丹为五色之荣，青为色首，东方始。”

古人对婚姻的美好期待和对子女婚姻的祝福由此可见一斑。

### 思考讨论

1. 为什么我国古代婚礼的重要程序要在男女双方的宗庙里举行？
2. 为什么说婚礼是礼的根本？



## 乡饮酒义

乡饮酒之义：主人拜迎宾于庠门之外[1]，入三揖而后至阶，三让而后升，所以致尊让也。盥[2]，洗，扬觯[3]，所以致絜也[4]。拜至，拜洗，拜受，拜送，拜既，所以致敬也。尊、让、絜、敬也者，君子之所以相接也。君子尊让则不争，絜敬则不慢，不慢、不争，则远于斗辨矣。不斗辨[5]，则无暴乱之祸矣。斯君子所以免于人祸也[6]，故圣人制之以道。

（选自《礼记·乡饮酒义第四十五》）

### 注释

[1]庠：乡学名。　[2]盥（guàn）：浇水洗手。　[3]扬

觯（zhì）：举起酒杯。　　[4]絜（jié）：古同“洁”，干净。
[5]斗辨：打斗争吵。辨，通“辩”。　　[6]斯：此，这。

## 译文

乡饮酒礼的礼节：主人到庠门外去拜迎宾客，进入庠门，行进中主人要与宾客互行三次揖让之礼，然后到达台阶，又要相互谦让三次然后上堂，这是为了表示对对方的尊重和谦让。主人洗手，洗酒杯，然后举起酒杯向宾客献酒，这是为了表示主人请宾客喝的酒很洁净。主人行拜礼感谢宾客的到来，宾客行拜礼感谢主人为自己洗酒杯，行拜礼后接受主人的献酒，主人献酒后行拜礼表示恭敬，宾客干杯后行拜礼致谢，这些都是为了表示恭敬。尊敬，谦让、洁净、恭敬，是君子之间交往的态度。君子之间相互尊重、谦让就不会发生争执，洁净、恭敬就不会相互怠慢，不相互怠慢、不起争执，就会远离打斗和争吵了。不打斗和争吵，就不会有暴乱的祸患。这就是君子用以避免人为祸害的原则，所以圣人依据这种原则制定了乡饮酒的礼仪。

## 文史链接

### 我国古代的乡饮酒礼

乡饮酒礼始于周代，最初不过是乡人的一种聚会方式，儒家在其中注入了尊贤养老的思想，使一乡之人在宴饮欢聚之时受到教化。秦汉以后，乡饮酒礼长期为历代士大夫所遵用，直到道光二十三年（1843），清政府决定将各地乡饮酒礼的费用拨充军饷，才被下令废止。乡饮酒礼前后沿袭约三千年之久，在中国历史上产生过深远的影响。

乡饮酒礼的主要仪节有：谋宾、迎宾、献宾、乐宾、旅酬、无算爵乐、宾返拜等。孔子说："吾观于乡，而知王道之易易。"孔子所说的"乡"，是指乡饮酒礼；"易易"，是"易"字的重复，是为了语句的顺畅而有意作的叠加，犹言"平平"。这句话意思是说，看了乡饮酒礼，才知道实行王道是多么容易。

儒家的教化之道，主要在于尊贤和养老。尊贤是治国之本，养老是安邦之本，而乡饮酒礼兼有尊贤和养老两义，孔子如此重视它，不正是在情理之中吗？



### 思考讨论

1. 你认为乡饮酒礼属于"五礼"中的哪一类？为什么？
2. 主人与宾客为什么"入三揖而后至阶，三让而后升"？
3. 谈谈你对"礼和于乡饮酒"的理解。

## 射 义

古者诸侯之射也[1]，必先行燕礼；卿大夫、士之射也，必先行乡饮酒之礼。故燕礼者，所以明君臣之义也；乡饮酒之礼者，所以明长幼之序也。

### 注释

[1] 射：此处指射礼。

## 译文

古时候诸侯举行射礼，必须先举行燕礼；卿大夫、士举行射礼，必须先举行乡饮酒礼。因此，燕礼是用来表明君臣之间的道义的；乡饮酒礼是用来表明长幼之间的次序的。

**故射者，进退周还必中礼[1]，内志正，外体直，然后持弓矢审固[2]。持弓矢审固，然后可以言中[3]。此可以观德行矣。**



## 注释

[1]还：通“旋”，转动。　[2]审：详细，周密。　[3]中：中的。

## 译文

因此，射箭的人，进退周旋必须符合礼仪，内心端正，身体正直，然后拿着弓箭稳固而瞄准无差。拿着弓箭瞄准，然后才能谈得上射中。由此可以通过射礼来观察一个人的德行。

**是故古者天子之制，诸侯岁献，贡士于天子[1]，天子试之于射宫[2]。其容体比于礼[3]，其节比于乐，而中多者，得与于祭[4]；其容体不比于礼，其节不比于乐，而中少者，不得与于祭。数与于祭而君有庆[5]，数不与于祭而君有让[6]；数有庆而益地[7]，**

**数有让而削地[8]。故曰："射者，射为诸侯也。"是以诸侯君臣尽志于射以习礼乐。夫君臣习礼乐而以流亡者，未之有也。**（选自《礼记·射义第四十六》）

## 注释

[1]贡：进献东西给上级。 [2]射宫：天子行大射礼的场所。 [3]比（bì）：能够相匹配，符合。 [4]与（yù）：随从，跟随。 [5]数：多次。庆：赏赐。 [6]让：责备。 [7]益：增加。 [8]削：减少，削减。

## 译文

因此古代的天子有制度规定，诸侯每年都要给天子进献礼物，将士进贡给天子，天子在射宫里面考验他们。容貌体态与礼相匹配、节奏与乐相匹配，并且射中靶心很多次的人，可以跟随天子参加祭祀。容貌体态与礼不相符、节奏与乐不相符，并且射中靶心次数少的人，不能跟随天子参加祭祀。射中次数多并且参加祭祀的人会得到天子的赏赐，射中次数少并且不能参加祭祀的人会被天子责备；射中次数多并且得到天子赏赐的人会增加封地，射中次数少并受到天子责备的人会减少封地。因此说："射礼，是为了成为诸侯。"因此诸侯国的君主和臣子都尽心研究射箭，以此来学习礼仪音乐。国君和臣子学习礼仪和音乐而亡国的，从古至今都没有。

## 文史链接

### 射礼与择士

射礼还有一种功能，就是天子选拔人才。《射义》说，天子在举行重大祭祀之前，“必先习射于泽。泽者，所以择士也。”“泽”是天子的射宫名，之所以取名泽，是因为这里是择助祭的诸侯的地方。《射义》还说，古代圣明之时，诸侯每年都要向天子述职，天子则要借此机会在射宫“试射”，以测验诸侯的射艺。只有容体合于礼、动作合于乐，而且屡屡射中者，才准许他们参与祭典。

不仅如此，凡被选中者，得“进爵纳地”，参与祭典越多，就越会受到奖赏，甚至要增加其领地，把更多的人民、土地交给他来领导。反之，射礼中表现不佳，一定是德行不佳，德行不佳者，怎能有资格参与国家的祭典？天子不仅要责让、训斥他们，并且要“削以地”，收回部分统治权。

《射义》说：“射者，所以观盛德也。是故古者天子以射选诸侯、卿、大夫、士。”可见，天子不仅用射礼选诸侯，而且用射礼选卿、大夫、士。射礼中的表现，是被作为政治资质的重要内容来对待的。

## 思考讨论

1. 射礼属于“五礼”中的哪一类？为什么？
2. 谈谈我国古代各等级举行射礼的作用。
3. 谈谈你对“礼和于射”的理解。

## 燕　义

君举旅于宾[1]，及君所赐爵[2]，皆降再拜稽首[3]，升成拜[4]，明臣礼也；君答拜之[5]，礼无不答，明君上之礼也。臣下竭力尽能以立功于国，君必报之以爵禄[6]，故臣下皆务竭力尽能以立功，是以国安而君宁。礼无不答，言上之不虚取于下也。上必明正道以道民，民道之而有功，然后取其什一，故上用足而下不匮也[7]。是以上下和亲而不相怨也。和宁，礼之用也，此君臣上下之大义也。故曰："燕礼者，所以明君臣之义也。"

（选自《礼记·燕义第四十七》）

### 注释

[1] 旅：依次行酒，也叫旅酬。　[2] 赐：君举旅酬，受酬者即为受赐。　[3] 降：下堂。　[4] 升：上堂。　[5] 君答拜：受赐者上堂拜君后，君要放下自己手中的酒杯，行再拜礼以答之。　[6] 爵禄：爵位俸禄。　[7] 匮：缺乏。

### 译文

国君为宾客举行旅酬礼，凡是拿到国君赏赐的酒的人，都要下堂行再拜稽首礼，又上堂再拜稽首，以表明臣下对国君应有的礼仪；国君要回礼答拜，对于别人的礼没有不回礼的，这表明国君对臣下应有的礼仪。臣下竭尽所能为国家建立功勋，国君一定

要用爵位俸禄来报答，因此臣下都竭尽所能为国家建立功劳，所以国家安定、国君安宁。对于别人的礼没有不回礼的，这表明国君不向臣下白白索取。国君必须彰明正道来教导民众，民众践行教导而有收获，然后国君才能向民众按十分之一的税率收税，因此国库充足而民用也不匮乏，所以能够上下和睦亲密而不相怨恨。和睦安宁，是运用礼的结果，这是君臣上下应该明白的大道理。因此说："燕礼，是用来彰明君臣关系的。"

## 文史链接

### 燕礼所表达的君臣大义

国君虽然是一国的至尊，但礼是双方的行为，中国古礼的原则之一，是讲究礼尚往来。如果一方虔敬地行礼，另一方却毫无表示，是非常失礼的。即使尊卑如君与臣，也是如此。因此，国君为了表示谦让，让小臣下堂加以阻止，于是受赐者上堂完成拜礼。

不仅如此，每次臣下向国君行礼之后，国君都要以礼答拜，这就是《燕义》所说的"礼无不答"。礼无不答就是礼尚往来，是东方人交往和沟通时尊重对方的特有方式。由答拜之礼可以引申到君臣之道，就是《燕义》所说的"礼无不答，言上之不虚取于下也"。不虚取于下，是儒家提倡的君臣之道的重要原则。

## 思考讨论

1. 燕礼属于"五礼"中的哪一类？为什么？
2. 谈谈你对"燕礼者，所以明君臣之义"的理解。

# 聘　义

子贡问于孔子曰：“敢问君子贵玉而贱碈者[1]，何也？为玉之寡而碈之多与[2]？”孔子曰：“非为碈之多，故贱之也。玉之寡，故贵之也。夫昔者[3]，君子比德于玉焉：温润而泽，仁也；缜密以栗[4]，知也[5]；廉而不刿[6]，义也；垂之如队[7]，礼也；叩之，其声清越以长，其终诎然[8]，乐也；瑕不掩瑜[9]，瑜不掩瑕，忠也；孚尹旁达[10]，信也；气如白虹，天也；精神见于山川，地也；圭璋特达[11]，德也；天下莫不贵者，道也。《诗》云：‘言念君子，温其如玉。’故君子贵之也。”

（选自《礼记·聘义第四十八》）

## 注释

[1] 碈（mín）：像玉的石头。　[2] 寡：数量少。与：通“欤”，语气助词。　[3] 昔：以前。　[4] 缜密：细致，周密。此处指玉的纹理。栗：坚实。　[5] 知：同“智”。　[6] 廉：棱角，亦指物体露出棱角，有棱角。刿（guì）：割开，切口。　[7] 队：通“坠”，系在器物上垂着的东西。　[8] 诎（qū）：戛然而止的样子。　[9] 瑕：玉石上的斑点。掩：遮住，掩盖。瑜：美玉，玉的光泽。　[10] 孚尹旁达：指玉的色彩晶莹发亮，比喻品德高尚纯洁。　[11] 圭璋（zhāng）：两种贵重的玉质礼器。特：孔疏曰：“特，谓不用它物媲之也。”

## 译文

子贡问孔子："请问君子看重玉而轻贱碈，这是为什么呢？是因为玉少碈多吗？"孔子说："并非因为碈多就轻贱它，玉少就看重它。从前，君子将玉比作自己的德行：玉温和润泽，像仁；质地缜密坚实，像智；有棱角却不割伤别人，像义；垂下来像是挂着的坠子，像谦卑有礼；敲击它发出清扬绵长的声音，终了又戛然而止，像乐；它的瑕疵掩盖不了美好，美好掩盖不了瑕疵，像忠；玉的色彩晶莹发亮，像诚；光泽如同白虹，像天；精气显露于山川之间，像地；圭、璋这两种贵重的礼器送达主君，像德；天下没有人不看重玉，像道。《诗》说：'想念君子，温润如玉。'所以君子看重玉。"



## 文史链接

钱玄《三礼通论·前言》

三礼之名始自东汉末年，郑玄注《仪礼》、《周礼》、《礼记》，并著《三礼目录》，因有三礼之名。如加《大戴礼记》，则实为四礼。但后来凡治先秦礼制之学者，均称三礼之学，亦简称礼学。两汉以来治礼学者特盛。学者以为礼学是经国济世之学，与国家建制、社会习俗、个人道德修养，均有直接关系，是实践致用之学。如西汉末年刘歆《移太常博士书》，以为当时立于学官的今文经只有士礼十七篇，是"抱残守缺"。"至于国家将有大事，若立辟雍、封禅、巡狩之仪，则幽冥而不知其原。"主张立古文礼经《逸礼》于学官，可以依礼书所载施行国家大事。又如宋王安石著《周官新义》，以助其推行新法。朱熹思想似略为通达，他说："《礼记》有说宗庙、朝廷，说得远，复杂乱不切于日用。若欲观礼，须将《礼记》节出切于日用常行者看，节出《玉藻》、《内则》、《曲礼》、《少仪》看。”则朱熹仍以礼学为实践之学，仅是范围缩小而已。这种以礼学为经国济世、实践致用之学的思想，直至清末还是存在。光绪二十七年（1901），孙诒让为清廷将行“辛丑变法”，写《变法条议》，自云：“以《周礼》为纲，西法为目。”后改名为《周礼政要》。据孙氏所云“陈古酌今，聊以塞守旧者之口，于诂经无事也”，似乎孙氏说“以《周礼》为纲”不是出于本意。但不管是什么原因，在当时确实有一辈人仍以为《周礼》可以救世强国。今日看来，很是可笑。

辛亥以后，国家政体变革，人们思想意识有较大变化。多数学者对经学的看法，包括礼学，有所转变。一般人认为礼书所载是古代文献，为上古文化史的重要史料。这种观点是十分正确的。治三礼之学者就应该立足于这个观点之上。

中国古代文化，范围很广，内容丰富。其中有极其优秀的精华部分，今天还值得借鉴，要认真吸取，并继承和弘扬，做到古为今用。这也是研究中国古代文化史的方向。

三礼的著作时代，各不相同。其中所载的礼制，早的或行于殷商，晚的或行于战国后期，上下的跨度很大。而且有的古代确有此事，有的仅是古代的传说，或者出于作者的设想。现在学习、研究三礼，亦即研究上古文化史，就是整理这些上古文化史史料，考定各种礼制的内容及其产生、发展变化的情况，从而对这些文化史料作出合乎历史发展的结论。

## 思考讨论

君子为什么“贵玉而贱碈”？玉的哪些品质可以比于君子？

# 第五章 祭 祀

## 郊特牲

**大夫而飨君[1]，非礼也。大夫强而君杀之[2]，义也，由三桓始也[3]。天子无客礼，莫敢为主焉。君适其臣[4]，升自阼阶[5]，不敢有其室也。觐礼[6]，天子不下堂而见诸侯。下堂见诸侯，天子之失礼也，由夷王以下[7]。**

### 注释

[1]飨：用酒食招待客人，泛指请人受用。 [2]强：强盛，势力大。 [3]三桓：春秋时期鲁国三大夫叔孙氏、季孙氏、孟孙氏。三家僭越，专擅国政。 [4]适：往，去。 [5]阼阶：东阶。 [6]觐：朝见君主。 [7]夷王：周夷王，姓姬，名燮，周懿王之子。西周后期的天子，当政时西周国政衰落。

### 译文

大夫以酒食宴请国君，这是不符合礼的。大夫强盛而国君杀掉他，这是符合道义的。这种僭越的事情是从三桓开始的。天子不能作为宾客行客礼，因为没有人可以做得了天子的主人。国君到他的臣下家里，从东阶上堂，这说明作为臣下的不敢私有自己的家。诸侯觐见天子，天子不下堂来接见诸侯，如果下堂去接见诸侯，这是天子失礼，这种不合礼仪的事情是由周夷王开始的。

**诸侯之宫县[1]，而祭以白牡[2]，击玉磬[3]，朱干设锡[4]，冕而舞《大武》[5]，乘大路[6]，诸侯之僭礼也[7]。台门而旅树[8]，反坫[9]，绣黼、丹朱中衣[10]，大夫之僭礼也。故天子微[11]，诸侯僭，大夫强，诸侯胁[12]。于此相贵以等，相觌以货[13]，相赂以利，而天下之礼乱矣。诸侯不敢祖天子，大夫不敢祖诸侯，而公庙之设于私家，非礼也，由三桓始也。**

（选自《礼记·郊特牲第十一》）

## 注释

[1] 宫县：指诸侯宫中悬挂的钟磬乐器。县，通“悬”。
[2] 白牡：古代祭祀用的白色公牛。周代只有天子可以用白色的公牛作为祭祀之牲。若其他等级的人使用白色公牛祭祀，就视为僭越。 [3] 玉磬：古代石制乐器。 [4] 朱干设锡：谓以锡敷住盾的背面使其突出。朱干，红色的盾。锡，细布。 [5]《大武》：周代六武之一。大武，武王之乐。大武与无射、夹钟之乐相配，享周代的先祖。 [6] 大路：殷代祭祀天的车。路，通“辂”。以木为之，全无装饰。 [7] 僭：超越本分，古代指地位在下的冒用地位在上的名义或礼仪、器物。 [8] 旅树：类似于今天的照壁。以土筑墙为之，在门内，或在门外。也叫做内屏、外屏。周代只有

天子、诸侯可以用。　[9]反坫（diàn）：放置空酒器的小木台。宾主宴饮献酬，饮完将酒器放在坫上，因此叫做反坫。反坫设于两楹间，礼毕可撤去。　[10]绣黼：绣为各种文采的总称，文、章、黼、黻均为绣。　[11]微：衰落，低下。　[12]胁：被动用法，被逼迫恐吓。　[13]觌（dí）：相见。

## 译文

诸侯在宫室里悬挂着钟磬等乐器，祭祀时用白色的公牛，敲击着玉磬，用着拿细布包裹的红盾，带着冕来跳《大武》的舞蹈，乘着大辂这样的车子，这是诸侯僭越了礼数。居所建筑台门和旅树，在堂上设有反坫，穿着绣黼、红色中衣这样的衣裳，这是大夫僭越了礼数。因此天子衰微，诸侯僭越，大夫强盛，诸侯被胁迫。像这样上下同等尊贵，相互相见都要拿礼物，用财物相互贿赂，天下的礼仪就乱了。作为诸侯的不敢祭祀天子的祖先，作为大夫的不敢祭祀诸侯的祖先，公室的祖庙设在私室里，这是不符合礼的，这样的事情是从三桓开始的。

## 文史链接

### “礼崩乐坏”解

为什么一提到春秋战国时期，书上总会用“礼崩乐坏”这样的字眼？想要回答这个问题，就要明确春秋战国在我国历史进程中所处的环节及其自身的特点。

“礼崩乐坏”中的“礼”是指以井田、分封、宗法为原则的一套治国理家的制度体系，严密的等级性是“礼”的特点，正所谓“礼以别异”。“乐”是与礼仪场合相配套的一套音乐舞蹈体系，因为音乐具有和同人心的效用。故乐与礼相配合，可以消解过分强调等级性所带来的麻烦。史书记载周公旦“制礼作乐”，其实礼乐很早就有，夏、商时期就已经存在不甚完善的制度，是周公旦将礼乐制度完善并使之系统化了。这样一套制度，一方面强调尊卑等级不能僭越，另一方面又有宗法亲缘的因素，其制度内部有相当大的空间。

西周时期，以周天子为中心的周王室还很强盛，对分封在全国各地的诸侯有比较强大的统摄能力。因此，各国诸侯对周天子、各诸侯国内的卿大夫对其国君都严格遵守这套规矩，整个社会在礼乐制度下有序运转。但这种情况随着周平王东迁洛邑而渐渐发生了改变。以平王东迁为标志，东周（即春秋战国时期）开始，以周天子为中心的周王室权势日渐衰微，在护送平王东迁过程中有功的诸侯国开始挑战天子的权威，这种情况发展得越来越严重：诸侯们开始僭越称王，行天子事；诸侯国内公室衰微，卿大夫、陪臣执政……三桓便是例子，类似的情况在春秋战国时期数不胜数。这样一来，各人的节用不随西周划定的尊卑等级而定了，而是根据各人实际所处的权位。比如某人名号上是大夫，但是执掌本国政权，那么他就可以用超过大夫级别该有的礼制。

鉴于西周用以治国理家的礼乐制度在春秋战国时期慢慢无人遵守，大家不按尊卑等级行事，当时的社会与西周相比可谓乱作一团。正是在这种情况下，一提到春秋战国，便会用“礼崩乐坏”来形容曾经在西周执行了很久的礼乐制度被破坏、尊卑等级混乱的社会现实。

## 思考讨论

1. 谈谈你对“觐礼，天子不下堂而见诸侯。下堂见诸侯，天子之失礼也，由夷王以下”这句话的认识。

2. 你认为什么是“僭礼”？春秋战国时期为什么会有这种现象出现？

3. 搜集春秋战国时期不按礼行事的小故事，并说说你对当时社会状况的一些认识和看法。



## 祭法

**祭法：有虞氏禘黄帝而郊喾[1]，祖颛顼而宗尧[2]；夏后氏亦禘黄帝而郊鲧[3]，祖颛顼而宗禹；殷人禘喾而郊冥，祖契而宗汤[4]；周人禘喾而郊稷[5]，祖文王而宗武王。**

### 注释

[1] 禘：四时享先王，夏商称夏季祭祀先王为禘，周改为礿。郊：祭天地在郊，都可以称郊。祭天之礼，其最尊者为冬至圜丘祭昊天；启蛰，南郊祭上帝祈谷。祭地之礼，其最尊者为夏至方丘之祭，其次为北郊祭地。喾：帝喾。 [2] 祖：自祖父以上皆得称祖。颛顼（zhuān xū）：上古帝王。宗：宗族。此处指祭祀宗族。尧：上古帝王。 [3] 鲧（gǔn）：禹的父亲。 [4] 契：商的始祖，帝喾之子，母为简狄。汤：商汤，商朝的创建者。 [5] 稷：后稷，周的始祖，名弃。

## 译文

祭祀的法则：有虞氏用禘祭祭祀黄帝，用郊祭祭祀帝喾，用祖祭祭祀颛顼，用宗祭祭祀尧；夏后氏也是用禘祭祭祀黄帝，用郊祭祭祀鲧，用祖祭祭祀颛顼，用宗祭祭祀禹；商代的人用禘祭祭祀帝喾，用郊祭祭祀冥，用祖祭祭祀契，用宗祭祭祀商汤；周代的人用禘祭祭祀帝喾，用郊祭祭祀后稷，用祖祭祭祀文王，用宗祭祭祀武王。

**燔柴于泰坛[1]，祭天也；瘗埋于泰折[2]，祭地也。用骍犊[3]。埋少牢于泰昭[4]，祭时也；相近于坎坛[5]，祭寒暑也。王宫[6]，祭日也；夜明[7]，祭月也。幽宗[8]，祭星也；雩宗[9]，祭水旱也；四坎坛，祭四方也。山林川丘谷陵能出云，为风雨，见怪物，皆曰神。有天下者祭百神。诸侯在其地则祭之，亡其地则不祭。**

## 注释

[1]泰坛：祭天之坛。在坛上用柴焚牲币。　[2]瘗（yì）：埋物祭地。泰折:祭地之处。祭地以牲币埋于土。　[3]骍(xīng)犊：赤色的牛犊，古代祭祀用。　[4]泰昭：祭四时之坛。[5]坎坛:古代挖地为坎，累木为坛。坎以祭寒、月等神，坛以祭暑、日等神。　[6]王宫：古时祭日神的祭坛。　[7]夜明：祭祀月神的祭坛。　[8]幽宗:祭星之称。宗，当作“禜(yǒng)”。“雩宗”的“宗”同。　[9]雩（yú）宗：禳水旱之祭。

## 译文

在泰坛上焚烧牺牲和币帛来祭祀天，在泰折上埋物来祭祀地。用赤色的牛犊祭祀。在泰昭下埋下少牢来祭祀时，挖坑累木来祭祀寒暑。在王宫祭祀日，在夜明祭祀月。在幽宗祭祀星辰，在雩宗祭祀水旱。在四方挖坑累木，祭祀四方之神。山川、树林、丘陵、深谷能生出云气，化为风雨，出现奇怪的事物，都叫做神灵。拥有天下的人祭祀百神。诸侯如果在自己的封国就祭祀，丢失自己的封国就不祭祀。

**大凡生于天地之间皆曰命，其万物死者皆曰折，人死曰鬼，此五代之所不变也。七代之所更立者，禘、郊、祖、宗，其余不变也。**

（选自《礼记·祭法第二十三》）

## 译文

凡是生长在天地之间的事物都叫做生命，生长在天地之间的生命死去了都叫做折，人去世了叫做鬼，这是上古五代不变的。七代祭祀有变动的只是禘、郊、宗、祖的对象，其他的都没有变化。

## 文史链接

### 夏、商、周三代起源传说

夏代是目前可考的我国最早的朝代，相关的考古材料和传世记载也很少。据史书记载，夏族是长期活动在中原地区的姒姓部落。

早在尧时，禹的父亲鲧就帮助帝尧治水，可是接连几年的治理都控制不了洪水泛滥。尧去世，传位给有贤德的舜，舜巡狩时见鲧治水没有取得成功，便下令将鲧处死。但水患仍在泛滥，有人向舜推举了鲧的儿子禹，舜同意了众人的推荐，并对禹说：“你要尽心去平治水土，并以此作为你的勉励。”禹领命之后，兢兢业业，一改以前堵塞治水的方法，改为疏通，取得了治水的胜利。禹在治水过程中，在外面居住十三年，三过家门而不入，这在后世传为了美谈。禹的贤能为天下人称道，舜便将王位传给了禹。按照《史记·夏本纪》的记载，禹是黄帝的玄孙、帝喾的孙子，也就是说夏代的王族仍然是黄帝的苗裔。

夏禹治水

商代的材料相比夏代多了不少，不仅有传世文献，还有不少出土材料。并且，商代有文字资料留存下来，也就是刻写在龟甲或兽骨上的甲骨文。大批甲骨文的出土，为我们揭开商代的神秘面纱提供了十分可靠的第一手材料。关于商代起源的问题，史书最早记载的是一位名为简狄的女性。简狄是有娀氏部落的女儿，嫁给了帝喾为妃子。相传有一日，简狄一行三人到河边沐浴，吞食了玄鸟（燕子）的卵而有孕，生下了商族的第一位男性始祖契。《诗经·商颂·玄鸟》中就有“天命玄鸟，降而生商”的诗句。早在禹时，契辅佐治水有功，禹将他及他的族人分封在商这个地方，并赐姓子氏。透过史书的记载，我们不难发现，商代的王族也是黄帝的苗裔。

周代起源有一个与商代类似的传说。据史书记载，周代的女性始祖是一个名叫姜嫄的女性，她来自有邰氏部落，也是帝喾的妃子。有一日姜嫄去野外，在巨人留下的足迹上行走之后便有孕生子。姜嫄以为这个孩子不是祥瑞，于是将他抛弃了。但是不论姜嫄将这个孩子遗弃在什么地方，这个孩子都有万物照拂。见此情状，姜嫄觉得这个孩子可能是神明，于是就将其捡回来抚养，并给孩子起名叫做弃。弃是周族见于史册的第一位男性始祖，按照史书记载，弃是帝喾的儿子，也是黄帝的苗裔。

## 思考讨论

1. 古人为什么要燔柴祭天、瘗埋祭地？

2. 说说你对夏禹这个历史人物的认识。

## 祭 义

**祭不欲数[1]，数则烦[2]，烦则不敬。祭不欲疏[3]，疏则怠[4]，怠则忘。是故君子合诸天道，春禘，秋尝[5]。霜露既降，君子履之[6]，必有凄怆之心，非其寒之谓也。春雨露既濡，君子履之，必有怵惕之心[7]，如将见之。乐以迎来，哀以送往，故禘有乐而尝无乐。**

### 注释

[1] 数：次数频繁。 [2] 烦：苦闷，烦乱。 [3] 疏：事物之间空隙大，此处指祭祀次数少。 [4] 怠：懒惰，松懈。 [5] 尝：秋祭先王曰尝。 [6] 履：践踩，走过。 [7] 怵（chù）惕：恐惧警惕。

### 译文

祭祀的次数不能太频繁了，次数太频繁了就会烦乱，烦乱了就会不尊崇。祭祀的次数不能太少了，次数太少了就会怠慢，怠慢了就会忘记。因此君子祭祀要符合天道，春天举行禘祭，秋天举行尝祭。天气已经行霜露，君子在这样的氛围中行走，必定有凄惨悲哀的心境，但并不是因为霜露而感觉到寒冷。春天雨露已经将大地浸润，君子在这样的氛围中行走，必定有恐惧警惕的心境，就好像将要见到已故的亲人。欢乐是用来迎接到来的事物的，悲伤是用来送走要走的事物的，因此禘祭有音乐而尝祭没有音乐。

**君子生则敬养[1]，死则敬享[2]，思终生弗辱也。君子有终身之丧，忌日之谓也[3]。忌日不用，非不祥也[4]，言夫日志有所至，而不敢尽其私也。**

### 注释

[1]敬养：恭敬地奉养父母。 [2]敬享：恭敬地祭祀死去的父母。 [3]忌日：谓父母死日。 [4]祥：吉利。

### 译文

君子在父母活着的时候要恭敬地奉养父母，在父母去世后要恭敬地祭祀父母，思慕着终生都不会让父母受辱。君子一生都有丧事，这说的是父母的忌日。在父母的忌日里不做事，不是因为忌日不吉利，而是这天孝子的心念全部集中在对死去父母的悼念上，不敢尽自己的私意去办其他事。

**子曰："立爱自亲始，教民睦也；立教自长始[1]，教民顺也。教以慈睦[2]，而民贵有亲；教以敬长，而民贵用命。孝以事亲，顺以听命[3]，错诸天下[4]，无所不行。**

（选自《礼记·祭义第二十四》）

### 注释

[1]立：确立。 [2]睦：和好，亲近。 [3]顺：服从，不违背。 [4]错：通"措"，筹划办理。

## 译文

孔子说："确立爱心要从父母开始，这是教导人们和睦；确立教化从长辈开始，这是教导人民顺从。用慈爱和睦教导人民，人民就会以亲情为贵；用恭敬长辈来教导人民，人民就会以听从命令为贵。用孝来侍奉父母，用顺来听从命令，推广到天下实施，没有地方是不能施行的。"

## 文史链接

### 忌日小识

《礼记·祭义》云："君子有终身之丧，忌日之谓也。"郑注："忌日，亲亡之日。"由此可知，忌日是指父母双亲离世的日子。儒家倡导为双亲服三年之丧，三年之丧结束之后，孝子便除去丧服，离开服丧期间居住的倚庐，开始正常的生活。但是，三年之丧结束，并不意味着孝子对死去双亲的哀情也随之消失。《礼记·丧服四制》有云："此丧之所以三年，贤者不得过，不肖者不得不及。"即便三年丧结束，有贤德的孝子对其亡父母的哀情仍不减半分。但儒家为了保证孝子的健康，用丧礼来节制孝子的哀情。

孝子对死去双亲的哀慕和思念一直存在。三年丧结束后，每逢父母死日，孝子便不饮酒作乐，以此表示对亡世双亲的思念。丧服虽除，但对亡世双亲的哀情依然存在。因此，《礼记·祭义》说：君子的一生都有丧事，说的就是忌日。每逢忌日，孝子的心情都在对亡故父母的怀念中，不去做自己的事情。旧时迷信地认为忌日是不吉利的日子，不能做其他事情，这是错误的。君子忌日不用事，正体现出儒家以孝治国的观念和孝亲的传统美德。

### 思考讨论

1. 谈谈你对“祭不欲数”和“祭不欲疏”的认识。

2. 礼规定三年之丧结束后，孝子就要脱去丧服，开始正常的生活。既然如此，为什么君子还会有“终生之丧”呢？

## 祭 统

贤者之祭也，必受其福[1]，非世所谓福也。福者，备也。备者，百顺之名也，无所不顺者谓之备。言内尽于己，而外顺于道也。忠臣以事其君，孝子以事其亲，其本一也。上则顺于鬼神，外则顺于君长，内则以孝于亲，如此之谓备。唯贤者能备，能备然后能祭。是故贤者之祭也，致其诚信与其忠敬，奉之以物，道之以礼，安之以乐，参之以时，明荐之而已矣[2]，不求其为，此孝子之心也。

祭者，所以追养继孝也。孝者，畜也。顺于道，不逆于伦[3]，是之谓畜。是故孝子之事亲也，有三道焉：生则养，没则丧，丧毕则祭[4]。养则观其顺也，丧则观其哀也，祭则观其敬而时也。尽此三道者，孝子之行也。

（选自《礼记·祭统第二十五》）

## 注释

[1] 受：接纳别人给的东西。　[2] 明荐：谓祭祀时进献时物。　[3] 伦：人伦，伦理。　[4] 毕：结束。

## 译文

贤德之人的祭祀，必定接受上天赐予的福，这不是世俗所说的福。贤者的福，就是备。所谓备，是凡事都顺的意思，没有不恭顺的叫做备。说话向内尽自己的意愿，向外恭顺于道义。忠臣来侍奉君主，孝子来供养父母，二者的根本是一致的。在上可以顺应鬼神的意志，在外可以顺应国君和上级的意志，在内要孝顺双亲。像这样就叫做备。只有贤德的人可以备，可以备之后就可以祭祀。因此贤德之人的祭祀，表达内心的诚实信用和忠顺恭敬，用祭物来奉养，用礼仪来引导，用音乐来安抚，参照时节，进献时物，不为求得神的赐予，这就是孝子的心意。

祭祀，就是继续奉养双亲以尽孝道。所谓孝，就是畜。顺从道义，不悖逆人伦，这就叫做畜。因此孝子侍奉双亲，有三条规则：父母在世的时候要奉养，父母去世了要为父母举行丧礼，丧礼结束了要将死去的父母供奉在宗庙里祭祀。奉养父母能观察孝子是否恭顺，为父母举行丧礼能观察孝子是否有哀情，祭祀父母能观察孝子是否恭敬适时。尽心遵守这三条规则，这就是孝子的行为。

## 文史链接

### 孝女缇萦

据《史记·文帝本纪》记载，汉文帝十三年夏五月，“齐太仓令淳于公有罪当刑，诏狱逮徙系长安。太仓公无男，有女五人。

太仓公将行会逮，骂其女曰：‘生子不生男，有缓急非有益也！’其少女缇萦自伤泣，乃随其父至长安，上书曰：‘妾父为吏，齐中皆称其廉平，今坐法当刑。妾伤夫死者不可复生，刑者不可复属，虽复欲改过自新，其道无由也。妾愿没入为官婢，赎父刑罪，使得自新。’书奏天子，天子怜悲其意，乃下诏曰：‘盖闻有虞氏之时，画衣冠异章服以为僇，而民不犯。何则？至治也。今法有肉刑三，而奸不止，其咎安在？非乃朕德薄而教不明与？吾甚自愧。故夫驯道不纯而愚民陷焉。诗曰：恺悌君子，民之父母。今人有过，教未施而刑加焉，或欲改行为善而道毋由也。朕甚怜之。夫刑至断肢体，刻肌肤，终身不息，何其楚痛而不德也，岂称为民父母之意哉！其除肉刑。’”

这就是为后世所称颂的“缇萦救父”。缇萦之父淳于意因行医得罪了达官，被诬下狱。临行前他痛斥自己的五个女儿不能为父分忧，并悔恨自己没有生儿子。淳于意的小女儿缇萦随父西到长安，上书文帝，文帝感念其悲悯，便下诏废除肉刑。古人认为“身体发肤，受诸父母”，随意毁伤便是不孝。肉刑摧残肢体，损毁容貌，与古人追慕三代之以德孝治天下之旨相背离。汉初百废待兴，受肉刑者轻则丧失劳动能力，重则殒命。若刑狱繁多，不仅不利于人口增殖，更影响农业生产。文帝对废除肉刑之事早有打算，缇萦上书则为文帝的这个打算提供了契机。缇萦以一介民女身份，可以直接向当朝皇帝上书，皇帝竟然接受了她的想法，这是非常可贵的。

## 思考讨论

谈谈你对孝子事亲之“三道”的理解。

# 第六章 其 他

## 月 令

是月也，天气下降，地气上腾，天地和同，草木萌动。王命布农事[1]，命田舍东郊[2]，皆修封疆[3]，审端经术[4]，善相丘陵、阪险、原隰[5]，土地所宜，五谷所殖，以教道民，必躬亲之。田事既饬[6]，先定准直[7]，农乃不惑[8]。

### 注释

[1] 布：宣告，做出安排。此处指君王对农事做出安排。[2] 田：主管农事的官员。舍：名词作动词用，住在某地。[3] 封疆：分封土地的疆界。[4] 审端：检查修正。经：划分土地。术：通“遂”，一万两千五百家为遂。[5] 善相：好好地查看判断。阪险：斜坡与山泽。原隰（xí）：平原和地势低下的地方。[6] 饬（chì）：整顿，整治。[7] 准直：准绳。[8] 惑：疑惑。

### 译文

这个月里，天空之气下降，大地之气上升，天地的气混合，花草树木开始萌芽。天子下令安排农事，命令主管农事的官员住在东郊，都修饬边境疆界，检查修正田地，好好地查看丘陵、斜坡和山泽、平原和低地，思量土地适合种什么样的植物，五谷适合长在什么样的土地上，来教导人民，一定要亲自做这些事。田里的事情已经整治好，先定下准绳，农人就不会迷惑。

**是月也，命乐正入学习舞[1]，乃修祭典，命祀山林川泽[2]，牺牲毋用牝[3]。禁止伐木，毋覆巢[4]，毋杀孩虫、胎、夭、飞鸟[5]，毋麛、毋卵[6]，毋聚大众，毋置城郭，掩骼埋胔[7]。** （选自《礼记·月令第六》）



## 注释

[1] 乐正：掌管音乐的官员。 [2] 祀：祭祀。 [3] 牝（pìn）：雌性的鸟或兽。 [4] 覆巢：倾毁鸟巢。 [5] 夭：已经出生的事物。 [6] 麛（mí）：幼鹿。 [7] 骼：人或动物的骨骼。胔（zì）：带腐肉的尸骨，也指腐烂的肉。

## 译文

这个月里，命令掌管音乐的官员进入太学学习舞蹈，修订祭祀的典籍，命令祭祀山林川泽的神灵，祭祀用的牺牲不可用母兽。禁止砍伐树木，不要毁坏鸟巢，不要杀死幼小的虫子、未出生的动物、已出生的动物和飞鸟，不要捕杀幼鹿，不要聚集大众，不要修城盖房子，路上看见腐烂的尸骨就把它埋起来。

## 文史链接

### 古代历法小常识

一年分为春夏秋冬四时，后来又按夏历正月、二月、三月等十二个月依次分为孟春、仲春、季春，孟夏、仲夏、季夏，孟秋、仲秋、季秋，孟冬、仲冬、季冬。这些名称，古人常用作相应月份的代称。《楚辞·哀郢》“民离散而相失兮，方仲春而东迁”，就是指夏历二月说的。但在商代和西周时期，一年只分为春秋二时，所以后来称春秋就意味着一年。《庄子·逍遥游》“蟪蛄不知春秋”，意思是蟪蛄生命短促不到一年。此外史官所记的史料在上古也称为春秋，这是因为“史之所记必表年以首事”（见杜预《春秋序》）。旧说春秋犹言四时（《诗经·鲁颂·閟宫》郑玄笺），错举春秋以包春夏秋冬四时（杜预《春秋序》、孔颖达《正义》），似难置信。后来历法日趋详密，由春秋二时再分出冬夏二时，所以这些古书所列的四时顺序不是“春夏秋冬”，而是“春秋冬夏”，这是值得注意的。例如《墨子·天文志》“制为四时春秋冬夏，以纪纲之”，《管子·幼官图》“修春秋冬夏之常祭”，《礼记·孔子闲居》“天有四时，春秋冬夏”，等等。

## 思考讨论

1. 文中所说的“是月”是哪一个季节？说明你的理由。
2. 这个季节祭祀的牺牲为什么不可用“牝”？
3. 你认为文中的做法合理吗？请说说你的理由。

## 明堂位

昔殷纣乱天下，脯鬼侯以飨诸侯[1]，是以周公相武王以伐纣[2]。武王崩[3]，成王幼弱，周公践天子之位以治天下[4]。六年，朝诸侯于明堂[5]，制礼作乐，颁度量而天下大服。七年，致政于成王。成王以周公为有勋劳于天下，是以封周公于曲阜，地方七百里，革车千乘，命鲁公世世祀周公以天子之礼乐。是以鲁君孟春乘大路[6]，载弧韣旗十有二旒[7]，日月之章，祀帝于郊，配以后稷，天子之礼也。

（选自《礼记·明堂位第十四》）

### 注释

[1]鬼侯：或作“九侯”，商代的诸侯。 [2]相：相助，辅佐。 [3]崩：古时君主去世称为崩。 [4]践：登基，履行职责。 [5]明堂：明堂为帝王祭祀、朝见诸侯、宣明政教之所。 [6] 孟春：四时的第一个月。春夏秋冬之第一个月称孟，第二个月称仲，第三个月称季。 [7]弧韣（dú）：张旌旗正幅的竹弓和弓衣。旒：旗子下边垂悬的饰物。

### 译文

从前殷纣使天下大乱，把鬼侯杀死做成肉酱给诸侯们吃，因此周公旦辅佐武王讨伐商纣。武王去世，儿子成王年纪尚小，周公旦履行天子的职位来治理天下。成王六年，周公召集各诸侯来明堂里宣明政教，制作礼仪音乐，颁布度量衡，天下都顺服了。成王七年，周公还政给成王。成王因为周公对天下有功劳，将周公分封在曲阜，封国地方七百里，兵车千乘，命令鲁国国君世世代代用天子的礼仪音乐来祭祀周公。因此鲁国国君孟春乘坐着大路这样的车子，车上插着带有十二个垂饰的旗帜，旗帜上绘着日月的团，在郊外祭祀上帝，用后稷配祭，这是天子的礼仪。

## 文史链接

### 周公旦小故事

周公旦，姬姓，是周文王姬昌的第四子，也是周武王姬发的同母弟。周公旦是一个具有传奇色彩的历史人物，他辅佐周武王得天下，代替年幼的周成王执掌国政，并制礼作乐。孔子推崇他，尊他为古代圣人。后世的君王仰慕他的功业，曹操《短歌行》中“周公吐哺，天下归心”一句，就道出了周公旦对周朝政权的影响。那么，周公旦究竟是个怎样的历史人物呢？让我们通过几个小故事来认识一下他。

**周公摄政**

周公旦辅佐周武王灭商、建立周朝不久，武王就病逝了。武王的儿子诵即位，即成王。周朝刚刚消灭商纣取得政权，其统治还不稳固。周公旦担心年幼的成王难以应付这样的局面而葬送了得来不易的天下，遂代替成王职掌政权。周公旦既不是武王的后嗣，又不是文王的长子，他代行国政遭到管叔、蔡叔、霍叔等人的猜忌和质疑。于是，管叔、蔡叔、霍叔联合商纣王的儿子武庚和东方的徐、奄等国密谋反叛。事情败露，周公奉成王之命举兵东征，

平定了这次叛乱，杀死了武庚和管叔，流放了蔡叔，并将微子开封于殷商故地，建立宋国。这次征伐便是周朝开国后的第二次东征。据史书记载，周公代行国政七年，成王年长之后，周公便将政权归还给成王，自己“北面就群臣之位”（《史记·周本纪》）了。

**周公制礼乐**

礼有几层含义，其中之一便是区别等级贵贱的一套制度，乐与礼相配套，对礼的等级性进行了一定程度上的调和，而类似这样的制度可能在夏代就已经存在，只是不甚完善。商代的这一套制度应该就比较完善了。周取而代商，正如史书所记载的那样，为了宣示自己的政权是合理合法的，新的统治者都要做一些类似“改正朔，易服饰”的举措。周公旦辅佐武王开国，继而代年幼的成王摄政，为了周政权的稳定，周公在前朝的基础上，结合周族的传统和面临的实际情况，制定出了一套符合实际的礼乐制度。

### 思考讨论

1. 谈谈你对“武王伐纣”这个历史事件的认识。
2. 周公用天子之礼是否为僭越？为什么？

## 文王世子

《世子》之《记》曰：“朝夕至于大寝之门外[1]，问于内竖曰[2]：‘今日安否？何如？’内竖曰：‘今日安。’世子乃有喜色。其有不安节[3]，则内竖以

**告世子，世子色忧，不满容。内竖言‘复初’[4]，然后亦复初。朝夕之食上，世子必在，视寒暖之节。食下，问所膳。羞[5]，必知所进，以命膳宰[6]，然后退。若内竖言‘疾’[7]，则世子亲齐[8]，玄而养[9]。膳宰之馔[10]，必敬视之；疾之药，必亲尝之。尝馔善，则世子亦能食；尝馔寡，则世子亦不能饱。以至于复初，然后亦复初。”**（选自《礼记·文王世子第八》）

### 注释

[1] 大寝：指路寝。天子诸侯的正寝，治事之处。 [2] 内竖：职官名。掌管宫中传达小事的职责。 [3] 安节：遵守一定的节度。 [4] 复初：恢复到当初的样子。 [5] 羞：进献食物。 [6] 膳宰：职官名。掌管宰割牲畜以及膳食之事。[7] 疾：病。 [8] 齐（zhāi）：斋戒。 [9] 玄：指玄端。[10] 馔：饮食。

### 译文

《世子》的《记》文记载：“世子每天早晚都要到达天子正寝的大门外，问掌管小事的人：‘我的父亲今天一切都安好吗？今天怎么样呢？’掌管小事的小臣说：‘今天天子一切都安好。’世子于是面露喜色。如果天子有不舒服的地方，小臣就告诉世子，世子面色忧虑，不像平时神态安乐。小臣说‘天子恢复了，和往常一样了’，听到这话之后世子才能恢复到以前的样子。早晚呈送的食物，世子必须要亲临视察，观察食物的冷热。食物撤下来后，

世子要问天子吃得怎么样。为天子呈送食物，世子必须知道呈送的是什么食物，以此来命令掌管膳食的官员，然后才退下去。如果小臣说天子生病了，那么世子要亲自斋戒，着玄端服为父亲养病。膳宰做的饭菜，世子一定要亲自视察；治疗疾病的药，世子一定要亲自尝。天子的饭量日渐增多，那么世子也就吃得多；天子的饭量日渐减少，那么世子也不能吃饱。一直要等到天子一切恢复如初，这样之后世子也便可以恢复如初了。”

## 文史链接

### 周文王小故事

周文王，姬姓，名昌。古公亶父孙，季历子。古公亶父有三个儿子，分别是长子太伯、次子虞仲、三子季历。季历娶了挚任氏的女儿太任，生了儿子昌。昌出生的时候有祥瑞之兆，古公亶父遂说：“我们周国应该会兴盛吧，难倒这个重任会落在昌的肩膀上吗？”听了这样的话，太伯和虞仲明白了古公的用意，古公是想通过立季历为王而将王位传给昌。两兄弟既知晓了父亲的用意，不愿父亲为难，便文身断发，去了荆蛮之地。

古公亶父崩逝后，果然将王位传给季历。季历为王勤谨，继承了古公治理天下之道，顺民意，行仁义，诸侯们纷纷前来归顺。季历去世，将王位传给了昌，称为西伯。昌继承了先祖的遗业，遵行其祖、父订立的原则，笃行仁义之事，敬养孤寡，存蓄老幼，礼贤下士，“日中不暇食以待士”。贤德之人听闻西伯如此，纷纷前来归顺。伯夷和叔齐、散宜生、辛甲大夫等贤士听闻西伯的德行，纷纷前来归顺。在西伯的苦心经营下，周国的国力日渐强盛。

不料，西伯治国的事传到了商纣王耳朵里。崇侯虎私下里在商纣王面前告了西伯的状，说："西伯积善累德，诸侯们都归顺了他，窃以为这将对大王您不利啊！"商纣王听了崇侯虎的谗言，将西伯囚禁在羑里。在羑里的时候，西伯将八卦易为六十四卦。西伯的大臣们害怕纣王杀死西伯，于是带了美女、宝马和奇珍异宝去献给纣王，要求纣王释放西伯。纣王看见礼物，说："这些珍宝足以换走西伯。"于是赏赐西伯弓箭斧钺，准其归国。

西伯归国后背着纣王行仁政，诸侯们都说西伯是受上天之命的天子。西伯去世后，子发继位，即周武王。武王追谥了自己的父亲，并完成父亲的遗愿，灭了商朝。文王在位五十年，行仁义，拓疆土，为周灭商做了准备。



### 思考讨论

1. 世子是怎样对自己的父亲尽孝的？
2. 谈谈你对世子"乃有喜色"和"色忧，不满容"的理解。

## 内 则

子事父母[1]，鸡初鸣，咸盥漱[2]，栉[3]，縰[4]，笄[5]，総[6]，拂髦[7]，冠，緌缨[8]，端，韠[9]，绅[10]，搢笏[11]。左右佩用：左佩纷帨、刀、砺、小觿、金燧[12]，右佩玦、捍、管、遰、大觿、木燧[13]。偪[14]，屦着綦[15]。

## 注释

[1]事：侍奉。 [2]咸：全，都。盥漱（shù）：洗脸刷牙。 [3]栉（zhì）：梳头。 [4]纚（xǐ）：古代用来束发的布帛。 [5]笄（jī）：绾头发的簪子。 [6]總（zǒng）：束头发。 [7]拂髦（máo）：去掉头发上的尘土。拂，去尘。 [8]緌（ruí）：古时帽带打结后垂下的部分。缨：用线或绳做的装饰品。 [9]韠（bì）：蔽膝，古代一种遮蔽身前的皮制服饰。 [10]绅：古代束腰的带子。 [11]搢笏（jìn hù）：古代的衣服没有口袋，将笏插在腰带上叫做搢笏。 [12]纷帨（shuì）：擦拭物品的佩巾。砺：粗磨刀石。小觿（xī）：古代用象骨制作的锥状用具。金燧（suì）：古代向日取火的铜制工具，形状像镜子。 [13]玦：半环形有缺口的佩玉。捍：也叫做拾，皮制的臂衣，射箭时套在左臂上。管：钥匙。遰（dì）：刀鞘。大觿：古代用于解结的锥状用具。木燧：木质钻取火种的用具。 [14]偪（bī）：裹腿。 [15]綦（qí）：鞋带。

## 译文

孩子侍奉父母，早晨鸡刚刚鸣叫了，就都要起来洗脸刷牙，梳头，用布帛将头发束住，用簪子将头发绾起来，束住头发，拂去头发上的尘土，带上冠，把冠带打结后自然下垂，再带上线绳做的装饰品，穿上玄端服，带上蔽膝，系上腰带，将笏板插在腰间。左右佩戴的用品有：左边佩戴擦拭物品的佩巾、小刀、粗磨刀石、小锥子、铜制取火的镜子；右边佩戴半环形有缺口的佩玉、皮制的臂衣、钥匙、刀鞘、用来解结的大锥子、木制取火工具。缠上裹腿，鞋要系好鞋带。

妇事舅姑[1]，如事父母。鸡初鸣，咸盥漱，栉，縰，笄，总，衣绅。左佩纷帨、刀、砺、小觿、金燧。右佩箴、管、线、纩[2]，施縏袠[3]；大觿、木燧。衿缨[4]，綦屦。（选自《礼记·内则第十二》）

## 注释

[1]舅姑：公婆。 [2]箴（zhēn）：针。纩：棉絮。 [3]縏（pán）袠（zhì）：泛指装针线等物品的囊袋。 [4]衿缨：戴着香囊。

## 译文

媳妇侍奉公婆，要像侍奉自己的父母一样。早晨鸡刚刚鸣叫，就都要刷牙洗脸，梳头，用布帛束发，用簪子将头发绾起来，将头发束好，穿好衣服，系上腰带。左边佩戴擦拭物品的配巾、小刀、磨刀石、小锥子、铜制取火用具。右边佩戴针、钥匙、线、棉絮，这些都放在装针线的小袋子里；大锥子，木制取火用具。戴上香囊，系好鞋带。

## 文史链接

### 拜见舅姑

舅姑是古代对公公婆婆的称呼。婚礼次日的清晨，新娘早早起身沐浴，穿戴整齐后，以新妇的身份拜见公公婆婆。公公以主人的身份在阼阶上即席，婆婆以内主的身份在房门外的西侧即席。新娘捧着盛着枣、栗的竹篮，提梁上覆盖着巾，从西阶上堂，到

公公席前行拜见礼，礼毕，将竹篮放在席上。公公抚摸竹篮，表示收下礼物。新娘又到婆婆席前行拜见礼，然后将另一只盛着干肉的竹篮放在席上。婆婆举起竹篮，表示收下礼物。接着，赞礼者代表公婆用醴酒向新娘致礼，表示接纳新娘为家庭正式成员。

之后，新娘向公婆“馈特豚”，就是进献一只煮熟的小猪。小猪经左右对剖之后，先一起放入鼎中，食前取出，分别盛放在公公婆婆的俎上。馈特豚，是表示新娘开始以媳妇的礼节孝敬公婆。最后，公婆设食款待新娘以及女家有司等人，并赠给礼物。礼毕，公婆从西阶下堂，新娘从东阶下堂，这里含有“著代”的意思，表明新娘从此代替婆婆成为家庭的主妇。

### 思考讨论

1. 归纳子女侍奉父母、媳妇侍奉公婆应做的事情。

2. 结合自己的实际情况，和同学们分享你为父母亲做过的一些事情，并谈谈你认为孝顺父母应该怎样做。

## 乐　记

乐者为同，礼者为异。同则相亲，异则相敬。乐胜则流[1]，礼胜则离。合情饰貌者，礼乐之事也。礼义立，则贵贱等矣。乐文同，则上下和矣。好恶著，则贤不肖别矣。刑禁暴，爵举贤，则政均矣。仁以爱之，义以正之，如此则民治行矣。

## 注释

[1]流：没有规矩，忘乎尊卑等级。

## 译文

音乐有调和的作用，礼仪有区别的作用。调和了就亲近，区别了就恭敬。音乐胜过礼仪就会忘乎尊卑，礼仪胜过音乐就会上下相离。调和表情装饰容貌，这是礼仪和音乐做的事情。礼仪的意义确立了，那么贵贱等级就能区分。音乐的形式和同乐，那么上下就调和了。好和坏明确了，那么贤德和不肖就能区别开来。处罚禁止暴虐，奖赏举荐贤人，那么政治就清明了。用仁德的心来爱护，用道义来端正，这样就能把民众治理好。

**乐由中出，礼自外作。乐由中出故静，礼自外作故文。大乐必易，大礼必简。乐至则无怨，礼至则不争。揖让而治天下者，礼乐之谓也。暴民不作，诸侯宾服[1]，兵革不试，五刑不用，百姓无患，天子不怒，如此则乐达矣。合父子之亲，明长幼之序，以敬四海之内，天子如此，则礼行矣。**

（选自《礼记·乐记第十九》）

## 注释

[1]宾服：臣服。

## 译文

音乐由内心发出，礼仪从外部制作。音乐由内心发出因此安静，礼仪从外部制作因此有仪节。大音乐一定是平易的，大礼仪一定是简朴的。音乐来了就没有怨恨了，礼仪来了就不互相争斗了。相互谦让而治理天下，说的就是礼仪和音乐。暴乱的民众不作乱，诸侯都臣服，兵车不拿出来使用，各种刑罚都不拿出来用，百姓没有忧患，天子不愤怒，像这样，音乐的目的就达到了。调和父子之间的亲情，辨明长幼的次序，来让天下的人互相尊敬，天子是这样的，这样礼仪就推行开来了。

## 文史链接

### 古代乐律简介

我国音乐的历史十分悠久，在日常生活和祭祀场合，音乐与礼搭配，共同构成了我国古代的礼乐体系。我国古代的乐律有五音、十二律。五音又称五声，分别是宫、商、角（jué）、徵（zhǐ）、羽，相当于现代音律中的1、2、3、5、6。十二律从低到高分别是黄钟、大吕、太簇、夹钟、姑洗（xiǎn）、仲吕、蕤（ruí）宾、林钟、夷则、南吕、无射、应钟。十二律按奇偶可分为阴阳两类：属奇数的黄钟、太簇、姑洗、蕤宾、夷则、无射称为阳律，也叫六律；属偶数的大吕、夹钟、仲吕、林钟、南吕、应钟称为阴律，也叫六吕。

音律不仅是美妙古曲的基础，古人还将五音与五行、五脏、五方、五色、五味等相配，十二律与干支、月份等相配，共同构成一套完密复杂的体系。《礼记·月令》将十二律分别与十二月对应：孟春之月，律中太簇；仲春之月，律中夹钟；季春之月，律中姑洗。孟夏之月，律中仲吕；仲夏之月，律中蕤宾；季夏之月，律中林钟。

孟秋之月，律中夷则；仲秋之月，律中南吕；季秋之月，律中无射。孟冬之月，律中应钟；仲冬之月，律中黄钟；季冬之月，律中大吕。

## 思考讨论

谈谈你对“乐者为同，礼者为异”的理解。

# 后 记

有一次，偶然看到某市小学一年级的语文课本中有贺知章的《回乡偶书》一诗："少小离家老大回，乡音无改鬓毛衰。儿童相见不相识，笑问客从何处来。""衰"字加了注音 shuāi。

衰，在此处应该读 cuī，在古义中有"等级次第的差别或依次递减"的意思，如《左传·桓公二年》："故天子建国，诸侯立家，卿置侧室，大夫有贰宗，士有隶子弟，庶人工商各有分亲，皆有等衰。"引申为减少、稀疏。结合贺知章的《回乡偶书》，这里"衰"的意思当指鬓毛减少、疏落，而不是衰老的意思。再从整首绝句的韵脚来看，"衰"字与首句"少小离家老大回"中的"回"和末句"笑问客从何处来"中的"来"，这三字在"诗韵"即"平水韵"中同属灰韵。

这些属于古代文化常识性的内容，过去龆龀蒙童均能脱口成韵，如今在专业教育出版社的小学语文教材中出现这样的差错，管窥一斑，不由得让人担忧。

读错一个字音尚是小事，倘若几代人不读"四书"、"五经"、唐诗、宋词……那中华民族真的就没有了灵魂。民族没有了精神内核，没有了灵魂，如何奢谈中华民族的伟大复兴？

我们承认现代教育将中国教育的视野引向更为广阔的国际空间，带来了许多新理念，给中国教育带来了活力。但是，如何在引入国际现代教育理念和现代教育方式的同时，坚守中国具有传承价值的优秀传统文化？如何在全面实施素质教育的同时，弘扬中国文化特色以保持中国文化特有的气质？这是当前中国教育值得深入研究的问题之一。

梁启超先生曾言："吾不患外国学术思想之不输入，吾惟患本国学术之不发明。"然而，本国学术思想之发明非一代人可以成就，须"由其民族自身传递数世、数十世血液浇灌、精肉所培壅，而始得开此民族文化之花，结此民族文化之果"。要国民热爱中国的传统文化，必须本国先民的成就有其可爱之处，而且要发扬国民精神，也当从固有的精神中有所抉发。

秋霞圃书院自2010年开始筹划编撰一套适合大众普及尤其是中小学生使用的"国学基本教材"，自小学至高中每学期能有一册在手，通过以长期渐进、系统地熏陶、滋养，使中小学生在潜移默化中亲近中国的历史与文化，并使中华传统文化在当下的社会生活中"活化"。当然这种"活化"不是简单的复古，而是在当代的语境中重新梳理中华文明的脉络，从中汲取适应时代需要、社会需要，乃至适应工业文明与后工业文明需要的养料，提炼出中华传统文化的核心价值，以此来滋养一代又一代学子，为中华民族的伟大复兴奠定基础。当然，这些愿景断非一己之力能及，而是需要几代人的不懈努力，我们所起的作用仅仅是抛砖而已。国内儒学研究领军学者之一、武汉大学国学院院长郭齐勇教授听闻我们有此愿望后鼎力支持，欣然担任本套教材的总顾问，协调资源，并为之作序；武汉大学国学院院长助理孙劲松先生、向珂博士在筹组编者队伍时提供了真诚无私的帮助。此后又蒙秋霞圃书院院长、历史学家沈渭滨，语言学家李佐丰，古典文献学者骆玉明、汪涌豪、傅杰、徐志啸等教授在谋篇布局上的悉心指点，形成了本套"国学基本教材"的框架。确定框架之后，我们邀请了武汉大学、复旦大学、华东师范大学、南开大学、中国传媒大学、中山大学、内蒙古师范大学、陕西师范大学、南通大学等高校人文学科中青年学人和江浙沪地区几位优秀的中小学语文教师参与编写。

全书成稿后，沈渭滨、王家范、骆玉明、傅杰、汪涌豪、杨国强、张觉、张新科、徐志啸、鲍鹏山等教授审读了书稿，并提出了宝贵的修改意见；86岁高龄的书法名家章汝奭先生为“国学基本教材”题写书名；《儒藏》总编撰、德高望重的北京大学教授汤一介先生为我们赠书“圣贤之道”；丰子恺先生后人为我们提供了精美而颇有意蕴的24幅漫画用作丛书封面；朱青生教授为我们提供了汉画文献用于插图；画家李永源先生逾古稀之年，为这套丛书手绘了上百幅插画；浙江古籍出版社社长杨林海先生是我故交乡党，听闻我有意筹划一套面向中小学生的“国学基本教材”丛书之后，青睐有加，多方努力协调资源，亲自落实该套教材出版的相关事宜……所有殊胜因缘，都在襄助秋霞圃书院矢志传播中华传统文化的大愿，唯有在此深揖致谢。

由于主持者与编者的学识有限，尽管悉心编校，但不足之处难免，敬请方家、读者指正，以便来年修订时，相应校正。

意见和建议可致电：021-66366439，13816808263。通信地址：上海市嘉定区南大街嘉定孔庙秋霞圃书院，邮政编码：201800，电子邮件 :qiuxiapu@163.com。

李耐儒

癸巳春于嘉定孔庙

聖賢之道

湯一介

戊子年夏

国学基本教材

# 楚辞选读

施仲贞　张　琰◎编注

浙江古籍出版社

**图书在版编目（CIP）数据**

楚辞选读 / 施仲贞，张琰编注．— 杭州：浙江古籍出版社，2013.9

国学基本教材

ISBN 978-7-5540-0150-9

Ⅰ．①楚… Ⅱ．①施… ②张… Ⅲ．①古典诗歌—诗集—中国—战国时代 Ⅳ．①I222.3

中国版本图书馆 CIP 数据核字（2013）第 211614 号

# 楚辞选读

施仲贞　张　琰　编注

出版发行　浙江古籍出版社
（杭州体育场路 347 号　电话：0571-85176986）
网　　址　www.zjguji.com
责任编辑　陈临士　裘禾峰
特约编辑　卜天寿　秦　南
责任校对　余　宏
美术编辑　刘　欣
责任印务　贾　敏
照　　排　杭州立飞图文制作有限公司
印　　刷　富阳美术印刷有限公司
开　　本　880×1230　1/32
印　　张　7.5
字　　数　175 千字
版　　次　2013 年 9 月第 1 版
印　　次　2013 年 9 月第 1 次印刷
书　　号　ISBN 978-7-5540-0150-9
定　　价　15.00 元

# “国学基本教材”编辑委员会

**统　　筹：**

孙劲松　向　珂　蒋蔚芳　周金芝

**主　　编：**李耐儒

**编　　委：**

李南晖　陆有富　刘乃溪　徐　骆　须　强

可延涛　李　凯　刘　舫　毛文琦　房春草

李宏哲　张　华　黄晓芳　赵立学　介江岭

张志强　姜李勤　白　坤　晏子然　施仲贞

张　琰　汪佳敏　姚之均　余雅汝　干璐娜

**本册编注：**施仲贞　张　琰

# 总　序

秋霞圃书院创办有年，在民间推动国学普及工作，志在以独立之精神、自由之思想为宗旨，促进古今中外文化思想与学术的交流，为中华民族文化的复兴而尽心尽力。其志可嘉，其行可感！

近年，秋霞圃书院耐儒兄主持编撰“国学基本教材”。本套国学教材集复旦大学、武汉大学、南开大学、中山大学、华东师范大学、上海师范大学等名牌院校的二十多名青年学人，采各种版本的国学读本之长，广泛吸取中小学一线语文教师的教学经验，精心编撰，是中小学生比较理想的国学读本，也是便于教师们使用的、较为系统的国学教材。

读本的篇目有：《弟子规》、《三字经》、《千字文》、《千家诗选读》、《幼学琼林》、《诗词格律》、《唐诗选读》、《宋词选读》、《论语》（上、下）、《史记选读》（上、下）、《大学　中庸》、《诗经选读》、《孟子》（上、下）、《左传选读》、《颜氏家训》、《诸子文选》（上、下）、《汉魏六朝文选》、《唐宋文选》、《礼记选读》、《楚辞选读》。每册有指导性概述，有经典原文，有对原文的注释与新译（赏析），并配上文史链接（延伸阅读）、思考讨论等，图文并茂，准确生动，具有可读性与系统性。

梁启超先生说过，《论语》、《孟子》等经典“是两千年国人思想的总源泉，支配着中国人的内外生活，其中有益身心的圣哲格言，一部分久已在我们全社会形成共同意识，我们既做这社会的一分子，总要彻底了解它，才不致和共同意识生隔阂”。这就是说，“四

书”等经典表达了以“仁爱”为中心的“仁义礼智信”等中华民族的核心价值观念，这是中国古代老百姓的日用常行之道，人们就是按此信念而生活的。

中国文化的大传统与小传统是打通了的。国学具有平民化与草根性的特点。中国民间流传着的谚语是：“勿以善小而不为，勿以恶小而为之”；“老吾老以及人之老，幼吾幼以及人之幼”；“积善之家必有余庆，积不善之家必有余殃”。这些来自中国经典的精神，透过《弟子规》、《三字经》、《百家姓》、《千字文》、《千家诗》等蒙学读物及家训、族规、乡约、谱牒、善书，通过大众口耳相传的韵语故事、俚曲戏文、常言俗话，成为“百姓日用而不知”的言行规范。

南宋以后在我国与东亚的民间社会流传甚广、深入人心的朱熹《家训》说:“事师长贵乎礼也,交朋友贵乎信也。见老者,敬之;见幼者，爱之。有德者，年虽下于我，我必尊之；不肖者，年虽高于我，我必远之。”“人有小过，含容而忍之；人有大过，以理而谕之。勿以善小而不为，勿以恶小而为之。”又说，“勿损人而利已，勿妒贤而嫉能。勿称忿而报横逆，勿非礼而害物命。见不义之财勿取，遇合理之事则从……子孙不可不教，童仆不可不恤。斯文不可不敬，患难不可不扶。”朱子说此乃日用常行之道，人不可一日无也。应当说，这些内容来源于诗书礼乐之教、孔孟之道，又十分贴近大众。它内蕴着个人与社会的道德，长期以来成为老百姓的生活哲学。

王应麟的《三字经》开宗明义：“人之初，性本善。性相近，习相远。苟不教，性乃迁。教之道，贵以专。”这就把孔子、孟子、荀子关于人性的看法以简化的方式表达了出来。儒家强调性善，又强调人性的养育与训练。

清代李毓秀《弟子规》的总序说:“弟子规，圣人训。首孝弟，次谨信。泛爱众，而亲仁，有余力，则学文。”以下分成“入则孝”、“出则悌”、“谨而信”、“泛爱众而亲仁”等几部分。这些纲目都来自《论语》。《弟子规》中对孩童举止方面的一些要求，如站立时昂首挺胸、双腿站直，见到长辈主动行礼问好，开门关门轻手轻脚，不用力甩门等，这些规范都是文明人起码应有的，是尊重他人而又自尊的体现。又如:“晨必盥，兼漱口，便溺回，辄净手。冠必正，纽必结，袜与履，俱紧切。”“斗闹场，绝勿近，邪僻事，绝勿问。将入门，问孰存，将上堂，声必扬。”“用人物，须明求，倘不问，即为偷。借人物，及时还，后有急，借不难。”这都是有助于文明社会的建构的，是文明人的生活习惯，也是今天社会公德的基础。

朱柏庐在《朱子治家格言》起首的一段说：“黎明即起，洒扫庭除，要内外整洁;既昏便息，关锁门户，必亲自检点。一粥一饭，当思来处不易；半丝半缕，恒念物力维艰。”这些都是平实不过的道理，体现到一个人身上就是他的家教。旧时骂人，说某某没有家教，那是很重的话，让其全家蒙羞。我们不是要让青少年一定要做多少家务，而是要他们从小学就动手打理好自己与家庭的事情，不要过分依赖父母，依赖他人，能够自己挺立起来，培养责任意识。同时，知道一粥一饭、半丝半缕都是辛劳所得，我们能够懂得去尊重家长与别人的劳动。如果我们真的有敬畏之心，就知道珍惜，不应该浪费。

南开中学的前身天津私立中学堂成立于 1904 年 10 月，老校长严范孙亲笔写下“容止格言”:“面必净，发必理，衣必整，纽必结。头容正，肩容平，胸容宽，背容直。气象:勿傲，勿暴，勿怠。颜色:宜和，宜静，宜庄。”这四十字箴言来自蒙学，又是该校对学生容貌、行止的基本要求。校内设整容镜，师生进校时都要照镜正容色。

后来张伯苓先生治校，坚持了这些做法。

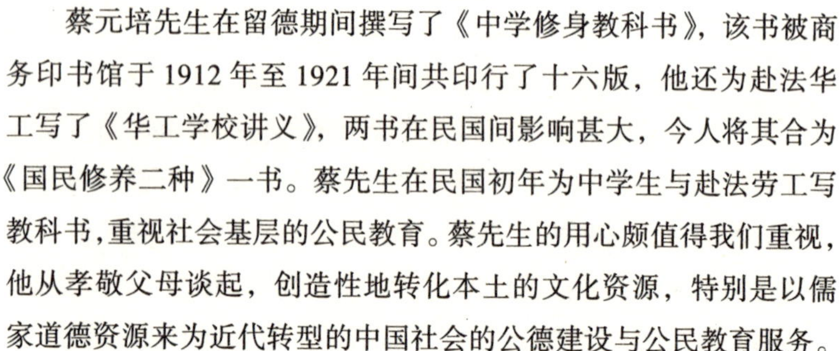

蔡元培先生在留德期间撰写了《中学修身教科书》，该书被商务印书馆于1912年至1921年间共印行了十六版，他还为赴法华工写了《华工学校讲义》，两书在民国间影响甚大，今人将其合为《国民修养二种》一书。蔡先生在民国初年为中学生与赴法劳工写教科书,重视社会基层的公民教育。蔡先生的用心颇值得我们重视，他从孝敬父母谈起，创造性地转化本土的文化资源，特别是以儒家道德资源来为近代转型的中国社会的公德建设与公民教育服务。

现今南京夫子庙小学的校训是“亲仁、尚礼、志学、善艺”。我认为这是非常好的。对孩童、少年的教育，首先是培养健康的心性才情，从日常生活习惯，从待人接物开始，学会自重与尊重别人。

我们今天强调成人教育，因为仅有成才教育是不够的，成才教育忽略了我们作为完整的人、健康的人所必需的一些素养，它在人格养成方面几乎是空白。这不是大学教育才有的问题，而是幼儿园、中小学教育就该关注的。养育青少年的性情，需要家庭、学校、社会的配合。

国学当中有很多修身成德、培养君子人格的内容。中国古典的教育，其实就是博雅教育。传统的教育并不是道德说教，也不是填鸭式满堂灌的教育，而是春风化雨似的，让学生在点滴中有所收获并自己体验，如诗教、礼教、乐教等。

我觉得应该让孩子们处在良好的文化氛围中。家长、老师们要以身作则、言传身教，这对孩子们影响很大。家长、老师有义务端正自己的言行，尤其在孩子们面前。要培养孩子分辨是非的能力，多在性情教育上下工夫，关注孩子的心理健康，多与孩子交流，洞察他们的情感，并作正确的引导。现在一些家长做不到以身作则，他们撒谎骗人，打骂斗狠，不尊重老人，这些都会给孩子的成长烙下负面的印记。

我们也希望同学们能趁着年轻记性好，多读些经典，最好能背诵一些，其中的意思以后可以慢慢领悟。南宋思想家陈亮说过："童子以记诵为能，少壮以学识为本，老成以德业为重……故君子之道不以其所已能者为足，而尝以其未能者为歉，一日课一日之功，月异而岁不同，孜孜矻矻，死而后已。"

本丛书所收经典与蒙学读物中有很多圣哲格言，都足以让我们受用终身。我们一直希望能有多一些的国学经典进入中小学课堂，至少让"四书"进入教材。我们希望能多一些国文课，让中小学生能接受到系统的传统语言与文化教育。中华民族有很多优根性，更需大大弘扬。

是为序。

郭齐勇

癸巳春于珞珈山

# 目　录

# 概　述

梁启超《要籍解题及其读法》:“吾以为凡为中国人者，须获有欣赏楚辞之能力，乃为不虚生此国。”周建忠《当代楚辞研究论纲》:“楚辞的世界，博大精深;楚辞的世界，色彩斑斓;楚辞的世界，令人神往。”楚辞是中华文学的杰出代表，我们炎黄子孙理应自觉地去学习楚辞，欣赏楚辞，研究楚辞。

楚辞，是战国时期出现在楚国地区的一种新兴文体。作为一种新兴文体，楚辞虽受到《诗经》的影响，但主要还是屈原以其杰出的艺术才能和悲壮的政治理想，写出的光辉灿烂的作品，奠定了楚辞的典型形式。概括起来，楚辞主要有如下几大特征：

一是语气词“兮”。《诗经》中虽有“兮”字，但不如楚辞中运用得普遍和有规律。“兮”字或是在上下两句的上句之末，如“帝高阳之苗裔兮，朕皇考曰伯庸”(《离骚》)；或是在上下两句的下句之末，如“独立不迁，岂不可喜兮”(《橘颂》)；或是在上下两句的各句之中，如“君不行兮夷犹，蹇谁留兮中洲”(《湘君》)。

二是六言、五言句式。《诗经》基本上是四言句式，而《楚辞》除了四言句式外，主要采用六言或五言句式(不算语气词“兮”字)。六言句式如“路曼曼其修远兮，吾将上下而求索”(《离骚》)，五言句式如“子交手兮东行，送美人兮南浦”(《河伯》)。

三是地方色彩。与《诗经》相比，楚辞具有鲜明的楚地色彩。黄伯思《校定楚辞序》:“盖屈宋诸骚，皆书楚语、作楚声、纪楚地、名楚物，故可谓之楚辞。若些、只、羌、谇、蹇、纷、侘傺者，

楚语也；顿挫悲壮，或韵或否者，楚声也；沅、湘、江、澧、修门、夏首者，楚地也。兰、茝、荃、药、蕙、若、蘋、蘅者，楚物也。率若此，故以‘楚’名之。”

作为楚辞的创始者和代表者，屈原创作了杰出的文学作品，又拥有伟大高尚的人格。屈原，名平，字原，战国时楚国人。司马迁《史记·屈原贾生列传》说他是楚王室的同姓。屈原在《离骚》中也说自己是古帝高阳颛顼（相传颛顼是楚王的远祖）的后裔。屈原虽出身为贵族，但已经很没落，《九章·惜诵》中就说：“思君莫我忠兮，忽忘身之贱贫。”在《离骚》中，他也一再把自己比作傅说、吕望、甯戚、伊尹等出身卑贱的贤臣，就十分符合他那时的身份。

屈原主要生活在楚怀王、楚襄王两个时期。楚怀王执政时期，楚国已经积弱不振太久，虽仍为大国，但已是“金玉其外，败絮其中”，整个国家处于风雨飘摇之中。之所以会出现这种局面，一方面是来自秦国侵略的外患，另一方面是来自昏君佞臣的内忧。对于楚国深陷内忧外患的双重困境，屈原比任何人都要清楚。尤其是他那深厚的宗族观念，更使他萌生了强烈的从政愿望，希望自己做个振兴楚国、名垂青史的中兴重臣。起初，他深得楚怀王的信任，参与朝廷重大事件的决策，培养人才，发布号令，并负责外交事务，接待宾客，应对诸侯。然而，好景不长，春风得意的屈原很快因才能高、权力大，引起同朝党人的嫉妒。随后，他们在楚怀王面前进谗言，到处网罗屈原莫须有的罪名，使屈原逐步失去楚怀王的信任而被疏离。

楚怀王三十年（前 357），秦昭王提出与楚通婚，并邀请楚怀王赴秦见面。屈原劝楚怀王不要到秦国去，但楚怀王的幼子子兰却力劝楚怀王入秦。结果，楚怀王一入秦就被扣留，被勒令割地。

后来，楚怀王乘机逃到赵国，但没被赵国接纳，最终只能身死于秦而归葬于楚。楚怀王长子楚襄王继位后，子兰做了令尹。由于子兰等奸佞小人嫉妒屈原，故在楚襄王面前一再谣诼诬陷屈原。于是，昏庸无能的楚襄王将屈原流放到楚国的江南地区长达十余年。最后，屈原眼看楚国日益式微，国土沦陷，内心极度悲愤绝望，自投汨罗江而死。《孟子》:“生，亦我所欲也。义，亦我所欲也。二者不可得兼,舍生而取义者也。”屈原之死,其在此乎！屈原虽死，然其存君兴国之心犹存，其独立不迁之志犹在。

据班固《汉书・艺文志》记载，屈原的作品有二十五篇。今流传于世署名屈原的作品，大体与此相当。尽管学术界对部分作品的真伪还存在争议，但我们认为《离骚》、《九歌》(十一篇)、《天问》、《招魂》，以及《九章》(九篇)，都应当属于屈原作品。

屈原逝世后，楚国有宋玉、唐勒、景差等，“皆好辞而以赋见称”(司马迁《史记・屈原贾生列传》)。唐勒的作品，没有流传下来。《楚辞》中的《大招》,王逸既说是屈原所作，又说是景差所作，但苦无其他证据，无从断定。可以确定的是,《楚辞》中的《九辩》乃宋玉所作。宋玉是战国时期楚国人，他生于屈原之后，主要生活在楚襄王时期。据班固《汉书・艺文志》记载，宋玉的作品有十六篇。今流传于世署名宋玉的作品,除了《九辩》以外,还有《高唐赋》、《神女赋》、《风赋》、《登徒子好色赋》等。尽管宋玉难以与屈原相媲美，但他仍然是一位具有杰出才能的文学家，并深刻影响着两汉赋体文学的创作。

本书选文，既注重作品的艺术成就，又注重作品的思想内容。所选的作品,包括屈原的《离骚》、《九歌》(选取《湘君》、《湘夫人》、《少司命》、《河伯》、《山鬼》、《国殇》六篇)、《天问》、《九章》(选取《涉江》、《哀郢》、《抽思》、《惜往日》、《橘颂》五篇)、《招魂》

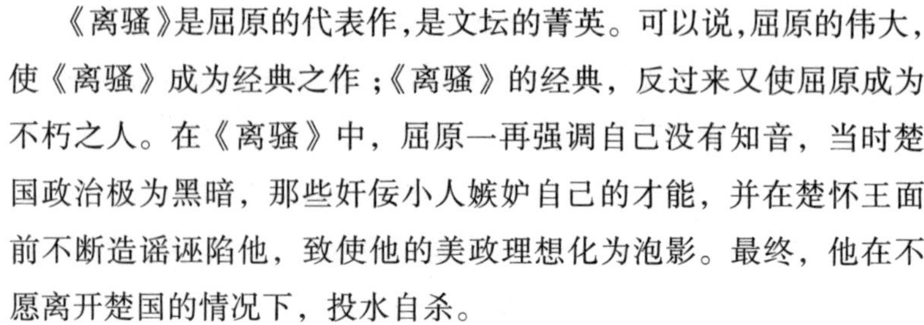

以及宋玉的《九辩》。

《离骚》是屈原的代表作，是文坛的菁英。可以说，屈原的伟大，使《离骚》成为经典之作；《离骚》的经典，反过来又使屈原成为不朽之人。在《离骚》中，屈原一再强调自己没有知音，当时楚国政治极为黑暗，那些奸佞小人嫉妒自己的才能，并在楚怀王面前不断造谣诬陷他，致使他的美政理想化为泡影。最终，他在不愿离开楚国的情况下，投水自杀。

《湘君》以湘夫人为第一人称。湘夫人是女神。全篇由女巫扮湘夫人独唱，表达了湘夫人因湘君未能如约前来而产生的失望、怀疑、哀伤、埋怨的感情。

《湘夫人》以湘君为第一人称。湘君是男神。全篇由男觋扮湘君独唱，表达了湘君因未能与湘夫人相见而产生的失望、幻想和绝望。

《少司命》是祭祀主子嗣之神的乐歌。少司命是女神，即民间所谓的“送子娘娘”。全篇由男觋扮祭祀者独唱，由女巫扮少司命登场，抒写了对少司命的思念、追慕、赞颂之情。

《河伯》是祭祀黄河之神的乐歌。河伯是黄河之神。此篇由男觋扮河伯独唱，由女巫扮洛嫔登场，书写了河伯与洛嫔的爱情故事。

《山鬼》以山鬼为第一人称。山鬼是巫山神女，是一位含情脉脉、笑容可掬、身材窈窕的美女。此篇由女巫扮山鬼独唱，表达了山鬼对意中人的思念和哀怨。

《国殇》是祭祀为国牺牲的将士的乐歌。此篇由女巫扮祭祀者独唱，由男觋扮为国牺牲的将士登场，描写了一场敌众我寡、以失败告终的战争。这既是一篇悼亡歌，又是一篇颂赞歌。

《天问》是一篇体式独特、规模宏大的奇文。全篇以“曰”字开头，接连不断地提出一个又一个问题。它是屈原关于天地山川、夏商周三代兴亡、楚国存废等事的总疑问。

《涉江》是楚襄王初年屈原被流放到楚国江南地区时所作，既是一篇纪行之作，也是一篇言志之作。

《哀郢》是屈原被楚襄王放逐江南九年时所作。全篇紧扣一个“哀”字,通过追忆当年离开郢都的情景,来抒发自己思乡恋国之情。

《抽思》是屈原被楚怀王流放、已经抵达汉北时所作。尽管篇中有自救自辩的哀情，但更多的是对国家的忧心，对君王的苦谏。

《惜往日》是屈原临渊自沉汨罗前所作。此篇痛惜自己往日曾深得楚怀王的信任，而今却遭到楚襄王的鄙弃、放逐的悲苦心境，并道出自己的法治思想。

《橘颂》是屈原早年遭受谗言时所作。在屈原笔下，橘既有外在美又有内在美。显然,屈原是借赞美橘的秉质来寄托自己的情志,既是咏物之作，也是言志之作。

《招魂》是屈原为召唤楚怀王的亡魂而作。招魂是一种带有原始宗教性的习俗。楚怀王被骗入秦国而死，后归丧于楚国，故屈原按照民间习俗为他招魂。篇中借巫阳的口吻,先“外陈四方之恶”,恐吓楚怀王的亡魂不可留在外边，后“内崇楚国之美”，劝诱楚怀王的亡魂尽快归返故国。

《九辩》乃宋玉借古代乐曲名为题，模拟屈原作品自创新制而成。此篇主要通过秋色、秋物、秋声的描写,来抒写自己忠贞而被疑、怀才而不遇的悲愤和愁思，使萧条的秋天与哀怨的身世、衰败的社会互相衬托而融为一体，真正开启了后世“悲秋文学”的传统。

本书兼取古今学者的研究成果，但受到体例及篇幅的限制，没有在文内逐一注出参考文献。

# 第一章　离　骚

帝高阳之苗裔兮[1]，朕皇考曰伯庸[2]。摄提贞于孟陬兮[3]，惟庚寅吾以降[4]。皇览揆余初度兮[5]，肇锡余以嘉名[6]。名余曰正则兮[7]，字余曰灵均[8]。

## 注释

[1] 高阳：古帝颛顼的称号。苗裔：久远的后代子孙。相传颛项是楚国王室的远祖。兮：语助词，相当于现代的“啊”或“呀”。[2] 朕：我。先秦时一般人通用，秦始皇时才规定为帝王专用。皇考：对已故父亲的美称。皇，光大美好。伯庸：屈原父亲的表字，但可能是用在作品中的化名。 [3] 摄提：“摄提格”的简称，寅年的别号。贞：正，正当。孟陬：正月的别名。夏历正月是寅月。[4] 惟：发语词。庚寅：庚寅日。降：降生。 [5] 皇：即上文的“皇考”。览揆（kuí）：审度。初度：初生的气度。 [6] 肇（zhào）：通“兆”，卜兆，一说是开始的意思。锡：通“赐”，赐予。嘉名：美好的名字。嘉，美。 [7] 名：起名。正则：屈原名平，正则意为公正的法则，即“平”，所以这可能是用在作品中的化名。[8] 字：表字。灵均：屈原字原，灵均可引申为高平，高平曰原，所以这可能是用在作品中的化名。

## 译文

我是古帝颛顼的子孙啊，我那已故父亲叫做伯庸。正当太岁寅年的正月啊，恰好庚寅那天我降生了。先父审度我初生时的气度啊，根据卜兆赐给我美好的名字。给我起名叫做正则啊，又给我表字叫做灵均。

纷吾既有此内美兮[1]，又重之以修能[2]。扈江离与辟芷兮[3]，纫秋兰以为佩[4]。汩余若将不及兮[5]，恐年岁之不吾与[6]。朝搴阰之木兰兮[7]，夕揽洲之

宿莽[8]。日月忽其不淹兮[9]，春与秋其代序[10]。惟草木之零落兮[11]，恐美人之迟暮[12]。不抚壮而弃秽兮[13]，何不改乎此度[14]？乘骐骥以驰骋兮[15]，来吾道夫先路[16]。

## 注释

[1]纷：众多的样子。内美：内在的美好品质。总上“帝高阳”八句，言其先天的禀赋。　[2]重（chóng）：加上。修能：美好的仪态。修，美；能，通“态”，仪态。　[3]扈（hù）：披，带。

江离:香草名，又名芎藭。芷(zhǐ):香草名，即白芷。[4]纫:连缀。秋兰:香草名,又名兰草。[5]汩(yù):水流迅急的样子。不及:赶不上。[6]不吾与:"不与吾"的倒装，不等待我。与，等待。[7]搴(qiān):摘取。阰(pí):大的山坡。木兰:香木名，又名杜兰。[8]揽:采摘。洲:水中的陆地。宿莽:香草名，又名芒草。[9]淹:停留。[10]代:更替，轮流。[11]惟:思。[12]美人:此处喻指贤能之人,包括明君和贤臣。迟暮:晚暮，此处喻指年老。[13]抚:凭借，趁着。壮:壮盛之年。秽:脏东西，此处喻指污秽的品行。[14]此度:这种态度。承上文的"不抚壮而弃秽"句而言。[15]骐骥:良马。[16]来吾:"吾来"的倒装。来,助动词。道:通"导"。夫:语助词。先路:前面的道路。



## 译文

我已经有许多内在的美好品质啊，又加上不断修饰外在的美好仪态。披戴着江离和生于幽僻处的白芷啊，又连缀着秋兰做成身上佩带的饰物。迅急如水流般的光阴我好像追赶不上啊，心中所担忧的是时光不能等待我而流逝。我早上摘取大山坡上的木兰啊，晚上又采摘水中陆地上的宿莽。时间匆匆过去而不停留啊，春天与秋天不断更替次序。一想起那些花草树木的凋零飘落啊，就担心那些美丽的女人也年老色衰。不趁着壮年而抛弃不良品行啊，你们又为什么不改变这种态度？我驾着千里马向前奔驰啊，来为你们导引前面的道路。

## 赏析

《离骚》的题意是什么,历来众说纷纭。班固《离骚赞序》:"离,犹遭也。骚，忧也。明己遭忧作辞也。”此说训“离”为“遭”，“离骚”即“遭遇忧愁”，深得屈原命篇之秘。

此节，叙其降生，“惟庚寅吾以降”；叙其名字懿美、内外兼修，“纷吾既有此内美兮，又重之以修能”；叙其许志报国，“来吾道夫先路”。

关于屈原的生卒年，没有明确的史料记载。此节所谓“摄提贞于孟陬兮，惟庚寅吾以降”，是现存唯一可据以考证屈原出生年月的材料。“摄提”是摄提格的简称，是太岁在寅的年名。那么，这到底是哪一年？对此，学术界有不同看法。1978 年，胡念贻在《文史》第五辑上发表《屈原生年新考》。他运用岁星纪年法，以汉武帝太初元年（前 104）太岁在寅为基点往前推算，得出屈原的生年为楚宣王十七年（前 353），而此年的农历正月二十三日正是寅月寅日。

可见，屈原出生在寅年寅月寅日。三寅在天，这在古代无疑是个大吉大利的好日子。古人认为生逢大吉，预示着此人必是不同寻常，将有美好的前途和伟大的作为。但是，屈原最终还是在农历五月初五自投汨罗江而死。其实在古代，农历五月是个“恶月”，五月初五更是极端不祥的“恶日”。屈原降生在最美好的日子，却选择在最险恶的日子自杀，是因为理想破灭，报国无门，希望以自己的死来引起人们的关注。

## 思考讨论

1. 屈原为什么一开始就强调自己出生在寅年寅月寅日？

2. 此节中的“美人”一词，有人认为指屈原，也有人认为指屈原寻求的对象，还有人认为兼指屈原和屈原寻求的对象。对此，你有什么看法？

**昔三后之纯粹兮[1]，固众芳之所在[2]。杂申椒与菌桂兮[3]，岂维纫夫蕙茝[4]？彼尧舜之耿介兮[5]，既遵道而得路[6]。何桀纣之猖披兮[7]，夫唯捷径以窘步[8]。**

## 注释

[1]三后：远古三皇。联系其下“彼尧舜之耿介兮，既遵道而得路”二句，从其中“既”的关联词可推知，尧舜所遵之道正是三后之道，故“三后”不可能晚于“尧舜”。后，君王。纯粹：精而不杂，此处指德行纯正而完美。纯，丝无纇（lèi）；粹，米精。[2]众芳：众多的香草香木，此处喻指群贤。[3]杂：杂用。申椒：香木名，椒的一种。菌（jùn）桂：香木名，桂树的一种。[4]维：同“唯”，只。蕙：香草名，又名熏草。茝（chǎi）：香草名。[5]尧舜：唐尧、虞舜，皆古代明君。耿介：光明正大。[6]遵道：遵循“三后”所行的正道。路：喻指治国的路径。[7]桀纣：夏朝末代君王夏桀、商朝末代君王商纣，皆古代暴君。猖披：穿衣不系带子的样子，此处喻指行为放肆、不检束。[8]夫唯：楚方言，犹言“只以”、“正因”。捷径：大道斜出的小路。窘步：使脚步困迫，举步维艰。

## 译文

从前三皇的德行真是纯正而完美啊，实在是群贤聚集在身边辅佐的缘故。广泛任用申椒与菌桂一类的人才啊，他们哪里只选用蕙与茝一类的优秀人才？那唐尧和虞舜两位明君是何等的光明正大啊，他们遵循三皇所行的正道，找到治国的路径。夏桀和商纣两位昏君为什么那样放荡不羁啊，只因为他们爱走斜近的小路而使自己举步维艰。

惟夫党人之偷乐兮[1]，路幽昧以险隘[2]。岂余身之惮殃兮[3]，恐皇舆之败绩[4]。忽奔走以先后兮[5]，及前王之踵武[6]。荃不察余之中情兮[7]，反信谗而齌怒[8]。余固知謇謇之为患兮[9]，忍而不能舍也[10]。指九天以为正兮[11]，夫唯灵修之故也[12]。曰黄昏以为期兮[13]，羌中道而改路[14]。初既与余成言兮[15]，后悔遁而有他[16]。余既不难夫离别兮[17]，伤灵修之数化[18]。

## 注释

[1]惟:发语词。夫:代词，彼，那。党人:结党营私的群小。偷:苟且。 [2]幽昧:昏暗。险隘:危险狭窄。 [3]惮(dàn):害怕。 [4]皇舆:君王的坐驾，此处喻指国家。败绩:翻车，此处喻指国家的倾覆。 [5]先后:跑前跑后，犹言效力左右。[6]及:赶上。踵(zhǒng)武:足迹。 [7]荃(quán):香草名，又名荪。此处喻指国君。中情:本心，真意。 [8]齌(jì)怒:盛怒。 [9]謇謇:犯颜直谏的样子。为患:惹来杀身之祸。[10]舍:止。 [11]九天:上天。传说天有九重。正:通“证”。[12]灵修:时人彼此相谓之通称，言其内明慧而外秀美。此处指国君。 [13]期:约会,此处指约会的时间。 [14]羌(qiāng):楚方言,发语词。改路:改变路径,此处指改变主意。 [15]成言:定言，用言辞约定。 [16]他:别的主意。 [17]难(nàn):惮，害怕。 [18]数(shuò)化:屡屡变化。

## 译文

那些结党营私的群小一味贪图享乐啊，治国的路径变得黑暗无光又危险狭窄。哪里是害怕我的身体遭受灾殃啊，我心中所担忧的正是国家的倾覆。我效力左右啊，希望能赶上前代明君的足迹。国君没有明察我内心的本意啊，反而偏信谗言而对我大发脾气。我本来就知道犯颜直谏会成为身体的祸患啊，但内心还是忍不住担忧而没能停止劝谏。我指着上天作证啊,只因为君王的缘故。说好黄昏作为约会的时间啊，您却又中途改变了自己的主意。当初您已经与我订下口头誓言啊，后来竟然反悔逃避而有别的主意。我已经不害怕被您疏远而离去啊，心中所哀伤的是君王您的变化无常。

余既滋兰之九畹兮[1]，又树蕙之百亩[2]。畦留夷与揭车兮[3]，杂杜衡与芳芷[4]。冀枝叶之峻茂兮[5]，愿竢时乎吾将刈[6]。虽萎绝其亦何伤兮[7]，哀众芳之芜秽[8]。

## 注释

[1] 滋：栽培。九畹（wǎn）：表示种植很多。畹，古代田地的计量单位。 [2] 树：种植。百亩：表示种植很多。 [3] 畦（qí）：垄种。留夷：香草名，又名芍药。揭车：香草名，黄叶白花。 [4] 杂：间种。杜衡：香草名，又名杜葵，俗名马蹄香。芳芷：香草名，即白芷。 [5] 峻茂：高大茂盛。 [6] 竢（sì）：同“俟”，等待。刈（yì）：收割。 [7] 绝：零落。此处比喻培植的人一无所用。 [8] 哀：悯惜。芜秽：荒芜污秽。此处比喻亲手培植的人才变节，与群小同流合污。

## 译文

我已栽培九畹的兰草一类的人才啊，并且还种植百亩的蕙草一类的人才。我一垄一垄地培植留夷与揭车一类的人才啊，其间又穿插植养那些杜衡与芳芷一类的人才。我希望它们的枝叶高大茂盛啊，愿意等待合适的时候再去收割。纵使这些人才枯萎零落又有什么值得悲伤啊，让我哀痛的是这众多的芳草一类的人才竟荒芜腐烂。

众皆竞进以贪婪兮[1]，凭不厌乎求索[2]。羌内恕己以量人兮[3]，各兴心而嫉妒[4]。忽驰骛以追逐兮[5]，非余心之所急。老冉冉其将至兮[6]，恐修名之不立[7]。朝饮木兰之坠露兮，夕餐秋菊之落英[8]。苟余情其信姱以练要兮[9]，长颇颔亦何伤[10]？擥木根以结茝兮[11]，贯薜荔之落蕊[12]。矫菌桂以纫蕙兮[13]，索胡绳之纚纚[14]。謇吾法夫前修兮[15]，非世俗之所服[16]。虽不周于今之人兮[17]，愿依彭咸之遗则[18]。

## 注释

[1]竞进：竞相追求权势。贪婪：贪图财物。婪，贪。 [2]凭：楚方言，满。厌：满足。求索：追求权势，索取财物。承上文的“竞进”与“贪婪”而言。 [3]恕己：忖度自己。量人：量度他人。 [4]兴心：兴起坏心。 [5]驰骛：狂奔乱跑。 [6]冉冉：渐渐。 [7]修名：美好的名声。 [8]落英：飘落的花朵，一说初绽的花朵。 [9]苟：只要。信姱（kuā）：确实美好。练要：精纯专一。 [10]颇颔（kǎn hàn）：因吃不饱而面色枯黄的样子。 [11]擥：同“揽”，采掘。木根：泛言香木之根。 [12]贯：串连。薜（bì）荔：香草名，又名木馒头，一种蔓生植物。 [13]矫：举。 [14]索：搓绳。胡绳：香草名，一种蔓生植物。纚纚（xǐ xǐ）：绳子又长又美的样子。 [15]謇：楚方言，发语词。法：效法。前修：前代贤人。 [16]服：实行，服行。 [17]周：合。 [18]彭咸：传说为殷代贤臣，因国君不听劝谏而投水自杀。遗则：遗留

的法则。此处屈原借彭咸因坚持操守而不容于世，走向死亡，来表明自己宁愿选择死亡，也绝不苟且偷生。

## 译文

众人竞相追求权势而贪图财物啊，虽已盈满但还不满足地去追逐和索取。他们以自己之贪欲来猜想他人也如自己般贪婪啊，于是各起坏心，纷纷产生了妒忌排斥贤能之士的邪念。他们迅速狂奔乱跑而追权逐利啊，这不是我内心所急于求得的事。衰迈无力的老年将会渐渐来临啊，我心中所担心的是不能建立自己的美名。我早上啜饮着从木兰上坠落的露水啊，傍晚品尝着从秋菊上飘落下来的花朵。只要我内心确实美好而纯一啊，即使长久面色枯黄又有什么值得悲伤？我采掘香木的根来将白芷系上啊，又串连上从薜荔上掉下来的花心。我拿起菌桂将那蕙草连缀上啊，还把胡绳搓成又长又美的绳带。我只不过是效法前代贤人啊，但这不是社会习俗所实行的。即使不合于现世人们的好尚啊，我也愿意依从彭咸遗留的法则。



**长太息以掩涕兮[1]，哀民生之多艰[2]。余虽好修姱以鞿羁兮[3]，謇朝谇而夕替[4]。既替余以蕙纕兮[5]，又申之以揽茝[6]。亦余心之所善兮[7]，虽九死其犹未悔[8]。**

## 注释

[1]太息：叹息。掩涕：掩面拭泪。涕，眼泪。 [2]民生：人生，此处指屈原自己的人生。民，人。 [3]好：喜爱。修姱（kuā）：美好。鞿（jī）羁：系马的两种工具，此处喻指遵循礼法而自我约束。鞿，马缰绳；羁，马笼头。 [4]谇（suì）：诮让，责骂。替：废弃。 [5]以：因为。纕（xiāng）：佩带。 [6]申：加上。之：即上句的“替余”。 [7]善：美善。 [8]九死：表示死亡多次。犹未：尚未。

## 译文

我长久地唉声叹气，掩面擦拭眼泪啊，心中所哀痛的正是自己的人生多么艰难。即使我喜爱美质并且约束自己啊，也还是早上被责骂、晚上被废弃。既因为我用蕙草做佩带而废弃我啊，又因为我采掘白芷而废弃我。只要我内心认定是美善的啊，即使多死几次也绝不会后悔。

怨灵修之浩荡兮[1]，终不察夫民心[2]。众女嫉余之蛾眉兮[3]，谣诼谓余以善淫[4]。固时俗之工巧兮[5]，偭规矩而改错[6]。背绳墨以追曲兮[7]，竞周容以为度[8]。忳郁邑余侘傺兮[9]，吾独穷困乎此时也[10]。宁溘死以流亡兮[11]，余不忍为此态也[12]。

## 注释

[1]浩荡：水面的浩淼无边，此处喻指国君的糊涂昏聩。[2]民心：人心，此处指屈原自己的内心。[3]众女：此处喻指好馋的小人。蛾眉：像蚕蛾触须般弯曲而细长的眉毛，此处喻指屈原自己美好的品行。[4]谣诼（zhuó）：造谣毁谤。[5]时俗：时世习俗，社会习俗。工巧：善于取巧。[6]偭（miǎn）：违背。规矩：工匠用的两种工具。规，画圆形的工具；矩，画方形的工具。此处喻指法度。错：通“措”，安置，设置。

[7] 背：违背，背弃。绳墨：工匠用的两种工具。绳，引绳；墨，墨斗。此处喻指法度。追曲：追随邪曲。 [8] 竞：竞相。周容：合而求容。度：常规。 [9] 忳（tún）：忧愁，苦闷。郁邑：抑郁不舒。侘傺（chà chì）：进退失据。 [10] 穷困：仕途失意。
[11] 溘（kè）：奄忽，倏忽。流亡：灵魂四处游荡。 [12] 此态：此种姿态。承上文的“工巧”、“偭规矩”、“背绳墨”、“竞周容”而言。

## 译文

我埋怨君王糊涂昏聩啊，始终不能明察我的内心。结党营私的群小嫉妒我的美好品行啊，就进行造谣毁谤说我善于干淫乱之事。社会习俗本来善于取巧啊，违背规矩而随意改变设置。背弃绳墨而又追随邪曲啊，竞相苟合求容以讨好人。我忧愁郁闷而进退失据啊，在这个时世上我独自仕途失意。宁愿奄忽死去而灵魂四处游荡啊，我也不忍心做出这种丑态。

**鸷鸟之不群兮[1]，自前世而固然。何方圜之能周兮[2]，夫孰异道而相安[3]。屈心而抑志兮[4]，忍尤而攘诟[5]。伏清白以死直兮[6]，固前圣之所厚[7]。**

## 注释

[1] 鸷（zhì）鸟：鹰类猛禽。不群：不与凡鸟为群。 [2] 圜：同“圆”。周：合。 [3] 孰：哪里。异道：道不同，志不同。相安：相安无事。 [4] 屈心：委屈心意。抑志：压抑志向。 [5] 尤：

罪过。攘：接受。诟：耻辱。　　[6]伏：通“服”，服膺。死直：为直道而死。　　[7]厚：看重，赞许。

## 译文

鸷鸟不与凡鸟同群啊，前世就是如此。方与圆怎么能叠合在一起啊，不同道的人哪里能平安相处。我委屈心意而压抑志向啊，忍受着罪过而接受着耻辱。服膺清白的心志为直道而死啊，这本来就是前代圣贤所赞许的。



**悔相道之不察兮[1]，延伫乎吾将反[2]。回朕车以复路兮[3]，及行迷之未远[4]。步余马于兰皋兮[5]，驰椒丘且焉止息[6]。进不入以离尤兮[7]，退将复修吾初服[8]。制芰荷以为衣兮[9]，集芙蓉以为裳[10]。不吾知其亦已兮[11]，苟余情其信芳[12]。高余冠之岌岌兮[13]，长余佩之陆离[14]。芳与泽其杂糅兮[15]，唯昭质其犹未亏[16]。**

## 注释

[1]相（xiàng）：观看。道：此处指从政的道路。　　[2]延伫：长久伫立。反：同“返”，返回，此处指退隐于野。　　[3]回：掉转，折回。复路：复返旧路。　　[4]及：趁着。行迷：走入迷途，此处指踏上从政的道路。　　[5]兰皋：长有兰草的水边高地。

[6] 椒丘:长有椒木的小丘。椒,香木名,木椒。且:姑且,暂且。焉:于此,在这里。止息:停息。 [7] 进:仕进。不入:不被接纳。离:通“罹”,遭遇。 [8] 退:退隐。初服:未入仕途时的服饰,此处喻指人生初始的志趣。下文八句所谓芰荷之衣、芙蓉之裳、岌岌之冠、陆离之佩,皆承“初服”二字而言。 [9] 制:裁制。芰(jì)荷:荷叶。衣:上衣。 [10] 集:聚集,会合。芙蓉:荷花。裳:下装。 [11] 不吾知:“不知吾”的倒装,不理解我。已:止,罢了。 [12] 苟:只要。信芳:确实芳香。 [13] 高:使……增高。冠(guān):古人的帽子。岌岌:高耸的样子。
[14] 长:使……加长。佩:此处专指剑佩。陆离:修长而美好的样子。
[15] 泽:污垢。杂糅:混合在一起。 [16] 唯:只。昭质:光洁的本质。

## 译文

后悔当初观看从政之路而没有明察啊,如今我只好长久伫立而又将重新返回。掉转我的车子回到往昔的旧路啊,趁着走入迷途还不算太远的时候。我骑着马徐行在长有兰草的水边高地上啊,又驰骋在长有椒木的小丘而暂且在此停息。我仕进于朝不但未被接纳反而获罪啊,如今退隐于野将再修治我未入仕途时的人生志趣。我裁剪荷叶制成上衣啊,又拼合荷花做成下裳。即使没人理解我也就罢了啊,只要我内心的情实确实芳香。增高我的帽子使它巍然耸立啊,加长我的剑佩使它修长而美好。芳香与污垢纵然糅合在一起啊,唯我那光洁的本质还没有亏损。

**忽反顾以游目兮[1]，将往观乎四荒[2]。佩缤纷其繁饰兮[3]，芳菲菲其弥章[4]。民生各有所乐兮[5]，余独好修以为常[6]。虽体解吾犹未变兮[7]，岂余心之可惩[8]？**

## 注释

[1]反顾：回头看。游目：纵目远眺。　[2]四荒：四方极远之地。　[3]缤纷:众多的样子。繁饰:装饰繁丽。　[4]菲菲：香气浓郁的样子。章：同“彰”，彰显。　[5]民生：人生，此处泛指每个人的人生。乐：爱好。　[6]好修：爱好修饰，此处指爱好修身。常：准则，本作“恒”，因汉代人避汉文帝刘恒的讳而改。　[7]体解：肢解，古代的一种酷刑。　[8]惩：惩戒而悔改。

## 译文

我忽然回过头来纵目远眺啊，将到四方极远的地方去观览。我的佩饰花样众多而色彩繁丽啊，它们的芳香十分浓郁而越发明显。每个人都各有自己的爱好啊，我却独独爱好修身成了习惯。即使把我肢解了也不能改变啊，难道我的心会因受惩戒而悔改？

## 赏析

此节重在抒写“不吾知”的主题，首先感叹楚国的君王不理解自己，信谗齌怒、朝谇夕替；接着悲伤自己培养的人才不理解自己，追从世俗、变质芜秽；最后痛恨朝廷的群臣不了解自己，嫉妒成风、排挤贤人。

司马迁《史记·屈原贾生列传》中提到屈原“与楚同姓”，就是说屈原和楚王同姓。但是楚王姓熊，屈原姓屈，为何能说他们同姓呢？其实整个楚国的王族都姓芈，熊和屈是氏而非姓。屈氏的始祖，因封地在屈，便将屈作为自己这一支王族的姓氏。所以屈氏乃楚国公族之一，与楚国王室有着血脉联系。

正是这一宗族观念，使屈原萌生了强烈的从政愿望，希望自己做个振兴楚国、名垂青史的中兴之臣。屈原生来天资颖异，加上后天不断努力，成为了那个时代“有异彩的一等明星”(郭沫若《屈原研究》)。

起初，他深得楚怀王的信任，被任命为三闾大夫，主要负责教育王室贵族子弟。此节所谓“余既滋兰之九畹兮，又树蕙之百亩”等句，就是对自己那段时期培养人才工作的深情追忆。但此节所谓“虽萎绝其亦何伤兮，哀众芳之芜秽”等句，则说明他培养的许多人才最终没有坚守节操，反而腐化变质。后来，他升为左徒，参与朝廷重大事宜的决策，发布号令，并负责外交事务，接待宾客，应对诸侯。然而，屈原很快就因其才能高、权力大，而引起同朝党人的嫉妒，他们不断在楚怀王面前诋毁他。久而久之，昏庸的楚怀王也信以为真，最终将屈原流放汉北。此节所谓“初既与余成言兮，后悔遁而有他。余既不难夫离别兮，伤灵修之数化”，就是屈原对楚怀王听信谗言而放逐自己的指责。

## 思考讨论

1. 此节中的香花芳草有什么寓意？

2. 此节中的哪些句子透露了屈原的隐逸思想？对此，你如何理解？

女嬃之婵媛兮[1]，申申其詈予[2]。曰："鲧婞直以亡身兮[3]，终然殀乎羽之野[4]。汝何博謇而好修兮[5]，纷独有此姱节[6]。薋菉葹以盈室兮[7]，判独离而不服[8]。众不可户说兮[9]，孰云察余之中情[10]。世并举而好朋兮[11]，夫何茕独而不予听[12]。"

## 注释

[1]女嬃（xū）：侍女，此处为屈原假设的亲近自己的妇人。婵媛（chán yuán）：楚方言，同"啴咺"，因愤怒或悲伤而喘息不止的样子。　[2]申申：反复地，再三地。詈（lì）：责备。　[3]鲧（gǔn）：同"鲧"，夏禹的父亲，神话中治理洪水的人物。关于鲧的传说很多，此处取鲧直谏而死的故事。《韩非子·外储说》："尧欲传天下于舜。鲧谏曰：'不祥哉！孰以天下而传之于匹夫乎？'尧不听，举兵而诛杀鲧于羽山之郊。"婞（xìng）直：刚直。亡身：不顾自身的安危。亡，通"忘"。　[4]终然：终于，最终。殀（yāo）：死。羽之野：羽山的荒郊野外。　[5]博謇：处处直言。博，广阔。　[6]纷：众多的样子。姱（kuā）节：美好的节操。　[7]薋（cí）菉（lù）葹（shī）：三种恶草名。薋，又名蒺藜。菉，又名王刍，俗名竹叶菜。葹，又名苍耳。它们皆喻指丑恶的品行。盈室：充满房室。　[8]判：与众不同地，偏偏地。独离：独自离弃。　[9]户说：挨家挨户地去说服。　[10]孰：谁。云：语助词，啊。余：余辈，我们。女嬃为了表示跟屈原亲近，在劝说屈原时把自己和对方归为同类人。　[11]并举：互相抬举。朋：朋党，拉帮结派。　[12]茕（qióng）独：同义复词，孤零独特。不予听："不听予"的倒装，不听从我的劝告。予，女嬃自指。

## 译文

女媭怒得气喘吁吁啊，反反复复地责骂着我。说："鲧太刚直而不顾自身的安危啊，最终被尧杀死在羽山的荒郊外。你为何处处直言而又爱好修身啊，偏要拥有如此众多的美好节操。薋、菉、葹三种恶草充满着房室啊，你却偏偏独自离弃它们而不肯佩带。对众人不能挨家挨户去说服啊，又有谁详察咱们内心的情实。世人喜欢互相抬举而拉帮结派啊，你为何孤零独特不听我的劝告。"

依前圣以节中兮[1]，喟凭心而历兹[2]。济沅湘以南征兮[3]，就重华而陈词[4]："启《九辩》与《九歌》兮[5]，夏康娱以自纵[6]。不顾难以图后兮[7]，五子用失乎家巷[8]。羿淫游以佚畋兮[9]，又好射夫封狐[10]。固乱流其鲜终兮[11]，浞又贪夫厥家[12]。浇身被服强圉兮[13]，纵欲而不忍[14]。日康娱而自忘兮[15]，厥首用夫颠陨[16]。夏桀之常违兮[17]，乃遂焉而逢殃[18]。后辛之菹醢兮[19]，殷宗用而不长[20]。

## 注释

[1]节中：持平，取正。 [2]喟：叹息。凭：楚方言，愤懑。历兹：经历此等困境。历，经历；兹，此。 [3]济：渡过。沅湘：沅水、湘水，主要流经湖南省境内。南征：向南方行进。

[4]就：趋向，走近。重华：虞舜的名。传说虞舜葬于九嶷山，在今湖南省境内。陈词：陈述言辞。陈，陈列，陈述。　[5]启：夏启，夏禹的儿子，夏代帝王。《九辩》、《九歌》：古代两种乐曲名，传说它们是夏启从天帝那里偷来的。　[6]夏：与上句的“启”互文，夏启。康娱：寻欢作乐。康，乐。自纵：自我放纵。　[7]顾难：顾虑危难。图后：图谋后裔。　[8]五子：五观，又名武观，夏启的儿子。夏启沉溺于淫乐，五观趁机起来造反。用失乎：因此。失，疑为后人所误增，当删。家巷（hòng）：家庭斗争，发生内乱。巷，通“哄”。　[9]羿（yì）：后羿，夏代部落有穷氏的君主。夏启的儿子太康当政时，后羿因夏乱而起兵夺取政权。淫游：过度游乐。淫，过分。佚畋（yì tián）：纵情打猎。佚，放纵；畋，打猎。[10]封：大。　[11]乱流：淫乱之徒。流，徒，辈。鲜（xiǎn）终：少有善终。鲜，少。　[12]浞（zhuó）：寒浞，羿的臣子。因贪恋羿的妻子，勾结羿的弟子逢蒙把羿杀死。厥家：他的妻子。厥，其，此处指羿；家，家室，此处指羿的妻子。　[13]浇（ào）：通“奡”，寒浞与羿的妻子所生的儿子。被（pī）服：披服，此处指身上具有。被，同“披”。强圉（yǔ）：强壮有力。　[14]不忍：不肯克制。[15]日：天天。自忘：不顾自身危险。　[16]厥首：他的头。厥，其，此处指浇。用夫：因此。颠陨：坠落。　[17]常违：“违常”的倒装，违背常规。　[18]遂焉：终于。逢殃：遭逢灾殃。[19]后：君王。辛：帝辛，商纣王的谥号。菹醢（zū hǎi）：古代酷刑，把人剁成肉酱。　[20]殷宗：殷商王朝。宗，祖庙。用而：因此。

## 译文

我依从前代圣贤的榜样而折中不偏啊，可叹的是内心愤怒而又经历此等困境。渡过沅水与湘水而向南方行进啊，我去向圣明的虞舜重华陈述言辞："夏启偷来《九辩》与《九歌》啊，寻欢作乐而无所顾忌地放纵自我。不顾虑危难又不图谋后裔啊，他的儿子五观因此发动内乱。后羿肆意游乐而纵情打猎啊，又偏偏喜欢围猎那些大狐狸。本来淫乱之徒就少有善终啊，寒浞又趁机贪占了他的妻子。后羿的儿子浇生性强健有力啊，却又放纵欲望而不肯克制自己。每日寻欢作乐而忘记自身的危险啊，他的头颅因此被人家砍了而掉下来。夏桀违背常规啊，就终于遭遇祸殃。商纣王把人剁成肉酱啊，殷商王朝因此没有长久。



**"汤禹俨而祗敬兮[1]，周论道而莫差[2]。举贤而授能兮[3]，循绳墨而不颇[4]。皇天无私阿兮[5]，览民德焉错辅[6]。夫维圣哲以茂行兮[7]，苟得用此下土[8]。瞻前而顾后兮[9]，相观民之计极[10]。夫孰非义而可用兮[11]，孰非善而可服[12]？阽余身而危死兮[13]，览余初其犹未悔[14]。不量凿而正枘兮[15]，固前修以菹醢[16]。"**

## 注释

[1]汤禹：商汤、夏禹，皆古代明君。俨（yǎn）：谨严。祗（zhī）敬：同义复词，恭敬。　[2]周：周文王、周武王，皆古代明君。差：差错。　[3]举贤：选拔贤人。授能：任用能人。　[4]颇：偏颇，偏差。　[5]私阿（ē）：偏私，偏袒，偏爱曰私，徇私曰阿。

[6] 民：人。焉：乃，于是。错：通“措”，安置，设置。辅：辅佐。 [7] 夫维：即上文的“夫唯”，楚方言，犹言“只以”、“正因”。以：凭。茂行：美好的德行。 [8] 苟得：才能够。用：享有。下土：国土，天下，相对“皇天”而言。 [9] 前：前面所提的一类人，指夏启一类的恶人。后：后面所提的一类人，指禹汤一类的贤人。 [10] 相（xiàng）观：同义复词，察看。计极：终竟，最后结果。 [11] 孰：谁。用：享有（天下）。承上文的“苟得用此下土”而言。 [12] 服：义同“用”，享有（天下）。 [13] 阽余身：“余身阽”的倒装。阽，临近险境。危死：几乎死亡。危，殆，几乎。 [14] 初：当初的理想。 [15] 不量凿正枘：不量度凿孔的大小来削正榫头的形状，比喻臣子不分辨君主贤愚，一味直谏必然招致祸患。凿，凿孔，以安榫头；正枘（ruì），削正榫头。 [16] 前修：前代贤人。以：因此。

## 译文

商汤、夏禹两位明君谨严而虔敬啊，周文王、周武王讨论道义而没有差错。选拔贤人而又任用能人啊，他们遵循法度而没有偏差。灵明的上天对人没有偏私啊，察看人们的德行来安排用人。只因为圣贤之人凭借盛德美行啊，才能够因此君临四海而享有天下。瞻顾前面的恶人和后面的贤人啊，我透彻地省察了他们的最后结果。有谁不义而可以君临四海享有天下啊，又有谁不善而可以君临四海享有天下？我身临险境而差点儿送命啊，反观我的初志仍没有后悔。不量度凿孔的大小而把榫头削正啊，前代贤人本来就因此而被剁成肉酱。”

**曾歔欷余郁邑兮**[1]**，哀朕时之不当**[2]**。揽茹蕙以掩涕兮**[3]**，霑余襟之浪浪**[4]**。**

## 注释

[1]曾（zēng）：通“增”，增益，愈加。歔欷（xū xī）：抽泣。郁邑：抑郁不舒。　[2]当（dāng）：值，遇。　[3]茹：柔软的。[4]霑（zhān）：同“沾”，浸湿。浪浪：泪流不断的样子。

## 译文

我心情抑郁不舒而连连抽泣啊，心中所哀痛的是自己生不逢时。揽取柔软的蕙草来掩面拭泪啊，眼泪不断下流而濡湿了我的衣襟。

**跪敷衽以陈辞兮**[1]**，耿吾既得此中正**[2]**。驷玉虬以乘鷖兮**[3]**，溘埃风余上征**[4]**。朝发轫于苍梧兮**[5]**，夕余至乎县圃**[6]**。欲少留此灵琐兮**[7]**，日忽忽其将暮**[8]**。吾令羲和弭节兮**[9]**，望崦嵫而勿迫**[10]**。路曼曼其修远兮**[11]**，吾将上下而求索**[12]**。**

## 注释

[1]敷：铺开。衽：衣襟，此处指古人长袍的前下摆。陈辞：

陈述言辞。[2]耿：昭著，清楚。中正：不偏不倚的正道。[3]驷：驾，作动词。玉虬（qiú）：白龙。玉，色白如玉。虬，无角的龙。鹥（yì）：善鸟名，凤凰一类的鸟。[4]埃风：夹杂尘埃的风。上征：向天上飞行。[5]发轫（rèn）：出发，启程。轫，停车时用来阻止车轮滚动的木头，发车时需将此木头撤走。苍梧：山名，即九嶷山。传说虞舜死于苍梧之野，葬在九嶷山。[6]县（xuán）圃：地名，在昆仑山（神话中一座上通于天的神山）上。县圃，又叫玄圃。[7]少留：稍许停留。少，稍许。灵琐：县圃上的神宫之门。灵，神。琐，门镂，门上雕刻的花纹，此处代指门。[8]忽忽：迅急的样子。[9]羲和：给太阳驾车的神。弭（mǐ）节：放下赶车的策鞭，也就是把车子停下来。弭，止；节，策鞭。[10]崦嵫（yān zī）：山名，太阳下山的地方。[11]曼曼：同"漫漫"，悠长的样子。[12]上下：上天下地。求索：同义复词，寻求，追求。此处指上天寻求神女，喻指向上寻求明君；下地寻求侍女，喻指向下寻求贤臣。

## 译文

跪着铺开衣裳前摆来陈述言辞啊，我心中清楚所行所想的是中正之道。我驾着虬龙而以鹥鸟为车啊，突然一阵大风我就上行于天。早上从苍梧出发啊，晚上我就到了县圃。我想在这神宫之门停留片刻啊，可是太阳匆匆下落而将近黄昏。我命令羲和停止策鞭把车子停下来啊，远眺太阳入住的崦嵫山而不要靠近它。我寻求的路程是那样的悠长啊，我将离开楚国上天下地执著寻求。

**饮余马于咸池兮[1]，总余辔乎扶桑[2]。折若木以拂日兮[3]，聊逍遥以相羊[4]。前望舒使先驱兮[5]，后飞廉使奔属[6]。鸾皇为余先戒兮[7]，雷师告余以未具[8]。吾令凤鸟飞腾兮[9]，继之以日夜[10]。飘风屯其相离兮[11]，帅云霓而来御[12]。纷总总其离合兮[13]，斑陆离其上下[14]。吾令帝阍开关兮[15]，倚阊阖而望予[16]。时暧暧其将罢兮[17]，结幽兰而延伫[18]。世溷浊而不分兮[19]，好蔽美而嫉妒[20]。**



### 注释

[1]饮（yìn）：让……喝水。咸池：地名，太阳沐浴的地方。[2]总：结。辔（pèi）：马缰绳。扶桑：神木名，长在日出的地方。[3]若木：神木名，长在日入的地方。拂日：挥拂太阳使之退回而不落山。 [4]聊：姑且，暂且。逍遥：自由自在地。相羊：徜徉，徘徊。 [5]望舒：为月亮驾车的神。先驱：在前面驱走。[6]飞廉：风神。属（zhǔ）：跟随。 [7]鸾皇：善鸟名，凤凰一类的鸟。皇，同“凰”。先戒：先行告诫诸神。 [8]雷师：雷神。未具：尚未齐备。具，准备。 [9]凤鸟：善鸟名，凤凰。飞腾：腾飞，展翅飞翔。 [10]继：续。 [11]飘风：旋风。屯：聚集。相离（lì）：向车驾靠拢。离，通“丽”，附着。 [12]帅：通“率”，率领。云霓：云和虹，此处泛指云霞。来：助动词。御（yà）：通“迓”，迎接。 [13]纷：众多的样子。总总：聚集的样子。离合：乍聚乍散，忽离忽合。 [14]斑：散乱的样子。陆离：

分散的样子。上下：乍高乍低，忽上忽下。　[15] 帝阍（hūn）：天宫的守门神。开关：开门。关，门闩。　[16] 倚：倚靠。阊阖（chāng hé）：天宫之门。楚国人称门为阊阖。　[17] 暧暧（ài ài）：昏暗的样子。罢：终结。　[18] 幽兰：香草名，因多生于幽僻之处，故称“幽兰”。　[19] 世：时世，社会。溷（hùn）浊：污浊，混浊。　[20] 好：喜欢，喜好。美：美好之人。

## 译文

让我的马在咸池饮水啊，再将我的马辔系在扶桑上。我折下若木来阻挡太阳下落啊，让我能够驾车从容寻求。先差使为月亮驾车的望舒在前面驱驰啊，后又派遣风神飞廉奔跑而紧紧跟随在后。鸾凤先为我告诫诸神啊，雷神却告诉我行装尚未齐备。我命令凤鸟展翅飞腾啊，它日以继夜地飞个不停。旋风群集向我的车驾靠拢啊，又率领着云霞纷纷前来迎接。云霞纷纷群集而忽离忽合啊，它们又杂乱分散而乍高乍低。我命令天宫的守门神开门啊，他却倚靠着天门远眺着我。这时天已昏暗而白日将要过去了啊，我仍纽结着幽兰而长久伫立在那里。社会是如此混浊而不分善恶啊，喜爱掩蔽美好之人而心生嫉妒。

**朝吾将济于白水兮[1]，登阆风而绁马[2]。忽反顾以流涕兮[3]，哀高丘之无女[4]。溘吾游此春宫兮[5]，折琼枝以继佩[6]。及荣华之未落兮[7]，相下女之可诒[8]。**

## 注释

[1] 白水：水名，在昆仑山上。 [2] 阆（làng）风：地名，在昆仑山上。绁( xiè )马：系马。 [3] 流涕：流泪。 [4] 高丘：太帝居所，在昆仑山的最上层。女：神女，此处喻指明君。[5] 春宫：东方青帝居住的宫殿，在阆风上。 [6] 琼枝：玉树之枝。[7] 及：趁着。荣华：花朵，此处指玉树之花。荣，草本植物开的花；华，同“花”，木本植物开的花。 [8] 相（xiàng）：察看。下女：处居在春宫中的侍女，此处喻指贤臣。贤臣为明君之股肱，犹下女为神女之侍女。下文的虙妃、佚女、二姚，皆承“下女”而言。诒（yí）：通“贻”，赠予。

## 译文

早上我将要渡过白水啊，登上阆风系好我的马。我忽然回头看而不禁流下眼泪啊，心中所哀痛的正是高丘没有神女。我飘忽地来到了这个春宫啊，折取玉树枝来增加我的佩饰。趁着这玉树枝上的花朵还没凋落啊，察看下面的侍女能否把它赠送给她。

**吾令丰隆乘云兮[1]，求宓妃之所在[2]。解佩纕以结言兮[3]，吾令蹇修以为理[4]。纷总总其离合兮[5]，忽纬繣其难迁[6]。夕归次于穷石兮[7]，朝濯发乎洧盘[8]。保厥美以骄傲兮[9]，日康娱以淫游[10]。虽信美而无礼兮[11]，来违弃而改求[12]。**

## 注释

[1] 丰隆：云神。　[2] 宓（fú）妃：人名，传说为古帝伏羲之女。此处喻指楚国的隐逸之士。所在：居住的地方。[3] 佩纕：佩带。结言：缔结盟约。　[4] 蹇修：人名。蹇，跛足。修，美。可见，蹇修虽美好但有缺陷，自然不能做媒。此处是屈原假设的人名，代指不良的媒人。理：媒人。　[5] 纷：众多的样子。总总：聚集的样子。离合：乍聚乍散，忽离忽合。　[6] 纬繣（huà）：乖戾。难迁：难以迁就。　[7] 次：止宿，歇宿。穷石：山名，弱水的发源地。　[8] 濯（zhuó）：洗。洧（wěi）盘：水名，发源于崦嵫山。　[9] 保：自恃，倚仗。厥美：她的美貌。厥，其，此处指宓妃。　[10] 淫游：过度游乐。　[11] 信美：确实美丽。无礼：不守礼法。　[12] 来：助动词。违弃：抛弃。违，背。改求：更改寻求的对象。

## 译文

我命令云神丰隆驾着云啊，去寻找宓妃所居住的地方。解下佩带送去缔结盟约啊，我又命令蹇修来充当媒人。双方纷纷聚集而忽离忽合啊，宓妃又突然乖戾而难以接近。她傍晚回去在穷石歇宿啊，早上又在洧盘洗她的头发。宓妃依仗她的美貌骄纵傲慢啊，每天寻欢作乐、放肆地到处游荡。她虽然确实美丽但不守礼法啊，我要抛弃她而更改寻求的对象。

**览相观于四极兮[1]，周流乎天余乃下[2]。望瑶台之偃蹇兮[3]，见有娀之佚女[4]。吾令鸩为媒兮[5]，**

**鸩告余以不好**[6]**。雄鸠之鸣逝兮**[7]**，余犹恶其佻巧**[8]**。心犹豫而狐疑兮**[9]**，欲自适而不可**[10]**。凤皇既受诒兮**[11]**，恐高辛之先我**[12]**。**

## 注释

[1] 览相(xiàng)观：三字同义，察看。四极：即上文的“四荒”，四方极远之地。 [2] 周流：遍游。周，遍。下：下降。 [3] 瑶台：华美的台观。偃蹇：盛丽的样子。 [4] 有娀(sōng)：有娀氏，传说为古代部落名。佚女：美女简狄，此处喻指楚国那些仕于他国之士。佚，美好，美丽。 [5] 鸩(zhèn)：恶鸟名，羽毛有毒。此处喻指不良的媒人。 [6] 不好：不美好。此处指屈原派遣的鸩(媒人)没能赢得对方的信任，回来反诬蔑对方，尽说对方的坏话。 [7] 鸠：恶鸟名，善鸣多声。此处喻指不良的媒人。鸣逝：边叫边飞。 [8] 佻(tiāo)巧：轻佻巧言。 [9] 犹豫、狐疑：两个词语同义，疑惑不定，踌躇不决。 [10] 适：往。不可：于礼不可。古人认为，男女交往结合，必须事先经过媒人的介绍。 [11] 凤皇：善鸟名。此处喻指良好的媒人。皇，同“凰”。受诒：此处指(接受高辛的委托而)赠送聘礼。受，通“授”，授予。诒，通“贻”，赠予。 [12] 高辛：帝喾的称号，简狄的丈夫。先我：抢先于我(而迎娶简狄)。

## 译文

仔细地观察四方极远的地方啊，又在天空周游一遍于是我下降。远眺那华美盛丽的台观啊，我还看见了有娀氏的美女简狄。我命令鸩来充当媒人啊，鸩却告诉我说对方不好。雄鸠鸣叫着飞去了啊，我又嫌恶它轻佻巧言。我的心里老是踌躇不决啊，想亲自前往而又于礼不可。凤凰已接受帝喾的委托而赠送聘礼了啊，让我担忧的正是帝喾抢先于我而迎娶她。

**欲远集而无所止兮[1]，聊浮游以逍遥[2]。及少康之未家兮[3]，留有虞之二姚[4]。理弱而媒拙兮[5]，恐导言之不固[6]。世溷浊而嫉贤兮[7]，好蔽美而称恶[8]。**

## 注释

[1]集：栖止，栖宿。止：停留。　[2]浮游：飘游。逍遥：徘徊。　[3]少康：夏代中兴的国君，相的儿子。未家：尚未成家，没有结婚。　[4]留：留家待嫁。有虞：夏代部落名，以姚为姓。二姚：有虞君主的两个女儿，此处喻指楚国的留而待用之士。

[5]理：媒人。　[6]导言：传导的话语，此处指媒人说媒时撮合双方情意的言辞。　[7]嫉贤：嫉妒贤能之人。　[8]称恶：称赞奸恶之人。

## 译文

想到远方栖止却没有落脚之地啊，我只好暂且在此飘游而徘徊不前。趁着少康还没有结婚的时候啊，有虞氏的两个女儿正留家待嫁。我的媒人真是智弱而又口拙啊，我担忧这回说合不牢靠。社会是如此混浊而嫉妒贤能之人啊，喜爱掩蔽美好之人而称赞奸恶之人。

**闺中既以邃远兮[1]，哲王又不寤[2]。怀朕情而不发兮[3]，余焉能忍与此终古[4]。**

## 注释

[1]闺中：闺阁。此处总结上文宓妃、佚女、二姚等下女所居的地方。宓妃、佚女、二姚等下女，喻指各类贤臣。邃（suì）远：深远。　[2]哲王：明君。此处总结上文寻求神女而不得。喻指明君被小人蒙蔽而不分好坏。寤：通“悟”，醒悟。　[3]怀：怀揣，怀藏。发：抒发，发露。　[4]焉能：怎能，哪能。此：此种情形，承上文的“闺中既以邃远兮，哲王又不寤”句而言。终古：永远，长久。

## 译文

闺阁已是如此深远啊，圣明的国君又不醒悟。怀藏我内心的情实而无处发露啊，我怎能忍受与此种情形长期共存。

## 赏析

此节是女媭与屈原之间的对话，旁听者是重华。女媭，是屈原假设的亲近自己的妇人，她用“鲧婞直以亡身”的历史，来指明为臣之道，规劝他不要特立独行、与世乖戾，应当随从流俗、与世浮沉，否则就将自取灭亡。而在对虞舜重华的陈词中，屈原则婉言相答，同样用国家兴亡的历史，来论说为君之道，重申自己坚定的立场，宁愿死守善道，也不忍随从流俗，然后慨叹世无知己，而抱己之道以求知己。

在这“对话”之后，屈原采取了上天求女的“行动”。屈原以寻求男女爱情的知音，来比喻寻求政治理想的知音。所求美女因为身份地位不同，而分为上女和下女。作为上女的“高丘神女”，代表国君；而作为神女侍女的“下女”，则代表贤臣，具体有宓妃、佚女、二姚三类女子。

宓妃，传说为古帝伏羲之女，美艳无比。宓妃傍晚在穷石歇宿，早上又在洧盘洗发梳妆。喜欢居住在名山大川、与世隔绝的地方。同时，宓妃依仗她的美貌而骄纵傲慢，不守礼法，既无求于人又自得其乐，每天恣意地到处游荡。此习性与隐士很相似，屈原其实就是以宓妃来喻隐逸之士。

佚女，传说为上古国有娀氏的美女简狄。她居住在瑶台之上。帝喾（高辛）听说其美丽且聪慧，就派遣凤凰做良媒，赠送聘礼，终娶得简狄为妃。传说简狄后来吞食燕卵、破胸生下殷商的始祖契。因佚女为高辛娶走，屈原便在此以佚女喻指仕于他国之贤士。

二姚，传说为上古国有虞君主的两个女儿。后来嫁给了少康，少康乃夏代中兴的国君，相的儿子。相被杀之后，少康逃到有虞，娶到有虞君主的这两个女儿。后来，少康借助有虞的力量，杀了浇，重新恢复了夏朝。在这过程中二姚辅佐少康，助其成功。因为此处二姚还是待嫁在家，尚未被少康娶走，故屈原便在此以二姚喻指待用之士。

## 思考讨论

1. 屈原对女媭的谈话表现出什么样的态度？

2. 此节共有几次求女行动？结果如何？请谈谈每次“求女”的寓意。

**索藑茅以筳篿兮[1]，命灵氛为余占之[2]。曰："两美其必合兮[3]，孰信修而慕之[4]？思九州之博大兮[5]，岂唯是其有女[6]？"**

## 注释

[1] 索：取。藑（qióng）茅：香草名，一种用来占卜的茅草。以：与。筳篿（tíng tuán）：一种用来占卜的竹片。　[2] 灵氛：神巫名。灵，本义是神，巫能降神，楚人称巫为灵。氛，巫者的名。占（zhān）：占卜。之：它，此处指离开楚国的吉凶。　[3] 两美

其必合兮：此处为灵氛陈述卦辞的话。两美：双方皆为美好的人。[4]孰：谁。信修：确实美好。之：她，此处指确实美好的人。[5]思：想。九州：古人将全中国划分为九个区域，故“九州”是中国、天下的代称。 [6]是：此，此处指楚国。女：美女，包括神女与侍女，此处喻指明君与贤臣。

## 译文

我取来藑茅与筳篿啊，命令灵氛为我占卜吉凶。灵氛说：“两个美好的人必定可以相合啊，楚国有谁确实美好又爱慕美好的人？想想九州是如此广大啊，难道只有这里才有美女？”



**曰：“勉远逝而无狐疑兮[1]，孰求美而释女[2]？何所独无芳草兮[3]，尔何怀乎故宇[4]？世幽昧以昡曜兮[5]，孰云察余之善恶[6]。民好恶其不同兮[7]，惟此党人其独异[8]。户服艾以盈要兮[9]，谓幽兰其不可佩[10]。览察草木其犹未得兮[11]，岂珵美之能当[12]？苏粪壤以充帏兮[13]，谓申椒其不芳[14]。”**

## 注释

[1]曰：灵氛语。再言“曰”者，灵氛申释所占之义。远逝：远行。 [2]美：美好之人。释：放弃，丢开。女：通“汝”，你。[3]何所：何处。 [4]故宇：故国，此处指楚国。 [5]世：时世，

社会。幽昧：昏暗。眩曜：惑乱。 [6]孰：谁。云：语助词，啊。余：余辈，我们。灵氛为了表示跟屈原亲近，在劝说屈原时把自己和对方归为同类人。 [7]民：人。好：爱好。恶：嫌恶。[8]惟：发语词。独异：尤其怪异。 [9]户：家家户户。艾：恶草名，艾草。盈：满。要："腰"的古字。 [10]佩：服佩，佩带。 [11]览察：同义复词，察看。得：得当。 [12]珵(chéng)：美玉。当(dàng)：恰当。 [13]苏：取。以：连词，来。充：塞满，装满。帏(wéi)：随身佩带的香囊。 [14]申椒：香木名，椒的一种。

## 译文

灵氛又说："你努力远行而无需迟疑不决啊，谁寻求美好的人而会把你舍弃？什么地方会单单没有芳草啊，你又何必老是怀念那个故国？社会是如此昏暗而惑乱啊。又有谁啊详察咱们的好坏。人们的爱憎本来就是不一样的啊，但这些结党营私的群小尤其怪异。他们个个服佩着艾草而挂满腰间啊，却昧着良心说芳香的幽兰不可佩带。他们观察草木的美恶都不得当啊，而观察美玉的价值又怎能恰当？他们拿粪土来装满香囊啊，昧着良心说申椒没有芳香。"

**欲从灵氛之吉占兮[1]，心犹豫而狐疑。巫咸将夕降兮[2]，怀椒糈而要之[3]。百神翳其备降兮[4]，九疑缤其并迎[5]。皇剡剡其扬灵兮[6]，告余以吉故[7]。**

## 注释

[1] 吉占：吉祥的卦辞。　[2] 巫咸：神巫名。咸，巫者的名。夕降：傍晚降神。古人认为，巫能降神，神附于巫身而传达旨意。[3] 椒：香物名，花椒，用以敬神。糈（xǔ）：香物名，精米，用以祭神。要：通“邀”，迎接。　[4] 百神：表示神灵众多。翳（yì）：遮蔽。备：尽，全部。　[5] 九疑：九嶷山，此处指九嶷山诸神。缤：盛多的样子。并迎：一起迎接。　[6] 皇：即上文的“百神”。剡剡（yǎn yǎn）：光芒闪耀的样子。　[7] 吉故：吉占的缘故。

## 译文

想听从灵氛吉祥的卦辞啊，我的心里却老是踌躇不决。巫咸将在傍晚的时候降神啊，我怀藏花椒、精米来迎接神。天上众神遮天蔽日地全部下降啊，九嶷山诸神纷纷前来而一起迎接。天上众神光明辉耀地显扬灵光啊，通过巫咸来把吉占的缘故告诉我。

曰[1]：“勉升降以上下兮[2]，求矩矱之所同[3]。汤禹严而求合兮[4]，挚咎繇而能调[5]。苟中情其好修兮[6]，又何必用夫行媒[7]。说操筑于傅岩兮[8]，武丁用而不疑[9]。吕望之鼓刀兮[10]，遭周文而得举[11]。甯戚之讴歌兮[12]，齐桓闻以该辅[13]。及年岁之未晏兮[14]，时亦犹其未央[15]。恐鹈鴂之先鸣兮[16]，使夫百草为之不芳[17]。”

## 注释

[1]曰：巫咸语。此处为巫咸转述百神的话。　[2]上下：上天下地。此处喻指留在楚国上求明君和下求贤臣。　[3]矩矱（yuē）：工匠用的两种工具，此处喻指法度。矩，画方形的工具。矱，量长短的工具。　[4]严：庄重。　[5]挚：伊尹的名。传说为商汤的贤相，曾做过厨役。咎繇（gāo yáo）：皋陶。传说为夏禹的贤臣。　[6]苟：只要。好修：爱好美好的品格。　[7]用夫：因此。行媒：派遣媒人。行，出动。　[8]说（yuè）：傅说。传说为殷高宗的贤相。操筑：操持筑杵。筑，工匠使用的一种工具，筑杵。傅岩：地名，在今陕西省境内。　[9]武丁：殷高宗的名。传说武丁梦得贤臣，后来在刑徒中发现傅说与梦中人长得一样，遂命他为相。　[10]吕望：姜子牙。传说为周代的贤相，曾做过屠夫，后被周文王任命为太师，并辅佐周武王完成灭商大业。鼓刀：舞动屠刀。　[11]遭：遇，逢。周文：周文王，古代明君。得举：得到举用。　[12]甯戚：春秋时期卫国人。传说为齐桓公的贤臣，曾做过商贩。有一日，他夜宿齐国东门外，边喂牛边敲击牛角唱歌，抒发自己怀才不遇的苦闷，齐桓公慧眼识才，任命他为客卿。讴歌：唱歌。　[13]齐桓：齐桓公，春秋五霸之一，古代明君。该辅：备为辅佐。该，备。　[14]晏：晚。　[15]犹其未："其犹未"的倒装，尚未。央：尽。　[16]鹈鴂（tí jué）：恶鸟名，又名鵙（jú），秋至鸣而草枯。此处喻指党人。　[17]为之：因此。之，此，承上句"鹈鴂先鸣"而言。

## 译文

巫咸说："努力适应人生的俯仰沉浮而上天下地寻求啊，你应该留在楚国而去寻求与法度一致的地方。商汤、夏禹言行庄重而寻求相合的贤臣啊，因此得到伊尹、皋陶而君臣之间相处融洽。只要你内心的情实真是追求美德啊，又何必派遣媒人去说合。傅说曾经操持筑杵在傅岩夯打土墙啊，武丁依据梦中的形象起用他为相，信任他。姜太公曾经做过屠夫啊，后遇见周文王而得到提拔任用。甯戚曾经敲着牛角唱歌啊，齐桓公闻其声就用为大夫。趁着年纪未老啊，时光也还没有尽。担心的是鹈鴂抢先鸣叫啊，使各种芳草因此没有芳香。”



**何琼佩之偃蹇兮[1]，众薆然而蔽之[2]。惟此党人之不谅兮[3]，恐嫉妒而折之[4]。时缤纷其变易兮[5]，又何可以淹留[6]。兰芷变而不芳兮，荃蕙化而为茅[7]。何昔日之芳草兮，今直为此萧艾也[8]。岂其有他故兮[9]，莫好修之害也。**

## 注释

[1]琼佩：玉佩，此处喻指屈原自己的美质。 [2]薆（ài）然：遮掩的样子。 [3]惟：发语词。谅：信实，诚实。 [4]折：摧折，毁坏。 [5]时：时世，社会。缤纷：错杂混乱的样子。变易：变化。 [6]淹留：久留。淹，久。 [7]荃（quán）：香草名，又名荪。蕙：香草名，又名熏草。茅：恶草名，茅草。[8]直：径直，表示变化太快。萧：恶草名，蒿草。艾：恶草名，艾草。[9]他故：别的缘故。

## 译文

我的美质多么盛丽啊，众人却把它遮蔽起来。这些结党营私的群小是不讲诚信的啊，让我担心的是他们会嫉妒而把它摧折。时世错杂混乱而变化无常啊，我又怎么可以长久留在这里。兰草、白芷一类的人才都变质而没有了芳香啊，荃草、蕙草一类的人才也都腐化而变成了茅草。为什么往日这些芳草一类的人才啊，如今倏忽间变成了萧艾一类的坏人。这哪里还有什么别的缘故啊，都是不爱好修身所致的恶果。

**余以兰为可恃兮[1]，羌无实而容长[2]。委厥美以从俗兮[3]，苟得列乎众芳[4]。椒专佞以慢慆兮[5]，榝又欲充夫佩帏[6]。既干进而务入兮[7]，又何芳之能祗[8]？固时俗之流从兮[9]，又孰能无变化[10]？览椒兰其若兹兮[11]，又况揭车与江离[12]？**

## 注释

[1] 可恃：可靠。恃，靠，赖。 [2] 无实：没有诚信之实。容长：仪容美好。 [3] 委：抛弃。此处指自己抛弃。美：美质。从俗：追从世俗。从，追从。 [4] 苟得：才能够。列：列位。众芳：即上文“哀众芳之芜秽”句中的“众芳”。此处喻指各种变质的人才，而非真正美好的人才。 [5] 椒：香木名，木椒。此处喻指变质的人才。专佞：专横谗佞。慢慆（tāo）：傲慢放肆。

[6] 榝（shā）：恶木名，又名食茱萸。此处喻指坏人。佩帏：佩戴的香囊。　[7] 干进：企求升官。干，求；进，进爵。务入：企求做官。　[8] 芳：椒榝本体之芳，此处喻指美好的品质。祗（zhī）：恭敬。　[9] 流从：从流，随波逐流。　[10] 孰：谁。　[11] 若兹：如此。兹，此。　[12] 揭车：香草名，黄叶白花。

## 译文

我原以为兰草一类的人才是可靠的啊，不料他们无诚信之实而徒有美好之貌。他们以为抛弃自己的美质而追随世俗啊，才能够与所谓芳草一类的人才列在一起。木椒一类的人才专横谗佞而又傲慢放肆啊，食茱萸一类的坏人又想去充满君王的香囊。已经极力钻营只求做官升官啊，他们又怎么能敬重自己的美质？社会习俗本来就是随波逐流啊，又有谁能保持美质而没有变化？看看木椒、兰草一类的人才尚且如此啊，何况次一等的揭车与江离一类的人才呢？

**惟兹佩之可贵兮[1]，委厥美而历兹[2]。芳菲菲而难亏兮[3]，芬至今犹未沫[4]。和调度以自娱兮[5]，聊浮游而求女[6]。及余饰之方壮兮[7]，周流观乎上下[8]。**

## 注释

[1] 惟：同“唯”，只。兹佩：即上文的“琼佩”。因前有“折琼枝以继佩”句，可知此处“琼佩”乃琼枝所做而成。琼枝虽为

神界之物，但也是草木，故有色香。　[2]委：抛弃。此处指被人抛弃。历兹：经历此等困境。　[3]菲菲：香气浓郁的样子。[4]沬(mèi)：通“昧”，昏暗，暗淡。　[5]和：使……和谐。调度：风范，作风。　[6]浮游：飘游。求女：寻求美女。女，美女，包括神女（喻指明君）和下女（喻指贤臣）。　[7]及：趁着。饰：佩饰，此处指琼佩。方壮：正当盛美。　[8]周流：遍游。上下：上天下地。此处喻指远离楚国后上求明君和下求贤臣。

## 译文

只有我那玉佩般的美质最为可贵啊，没想到却遭人抛弃而经历此等困境。但它的香气依旧浓郁而难以减损啊，它的芬芳到现在还未曾变淡一点儿。协调玉佩的声响与步伐的节度来自我娱乐啊，我暂且四处飘游而寻找自己心中美好的女人。趁着我的玉佩正当盛美啊，我要周游观览于天地四方。

**灵氛既告余以吉占兮[1]，历吉日乎吾将行[2]。折琼枝以为羞兮[3]，精琼靡以为粻[4]。为余驾飞龙兮[5]，杂瑶象以为车[6]。何离心之可同兮[7]，吾将远逝以自疏[8]。**

## 注释

[1]以：把。　[2]历：选择。　[3]羞：同“馐”，佳肴。[4]精：凿碎。琼靡（mí）：玉屑。粻（zhāng）：粮食。　[5]飞龙：

善兽名，有翼的龙。 [6] 杂：杂用。瑶象：美玉和象牙。 [7] 离心：异心，心志不同。 [8] 远逝：远行。自疏：自行疏离，主动离开。

## 译文

灵氛已经把吉祥的卦辞告诉我啊，选好吉利的日子我将要启程远行。折取玉树之枝当做菜肴啊，我又凿玉屑作为粮食。我命令随从替自己驾驭飞龙啊，又杂用美玉和象牙镶饰自己的车。心志不同怎么可能相合啊，我将远走高飞而自行疏离。



**邅吾道夫昆仑兮[1]，路修远以周流[2]。扬云霓之晻蔼兮[3]，鸣玉鸾之啾啾[4]。朝发轫于天津兮[5]，夕余至乎西极[6]。凤皇翼其承旂兮[7]，高翱翔之翼翼[8]。忽吾行此流沙兮[9]，遵赤水而容与[10]。麾蛟龙使梁津兮[11]，诏西皇使涉予[12]。路修远以多艰兮[13]，腾众车使径待[14]。路不周以左转兮[15]，指西海以为期[16]。**

## 注释

[1] 邅（zhān）：楚方言，转道，转弯。 [2] 周流：遍游。 [3] 扬云霓："云霓扬"的倒装，云旗飞扬。云霓，云霞，此处指以云霞为旌旗，即下文的"云旗"。扬，飞扬。晻蔼（yǎn ǎi）：云

霞遮天蔽日的样子。　[4] 鸣玉鸾："玉鸾鸣"的倒装，车铃鸣唱。玉鸾，用玉雕成而形如鸾鸟的车铃。啾啾（jiū jiū）：玉鸾发出的声音。　[5] 发轫（rèn）：出发，启程。天津：天河的渡口，在天的东面。津，渡口。　[6] 西极：天空的西边尽头。

[7] 翼其：翼然，翅膀张开的样子。承：承举，托举。旂（qí）：同"旗"，即上文的"云霓"。　[8] 翼翼：整齐和谐的样子。　[9] 流沙：地名，神话中的西方沙漠之地，据说那里的沙漠流动如水。

[10] 赤水：水名，发源于昆仑山。容与：缓缓行进。　[11] 麾：指挥。蛟龙：无角的龙。梁：架桥。津：渡口。　[12] 诏：命令。西皇：西方之神。涉：渡过。　[13] 艰：艰险。　[14] 腾：传令。径待（shì）：一路侍卫。待，通"侍"，侍卫。　[15] 路：路过，路经。不周：山名，神话中昆仑山西北边的山。　[16] 西海：水名，神话中西边的海。期：约会，此处指约会的地点。

## 译文

在昆仑山上转变我前进的线路啊，路途即使很遥远但我也要去周游。云旗翻卷飞扬而遮天蔽日啊，车铃又一路鸣唱而清和悦耳。早上从天河的渡口出发啊，晚上我就到了天空的西头。凤凰展开翅膀托举着云旗啊，它们整齐和谐地在高空飞翔。倏忽间我到了流沙啊，沿着赤水而缓缓行进。我指挥蛟龙横跨在渡口充当桥梁啊，又命令西方之神让他把我渡过。路途很遥远又多艰险啊，我也传令众车让它们在路边侍卫。经过不周山而向左转弯儿啊，我指定西海作为会合的地点。

**屯余车其千乘兮[1]，齐玉轪而并驰[2]。驾八龙之婉婉兮[3]，载云旗之委蛇[4]。抑志而弭节兮[5]，神高驰之邈邈[6]。奏《九歌》而舞《韶》兮[7]，聊假日以媮乐[8]。**

## 注释

[1]屯：屯聚，聚集。乘（shèng）：古代车的量词，四匹马拉一车叫“一乘”。 [2]齐：整齐，对齐。玉轪（dài）：车毂上包的玉帽。并驰：并驾齐驱。 [3]婉婉：龙身屈伸前行的样子。 [4]委蛇（wēi yí）：旌旗随风飘动的样子。 [5]抑志：抑制自己的心志，定下心来。弭（mǐ）节：放下赶车的策鞭，也就是把车子停下来。 [6]神：心神，神思。高驰：高高飞驰。邈邈（miǎo miǎo）：遥远的样子。 [7]《韶（sháo）》：《九韶》，传说中虞舜的舞曲。 [8]假日：假借时日。假，借。媮乐：同义复词，娱乐。媮，通“愉”。

## 译文

聚集着我的千辆从车啊，对齐车辖而一路并驾齐驱。驾着八龙蜿蜒飞翔啊，又载着云旗逶迤飘动。我抑制心志而把车子停下来啊，我的神思高高飞驰得邈远无际。奏起《九歌》而又跳起《韶》舞啊，我暂且假借眼前的时日而自我娱乐。

陟升皇之赫戏兮[1]，忽临睨夫旧乡[2]。仆夫悲余马怀兮[3]，蜷局顾而不行[4]。

## 注释

[1] 陟（zhì）升：同义复词，上升。皇：皇天。赫戏：光明辉煌的样子。　[2] 临：居高下视。睨（nì）：斜视。旧乡：故乡，这里指楚国。　[3] 仆夫：跟随的人，仆从。　[4] 蜷（quán）局：蜷曲不伸。

## 译文

我在光明辉煌的天空中升上天庭啊，向下俯视见到了我的故土。我的仆从悲伤而我的马也怀思留恋啊，马儿蜷曲着身体再三回顾而不肯前行。

## 赏析

此节是灵氛与巫咸之间的对话，旁听者则是屈原。灵氛卜辞指出屈原在楚国已无望，应当离开；而巫咸则劝勉屈原继续留在楚国，上求明君，下索贤臣。在这次“对话”后，屈原采取了去楚求女的“行动”。与第一次“求女”相似，屈原还是借此传达其“上求明君”、“下求贤臣”的意愿。

此节中灵氛和巫咸均是神巫名。神巫在古代被认为是人和神之间交流的媒介。人的祈愿可以通过神巫向神灵传达，而神灵又可以附于神巫向人传递其旨意。楚国作为当时的南方大国，尽管已受到北方中原文化的影响，但它依然保有自身浓厚独特的巫觋文化。关于楚国巫风盛行的事实，在历代文献中多有记载，班固《汉

书·地理志》:“信巫鬼,重淫祀。”王逸《楚辞章句》:“昔楚国南郢之邑,沅、湘之间,其俗信鬼而好祠。”正是在这种迷狂思潮的氛围中,楚地的百姓十分虔诚地把神灵视为自己的救世主,故在祭祀时或作歌,或击鼓,或跳舞,场面极其隆重。屈原从小就生活在楚地,耳濡目染着楚地浓厚的巫术文化,受其影响之深不言而喻。在楚地,即使在抗敌入侵乃至危亡时刻,也还有国君或大臣始终相信只要获得神灵的保佑就自然平安无事,例如桓谭《新论》中提到楚灵王笃信巫祝之道,在吴国来攻、国家告急之时,他却泰然自若,对身边的人说:“我刚刚祭祀过神灵,肯定能得到神的庇佑,不用派兵去救。”班固《汉书·郊祀志》也记载楚怀王重视祭祀,极其信奉鬼神,希望通过神灵的庇佑来打败秦国军队,但最终“兵削地挫,身辱国危”。在这些荒唐行为的背后,我们不难发现,把神灵视作救世主的文化观念一直扎根于楚人的心灵深处。

在《离骚》中,屈原所要寻找的美人,正是这种救世主式的女神,唯有她们才能真正了解他,拯救他。因此,就巫觋文化的影响而言,神灵的特异本领成为影响屈原塑造美人形象的间接因素。

## 思考讨论

1. 从灵氛与巫咸的话语来看,灵氛、巫咸各持什么样的意见?
2. 屈原为何纠结于是否要离开楚国?

乱曰:已矣哉[1],国无人莫我知兮[2],又何怀乎故都[3]?既莫足与为美政兮[4],吾将从彭咸之所居[5]。

## 注释

[1]乱：乐歌的最后一章，尾声。从内容上看，它是全篇的总结。已矣哉：算了吧。　[2]人：美人。此处喻指贤人，包括明君和贤臣。莫我知："莫知我"的倒装，不了解我。　[3]故都：楚国郢都。　[4]莫足与：不足以一起。与，与共，一起。　[5]从：追从。所居：居住的地方。此处屈原明确表示自己要以彭咸为榜样，宁死不屈，并决定自沉，到彭咸的住所去与他为伴。

## 译文

尾声：算了吧，国家没有美人！国内之人都不了解我啊，我又何必怀念我的故都？已经不足以一起成就美好的政治啊，我将追从彭咸到他所居住的江底去。

## 赏析

此节写屈原欲死，"将从彭咸之所居"；写其不为人知、处境凄惨，"国无人莫我知兮"；写其理想破灭，"既莫足与为美政兮"。

此节中提到的彭咸是谁呢？王逸认为他是"殷贤大夫"，而颜师古认为他是"殷之介士"。不管怎样，两人皆认为彭咸是殷商的贤臣。他是与党人相对立的贤臣，是刚直正派、才华横溢、胸怀抱负的贤人，是一位积极入世、慷慨赴义的贤士。据说，彭咸曾屡次劝谏商王，但商王骄奢淫逸，不采纳其忠言，最后彭咸投江自尽，以死明志，被后代奉为人臣的楷模。

"既莫足与为美政兮，吾将从彭咸之所居。"在这里，屈原明确表示自己要以彭咸为榜样，宁死不屈，并决定仿效彭咸，以自沉来反抗时世。屈原之所以产生这种念头，是因为他感到自己在现实中备受党人的谗害，唯有回到古人那里去才能找到知音。可

以说，彭咸因不容于世而走向死亡，也正暗示着屈原自己宁愿选择死亡也绝不苟且偷生于今世。对于屈原来说，要想有尊严、有价值地活着，是几乎不可能的事情。从俗，他不愿干；隐逸，他不忍为。在《离骚》中，屈原一再强调自己没有知音。屈原坚信，整个楚国唯有自己具有古代贤臣辅佐明君成就大业的一切才能，倘若自己能获得明君的信任和重用、贤臣的理解和支持，那一定能实现自己的美政理想。然而，楚国的政治极为黑暗，那些奸佞小人嫉妒自己的才能，而在楚怀王面前不断造谣诬陷自己，致使自己的美政理想终究化为泡影。屈原觉得与其被侮辱、被损害地活着，不如持守道义、坚守理想，以自沉这种最激烈的方式，来为自己的不幸命运做最后的反抗。

## 思考讨论

1. 屈原在《离骚》中塑造了一个怎样的抒情主人公形象？
2. 如何理解《离骚》中的名物世界？

# 第二章　九　歌（选六）

## 湘　君

**君不行兮夷犹[1]，蹇谁留兮中洲[2]？美要眇兮宜修[3]，沛吾乘兮桂舟[4]。令沅湘兮无波[5]，使江水兮安流[6]！望夫君兮未来[7]，吹参差兮谁思[8]！**

### 注释

[1] 君：此处是湘夫人对湘君的称呼。不行：不来赴约。夷犹：犹豫、迟疑不前的样子。　[2] 蹇：楚方言，发语词。谁留：为谁而滞留。中洲："洲中"的倒装。洲，水中的小岛。　[3] 要眇：窈窕美貌的样子。宜修：修饰适宜，装扮得体。　[4] 沛（pèi）：船在水中急速行驶的样子。桂舟：用芳香的桂木做成的船。
[5] 沅（yuán）：沅水。湘：湘水。　[6] 安流：平缓地流淌。
[7] 夫君：此处是湘夫人对湘君的称呼。未来：没有到来。
[8] 参差（cēn cī）：此处指排箫。谁思："思谁"的倒装，思念谁。

### 译文

湘君不来赴约啊迟疑不前，到底是为谁滞留啊在洲中？我窈窕美好啊又装扮得体，我疾速乘行啊在桂木船中。命令沅水湘水

啊风平浪静，使千里江水啊平缓流淌！盼望着见你啊你迟迟没有到来，吹奏着排箫啊我又能思念着谁！

驾飞龙兮北征[1]，邅吾道兮洞庭[2]。薜荔柏兮蕙绸[3]，荪桡兮兰旌[4]。望涔阳兮极浦[5]，横大江兮扬灵。扬灵兮未极[6]，女婵媛兮为余太息[7]。横流涕兮潺湲[8]，隐思君兮陫侧[9]。

## 注释

[1] 飞龙：善兽名，有翼的龙。此处指由龙驾驶的快船。北征：向北方行进。　[2] 邅（zhān）：楚方言，转道，转弯。洞庭：洞庭湖。　[3] 柏：博壁，此处指用席子贴着船舱的墙壁。绸：帐子。[4] 荪（sūn）：香草名，俗名石菖蒲。桡（ráo）：旗杆上面的曲柄，可用于悬挂和装饰。旌（jīng）：旗杆上面的装饰物。　[5] 涔（cén）阳：地名。极浦：遥远的水岸。浦，水岸。　[6] 极：至，到达。[7] 女：此处指湘夫人身边的侍女。婵媛（chán yuán）：楚方言，即"啴咺"，因愤怒或悲伤而喘息不止的样子。太息：叹息。　[8] 横流涕：眼泪横流。潺湲（chán yuán）：眼泪流淌不止的样子。
[9] 隐：暗地，暗自。悱（fěi）侧：通"悱恻"，愁苦悲伤的样子。

## 译文

驾驶飞龙开的船啊向北方行进，转变我的航道啊在洞庭湖上。用薜荔饰舱壁啊用蕙草做帐子，用荪草做杆柄啊用兰草做旌旗。眺望涔阳啊遥远的水岸，横渡大江啊以扬显灵光。我已扬显灵光啊还未到达终点，侍女怒得气喘吁吁啊为我叹息。我眼泪横流啊无法抑止，暗暗思念你啊愁断心肠。

**桂棹兮兰枻[1]，斲冰兮积雪[2]。采薜荔兮水中[3]，搴芙蓉兮木末[4]。心不同兮媒劳[5]，恩不甚兮轻绝[6]。石濑兮浅浅[7]，飞龙兮翩翩[8]。交不忠兮怨长，期不信兮告余以不闲[9]。**

## 注释

[1] 桂：香木名，桂木。棹（zhào）：长的船桨。枻（yì）：短的船桨。 [2] 斲（zhuó）：同“斫”，砍削。 [3] 薜（bì）荔：香草名，又名木馒头，一种蔓生植物。 [4] 搴（qiān）：摘取。芙蓉：荷花。木末：树梢。 [5] 媒劳：媒人徒劳而无功。 [6] 不甚：不深。轻绝：容易绝断感情。 [7] 石濑（lài）：沙石间湍急的浅水。浅浅：水急速流淌的样子。 [8] 翩翩：船行驶轻快的样子。 [9] 期：约会。信：信守。

## 译文

用桂木做长桨啊用兰木做短桨，扬起双桨斫开冰块啊扫除积雪。我采下陆生的薜荔啊在水中，摘取水养的荷花啊在树梢上。心意不合啊媒人只能徒劳无功，恩爱不深啊非常容易绝断感情。沙石间的浅水啊急速流淌，江水中的龙船啊轻快飞驰。恋爱不忠诚啊让人长久怨叹，不守约啊却骗我说不得空闲。

**鼂骋骛兮江皋[1]，夕弭节兮北渚[2]。鸟次兮屋上[3]，水周兮堂下[4]。捐余玦兮江中[5]，遗余佩兮醴浦[6]。采芳洲兮杜若[7]，将以遗兮下女[8]。时不可兮再得[9]，聊逍遥兮容与[10]。**

## 注释

[1] 鼂（zhāo）：同“朝”，清晨。骋骛（wù）：疾驰。江皋：江边的高地。　[2] 北渚（zhǔ）：北面水中的小洲。　[3] 次：栖息。　[4] 周：环绕。　[5] 捐：抛弃。玦（jué）：一种古代佩戴在身上的玉器，环状，有缺口。　[6] 遗（yí）：丢弃。佩：玉佩。醴（lǐ）浦：澧水之滨。醴，同“澧”。　[7] 芳洲：生长着香草的水洲。杜若：香草名。　[8] 遗（wèi）：赠送。下女：此处指湘君身边的侍女。　[9] 时：会面的时机。　[10] 逍遥：徘徊。容与：缓缓行进。

## 译文

我清晨迅疾地奔驰啊在江边的高地，傍晚停车啊在北面的小洲。鸟儿栖息啊在屋顶上，流水环绕啊在堂屋下。把我的玉玦丢弃啊到江水之中，把我的玉佩遗弃啊在澧水之滨。在生长着香草的水洲摘取啊杜若，我将把它赠送啊给你身边的侍女。会面的时机不可能啊再得，我姑且徘徊啊缓缓地行进。

## 赏析

《九歌》，共有十一篇，包括《东皇太一》、《东君》、《云中君》、《湘君》、《湘夫人》、《大司命》、《少司命》、《河伯》、《山鬼》、《国殇》、《礼魂》。朱熹认为，《九歌》为屈原在楚地祭歌的基础上改编而成，而楚地祭神的方法为“或以阴巫下阳神，或以阳主接阴鬼”（朱熹《楚辞集注》），也就是通过模拟恋爱过程来完成祭祀仪式。

《湘君》、《湘夫人》都是以湘水为背景，既独立成篇，又紧密相关，可谓珠联璧合的情侣篇。这两篇“写的是湘君和湘夫人的约会。他们的误会乃至不能见面源于一个时间差：湘君找到这儿，湘夫人还没来，然后湘君掉头走了，湘夫人跟着就到了。两个人都感到很难受。这表达了屈原自己的很多错位的经历、感受、痛苦以及无奈，当然也有憧憬、渴望、期待，他觉得人生本来就有很多错位”。（周建忠《楚辞讲演录》）

对于湘君、湘夫人到底指谁，各家有不同看法。有学者认为，湘君指尧的两个女儿，舜的两个妃子，也就是娥皇、女英，例如司马迁《史记·秦始皇本纪》、刘向《烈女传》。也有学者认为，湘夫人指尧的两个女儿，舜的两个妃子，也就是娥皇、女英，并据此推测湘君指舜，例如王逸《楚辞章句》。还有学者认为，湘君指娥皇，湘夫人指女英，例如韩愈《黄陵庙碑》。后来，洪兴祖、朱熹、蒋骥等皆依从韩愈的说法。应该说，他们拘泥于将湘君、湘夫人按舜与二妃的传说一一指实，难免削足适履，并不符合作品的实际。而王夫之将湘君、湘夫人视为湘水的配偶神，而不专指谁，《楚辞通释》："盖湘君者，湘水之神，而夫人其配也。"此说比较确切，值得信从。

从作品本身来看，《湘君》以湘夫人为第一人称，写湘夫人对湘君的思念。湘夫人是女神，湘君为男神。全篇由女巫扮湘夫人独唱，表达了湘夫人因湘君未能如约前来而产生的失望、怀疑、哀伤、埋怨的复杂感情。首先，写湘夫人的期望，她祈盼湘君到来，但是湘君并未降临。然后，写湘夫人的寻找，她久等不至，便驾舟向北面寻找，结果依然不见湘君的踪影。接着，写湘夫人的反省，她失望至极，质疑湘君与自己“心不同”、“恩不深”、“交不忠”、“期不信”，就像在水中摘取薜荔，在树上采取芙蓉，岂可得到对方的爱恋？最后，写湘夫人的回归，她重新回到约会地北渚，但仍然没有见到湘君，在极端失望中毅然将当初的定情之物抛到江中。

## 思考讨论

1. 有人认为《湘君》是以湘夫人为第一人称，表现湘夫人对湘君的思念；也有人认为《湘君》是以湘君为第一人称，表现湘君对湘夫人的思念；还有人认为《湘君》没有第一人称，是男女主人公的轮番对唱。对此，你有什么看法？

2. 请具体分析《湘君》中抒情主人公的心路历程。



## 湘夫人

**帝子降兮北渚[1]，目眇眇兮愁予[2]。嫋嫋兮秋风[3]，洞庭波兮木叶下[4]。白薠兮骋望[5]，与佳期兮夕张[6]。鸟萃兮蘋中[7]？罾何为兮木上[8]？沅有茝兮醴有兰，思公子兮未敢言[9]。荒忽兮远望[10]，观流水兮潺湲[11]。**

## 注释

[1] 帝子：此处是湘君对湘夫人的称呼。 [2] 眇眇（miǎo miǎo）：极目远眺而模糊不清的样子。愁：使……愁苦。
[3] 嫋嫋（niǎo niǎo）：微弱而不断的样子。 [4] 波：兴起水波，涌起波浪。 [5] 白薠（fán）：香草名，一种秋生草。骋望：纵目远望。 [6] 佳：佳人，此处指湘夫人。夕张：傍晚布置帷帐枕席。张，陈设，布置。 [7] 鸟萃（cuì）：应作“鸟何萃”。

洪兴祖《楚辞补注》:“一本‘萃’上有‘何’字。”萃，聚集。蘋：一种水草名。　[8] 罾（zēng）：渔网。　[9] 公子：此处是湘君对湘夫人的称呼。　[10] 荒忽：迷茫怅惘的样子。
[11] 潺湲（chán yuán）：水缓慢流动的样子。

## 译文

湘夫人降临啊在这北面的小洲上，我极目远眺不见伊人啊使我愁苦非常。微弱而不断啊从远处吹来的秋风，洞庭湖涌起波浪啊树叶萧萧飘落。我登上长着白薠的高岸啊纵目远望，与湘夫人约会啊傍晚已经布置妥当。山鸟为何聚集啊在水草间？渔网为何张挂啊在树枝上？沅水有白芷啊澧水有幽兰，我思念湘夫人啊却不敢言。迷茫怅惘啊举目远眺，看到流水啊缓缓流淌。

**麋何食兮庭中？蛟何为兮水裔[1]？朝驰余马兮江皋[2]，夕济兮西澨[3]。闻佳人兮召予[4]，将腾驾兮偕逝[5]。**

## 注释

[1] 水裔（yì）：水边。　[2] 江皋（gāo）：江边的高地。　[3] 济：渡过。澨（shì）：水边。　[4] 佳人：此处是湘君对湘夫人的称呼。　[5] 腾驾：飞腾起车驾。偕（xié）逝：一同前往，此处指与湘夫人一起生活。

## 译文

深山的麋鹿为何觅食啊在人家的庭院中？深海的蛟龙为何游玩啊在水边的浅滩上？早上驱驰我的马啊在江边的高地，傍晚我渡过江啊到了江水的西边。我听到湘夫人啊在深情召唤我，将飞腾起车驾啊与她共赴远方。



**筑室兮水中，葺之兮荷盖[1]。荪壁兮紫坛[2]，匊芳椒兮成堂[3]。桂栋兮兰橑[4]，辛夷楣兮药房[5]。罔薜荔兮为帷[6]，擗蕙櫋兮既张[7]。白玉兮为镇[8]，疏石兰兮为芳[9]。芷葺兮荷屋[10]，缭之兮杜衡[11]。合百草兮实庭[12]，建芳馨兮庑门[13]。九嶷缤兮并迎[14]，灵之来兮如云[15]。**

## 注释

[1]葺（qì）:覆盖。荷盖:用荷叶覆盖屋顶。 [2]荪（sūn）壁:用荪草装饰室壁。紫坛:用坚滑而又光彩夺目的紫贝铺饰庭院。坛，庭院。 [3]匊:“番”的古文，通“播”，涂抹。椒:香木名。古人以椒泥涂抹墙壁，认为可以避除恶气，温暖芳香。成：整个。[4]桂栋:用桂木做屋梁。兰橑（lǎo）:用木兰做屋椽。 [5]辛夷楣:用辛夷木作门上的横梁。辛夷，香木名。楣，门上的横梁。药房：用白芷叶装饰房间。药，白芷的叶子。 [6]罔：“网”的古字，编结。 [7]擗（pǐ）：剖开。櫋（mián）：屋檐。 [8]镇：

压坐席的玉石。　[9]疏：疏散，分散。石兰：一种兰草，即山兰。　[10]荷屋：用荷叶覆盖的屋顶。　[11]缭：环绕。杜衡：香草名，俗名马蹄香。　[12]实：布满，充实。　[13]芳馨：泛指各种香花香草。庑（wǔ）门：厢房。　[14]九嶷：九嶷山，此处指九嶷山诸神。缤：众多的样子。　[15]灵：神灵。　如云：如云般众多的样子。

## 译文

建造聚会的居室啊在水中，覆盖居室啊荷叶覆盖屋顶。荪草装饰室壁啊紫贝铺饰庭院，用馨香的椒泥涂抹啊整个厅堂。用桂木作屋梁啊用木兰作屋椽，用辛夷作横梁啊用白芷叶装饰卧房。编结薜荔啊做成帐幔，剖开蕙草啊在屋子里铺张。洁白的美玉啊把它作为压席子的器具，分散摆放山兰啊把它作为散发芳香的饰物。加盖白芷啊在荷叶覆盖的屋顶，环绕在居室的周围啊全是杜衡。汇集各种香草啊充实整个庭院，陈设各色香花香草啊布满厢房。九嶷山神众多啊一起来迎，神灵下降啊如云朵般众多。

**捐余袂兮江中[1]，遗余褋兮醴浦[2]。搴汀洲兮杜若[3]，将以遗兮远者[4]。时不可兮骤得[5]，聊逍遥兮容与[6]。**

## 注释

[1]捐：抛弃。袂（mèi）：有里的外衣。　[2]遗（yí）：丢

弃。褋（dié）：无里的内衣。　[3] 汀（tīng）：水中的平地。
[4] 以：用。远者：远方的人，此处指湘夫人。　[5] 骤：屡次。
[6] 容与：缓缓行进。

## 译文

把我的外衣丢弃啊到江水之中，把我的单衣遗弃啊在澧水之滨。在水中的平地摘取啊杜若，我将把它赠送啊给湘夫人。会面的时机不可能啊多得，我姑且徘徊啊缓缓地行进。

## 赏析

湘夫人是湘君的配偶神。从作品本身来看，《湘夫人》是以湘君为第一人称，写湘君对湘夫人的思念。戴震《屈原赋注》："此歌与《湘君》章法同，而构思各别。"全篇由男觋扮湘君独唱，表达了湘君因未能与湘夫人相见而产生的失望、幻想、绝望的复杂感情。

首先，写湘君期待会见湘夫人。开头四句，勾画出一幅深秋候人的图像，传达了深秋的悲凉与候人的失落，为全篇奠定了一种惆怅凄迷的情调。湘君一直在期待与湘夫人见面，结果却是思而不能见，思而未敢言。然后，写湘君出行寻找湘夫人。与《湘君》中湘夫人听到"告余以不闲"不同，《湘夫人》中湘君则听到"闻佳人兮召余"。但这是湘君因痴情而产生的幻觉。接着，写湘君幻想未来的生活。湘君幻想与湘夫人一起精心布置华美的居室；九嶷山诸神如云并集，共同出迎湘君与湘夫人，把那欢快的气氛推向高潮。最后，写湘君对湘夫人的绝望。当湘君从幻想中醒来时，才发现湘夫人终究没有到来。前面如此隆重的筑室之举，至此竟然大为扫兴，气氛也立刻由欢快变成哀伤。于是，湘君愤然将当

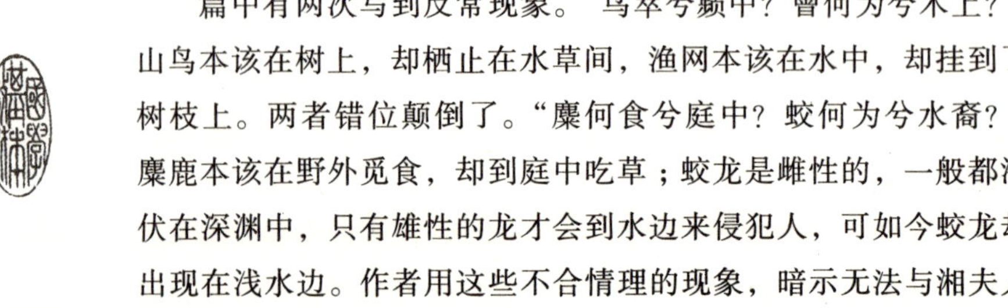

初的定情之物“袂”和“褋”抛到江中。

篇中有两次写到反常现象。“鸟萃兮蘋中？罾何为兮木上？”山鸟本该在树上，却栖止在水草间，渔网本该在水中，却挂到了树枝上。两者错位颠倒了。“麋何食兮庭中？蛟何为兮水裔？”麋鹿本该在野外觅食，却到庭中吃草；蛟龙是雌性的，一般都潜伏在深渊中，只有雄性的龙才会到水边来侵犯人，可如今蛟龙却出现在浅水边。作者用这些不合情理的现象，暗示无法与湘夫人会合。

## 思考讨论

1.“嫋嫋兮秋风，洞庭波兮木叶下”两句被胡应麟的《诗薮》誉为“千古言秋之祖”。对此，你如何理解？

2. 有人说,《湘夫人》中湘君思念湘夫人而不得相见的爱情悲剧，就是屈原自己不为楚王所知的人生悲剧的曲折反映。钱钟书《管锥编》:“作者假神或巫之口吻，以抒一己之胸臆。忽合而一，忽分为二，合为吾我，分相尔彼，而隐约参乎神与巫之离坐离立者，又有屈子在，如玉之烟，如剑之气。”你同意这种观点吗？请谈谈你的理由。

# 少司命

秋兰兮麋芜[1]，罗生兮堂下[2]。绿叶兮素枝[3]，芳菲菲兮袭予[4]。夫人自有兮美子[5]，荪何以兮愁苦[6]？

## 注释

[1]麋（mí）芜：香草名，又名芎䓖。 [2]罗：列，分布。堂：此处指祭祀的神堂。下：阶下。 [3]素：白色。枝：一作“华”，同“花”。 [4]芳菲菲：芳香浓郁扑鼻的样子。袭：侵袭。[5]夫（fú）：发语词。美子：美好的孩子。 [6]荪：香草名，此处喻指少司命，他是专司人间生儿育女以及掌管儿童命运的神。何以：为何。

## 译文

丛丛的秋兰啊簇簇的麋芜，并排长在祭祀神堂的阶下。绿色的叶子啊白色的花朵，浓郁的芳香啊阵阵袭向我。世人各自都有啊美好的孩子，少司命您为什么啊忧愁苦楚？

**秋兰兮青青[1]，绿叶兮紫茎。满堂兮美人[2]，忽独与余兮目成[3]。入不言兮出不辞[4]，乘回风兮载云旗[5]。悲莫悲兮生别离[6]，乐莫乐兮新相知[7]。荷衣兮蕙带[8]，儵而来兮忽而逝[9]。夕宿兮帝郊[10]，君谁须兮云之际[11]？**

## 注释

[1]青青：同“菁菁”，草木繁盛的样子。 [2]美人：此处指少司命。 [3]目成：此处指眉目传情，两情相悦。 [4]辞：

告辞，告别。　　[5] 回风：旋风。回，同“回”。云旗：把云作为旌旗。　　[6] 生别离：诀别，永无再见之日。　　[7] 新相知：新近的相交。　　[8] 荷衣：用荷叶做成的衣服。蕙带：用蕙草做成的衣带。　　[9] 儵（shū）：同“倏”，迅速。逝：离去。[10] 帝郊：天都的郊野。　　[11] 君：此处指少司命。谁须：“须谁”的倒装，等待谁。须，等待。

## 译文

丛丛的秋兰啊可真是茂盛，绿色的叶子啊紫色的茎干。芳香满堂啊有一位美人，忽然独自与我啊眉目传情。您来时不说话啊去时也不告别，乘着旋风啊载着云旗飘然远去。悲痛没有更悲痛啊永远的别离，快乐没有更快乐啊新近的结交。荷叶做成衣服啊蕙草织成衣带，突然地来到了啊又忽然地离去。傍晚留宿啊在天都的郊野，您等待谁啊在云彩的边际？

**与女游兮九河[1]，冲风至兮水扬波[2]。与女沐兮咸池[3]，晞女发兮阳之阿[4]。望美人兮未来[5]，临风怳兮浩歌[6]。**

## 注释

[1] 与：等待。女：通“汝”，您。九河：此处指天河。[2] 冲风：旋风，暴风。　　[3] 沐：洗头发。咸池：传说中太阳洗澡的水域。　　[4] 晞（xī）：晒干。阳之阿：此处指传说中日

出的旸（yáng）谷。阿，弯曲的地方。　　[5] 美人：此处指少司命。　　[6] 怳（huǎng）：怅惘失意的样子。浩歌：大声放歌。

### 译文

等待您一起畅游啊在天河，暴风到来啊河水扬起狂波。等待您一起洗头发啊在咸池，把您的秀发晾干啊在旸谷。盼望着少司命啊您却没来，迎着暴风惆怅啊大声放歌。



**孔盖兮翠旍[1]，登九天兮抚彗星[2]。竦长剑兮拥幼艾[3]，荪独宜兮为民正[4]。**

### 注释

[1] 孔盖：孔雀翎毛装饰的车盖。翠旍（jīng）：翠鸟羽毛做成的旌旗。旍，"旌"的古字。　　[2] 抚：控驭，握持。彗星：即扫帚星，传说可以扫除灾害邪秽。　　[3] 竦（sǒng）：挺出，高举。拥：保护。幼艾：此处泛指儿童。　　[4] 荪：香草名，此处指少司命。民正：民众的主宰。正，古人对长官的称呼。

### 译文

孔雀翎毛做车盖啊翠鸟羽毛做旌旗，您已登上了那九天啊控驭住了彗星。高举着长剑啊保护着世间的孩童，少司命唯您合适啊做民众的主宰。

## 赏析

“司命”一词，在古籍中多处出现。但以“大司命”、“少司命”而分之为二，当首见于《楚辞》。大司命、少司命，都是古人所祀之神。大概到秦汉时，他们被附会为星宿的命名。大司命，一般认为是掌管人间寿命的神。

关于少司命的职掌，历来有不同看法。归纳起来，主要有三种观点：一、主灾祥说，如戴震《屈原赋注》；二、主婚恋说，如蒋骥《山带阁注楚辞》；三、主子嗣说，如王夫之《楚辞通释》。从作品本身来看，少司命应当是主子嗣的神。“夫人自有兮美子，荪何以兮愁苦”句中的“美子”，以及“竦长剑兮拥幼艾，荪独宜兮为民正”句中的“幼艾”，都是子嗣，据此可知少司命的职掌。

但少司命到底是男神还是女神，学术界有不同看法。我们认为，少司命应该是女神，即民间所谓的“送子娘娘”。她一出场就是绿叶素枝、芳香扑鼻，给人柔美温婉的印象。蒋骥《山带阁注楚辞》：“《大司命》之辞肃，《少司命》之辞昵。”这或许跟大司命是男神、少司命是女神密不可分。

此篇由男觋扮祭祀者独唱，由女巫扮少司命登场。首写自己看见少司命登场时的情景，并劝慰少司命不要这般忧愁苦楚。次写自己与少司命从相知到离别，从离别到生疑的过程，内心无比惆怅。“满堂兮美人，忽独与余兮目成”，是“新相知”之乐；“入不言兮出不辞，乘回风兮载云旗”，是“生别离”之苦；“夕宿兮帝郊，君谁须兮云之际”，是“疑而不定之词”（林云铭《楚辞灯》）。再写自己对少司命的追慕，幻想自己陪她游河、洗发、晒发，结果却没见她回到自己身边，不禁长歌当哭。末写自己对少司命的由衷赞颂，并盼望她能为万民主宰。

## 思考讨论

1. 有人认为少司命是男神，也有人认为少司命是女神。对此，你有什么看法？

2. 有人认为少司命是主灾祥的神，也有人认为少司命是主婚恋的神，还有人认为少司命是主子嗣的神。请谈谈你的观点。

3. “悲莫悲兮生别离，乐莫乐兮新相知”两句被王世贞《艺苑卮言》誉为“千古情语之祖”。对此，你如何理解？



# 河伯

**与女游兮九河[1]，冲风起兮横波[2]。乘水车兮荷盖[3]，驾两龙兮骖螭[4]。**

## 注释

[1] 女：通“汝”，你。此处指与河伯相爱的女神。九河：此处指黄河。 [2] 冲风：旋风，暴风。横波：横冲直撞的狂然大波。[3] 水车：此处指河伯乘坐的车，可往来于水面。荷盖：把荷叶做成车盖。 [4] 骖螭（cān chī）：此处指把螭作为骖騑。骖，古代用四匹马驾车，位于车两边的马被称为骖；螭，无角的龙。

## 译文

想和你畅游啊在黄河，旋风吹起啊狂然大波。乘坐水车啊以荷叶为车盖，驾驭两龙啊把螭作为骖騑。

**登昆仑兮四望[1]，心飞扬兮浩荡[2]。日将暮兮怅忘归[3]，惟极浦兮寤怀[4]。鱼鳞屋兮龙堂[5]，紫贝阙兮朱宫[6]，灵何为兮水中[7]？**

## 注释

[1] 昆仑：山名，神话中一座上通于天的神山。 [2] 浩荡：水势广大无边的样子，此处指心胸开阔的样子。 [3] 怅：应作“憺”（dàn），内心欢畅的样子。 [4] 惟：思，想。极浦：遥远的水岸。寤怀：醒悟而思念。 [5] 鱼鳞屋：鱼鳞做成的屋子。龙堂：龙鳞做成的厅堂。 [6] 紫贝阙（què）：紫贝做成的望台。阙，宫门前两旁供人瞭望的楼阁。朱宫：一作“珠宫”，珍珠做成的宫室。 [7] 灵：神灵，此处指与河伯相爱的女神。

## 译文

登上昆仑啊纵目四望，心潮澎湃啊心胸开阔。时间已将近黄昏啊我却陶醉得忘了归返，想到那遥远的水岸啊我忽然觉悟而怀念。鱼鳞做成的屋子啊龙鳞做成的厅堂，紫贝做成的望台啊珍珠做成的宫室，神灵为什么啊竟然喜欢居住在水中？

**乘白鼋兮逐文鱼[1]，与女游兮河之渚[2]，流澌纷兮将来下[3]。子交手兮东行[4]，送美人兮南浦[5]。波滔滔兮来迎[6]，鱼邻邻兮媵予[7]。**

## 注释

[1] 鼋（yuán）：鳖。文鱼：鲤鱼。 [2] 女：通“汝”，你。此处指与河伯相爱的女神。 [3] 流澌（sī）：流动的浮冰。澌，应作“凘”。 [4] 子：你，此处指与河伯相爱的女神。交手：握手，表示送别。 [5] 美人：此处指与河伯相爱的女神。南浦：水滨的南面。 [6] 滔滔：波涛滚滚的样子，一作“鳞鳞”。 [7] 邻邻：众多的样子，一作“鳞鳞”。媵（yìng）：陪嫁的人。此处指陪送。

## 译文

乘驾着白鼋啊追随着鲤鱼，和你畅游啊在水中的小洲，流冰纷纷啊相随来下。你与我握手告别啊一路东行，我送走美人啊在水滨的南面。波涛滚滚啊前来迎接你，鱼儿成群啊陪送我回去。

## 赏析

河伯是黄河之神。在先秦典籍中，“河”一般不会泛指，而是特指黄河。黄河位于北方，不在楚国境内。按照古代礼制，诸侯国只祭祀其境内的山川神灵。据《左传·哀公六年》记载，楚昭王有病，卜者曰“河为祟”，然楚昭王不祭，曰：“三代命祀，祭不越望。”但这并不意味着所有楚人都不祭祀黄河。事实上，早在春秋时期，楚人就有祭祀黄河的先例。邲之战（前 597）时，楚晋战于河边，楚胜。临退兵前，楚人“祀于河，作先君宫，告成事而还”(《左传·宣公十二年》)。到了战国时期，楚国的疆域不断扩展，接近于黄河的南面，故楚人祭祀黄河，也就不再像过去那样受传统礼制的限制。且从《河伯》“与汝游兮九河”句来看，河伯也应指黄河之神。所谓“九河”，是黄河下游水系的统称。传说大禹治黄河洪水时，为了泄导洪水，自孟津以下，分九条河道。

《天问》:“帝降夷羿，革孽夏民。胡射夫河伯，而妻彼雒嫔。”意思就是说，善射的羿射伤了河伯，与河伯的妻子雒嫔发生了男女关系。由此可知，《河伯》中“女”（汝）或“美人”，就是指河伯的妻子洛嫔，即洛水女神。

此篇由男觋扮河伯独唱，由女巫扮洛嫔登场。首写河伯欲与洛嫔同乘水车，驾龙而游。次写河伯登昆仑，热切盼望洛嫔的归来，结果在失望中想到了洛嫔那装饰繁盛的居处。末写河伯终于迎来洛嫔，与她同游同乐，但洛嫔来而忽去，故河伯在南浦中送走了洛嫔。后世“送别南浦”、“南浦美人”的典故，就出自此篇。

## 思考讨论

1. 陈本礼《屈辞精义》:“屈原此篇，盖以河伯比当时贤士隐于河上如甘盘者，欲求其出而与之共事楚，而不得之作也。”你认同此种说法吗？请谈谈你的看法。

2. 有人认为《河伯》中的抒情主人公是河伯，也有人认为《河伯》中的抒情主人公是河伯的恋人。对此，你如何理解？

# 山　鬼

若有人兮山之阿[1]，被薜荔兮带女萝[2]。既含睇兮又宜笑[3]，子慕予兮善窈窕[4]。乘赤豹兮从文狸[5]，辛夷车兮结桂旗[6]。被石兰兮带杜衡[7]，折芳馨兮遗所思[8]。

## 注释

[1] 人：此处指山鬼。阿：屈曲的地方。 [2] 被（pī）：同“披”。带：以……为衣带。女萝：一种地衣类植物。 [3] 含睇（dì）：含情脉脉地微微斜视。宜笑：笑容美好可亲的样子。 [4] 子：你，此处指山鬼所爱的人。予：我，此处指山鬼。善窈窕：姿态美好的样子。 [5] 赤豹：赤褐色有斑纹的豹子。文狸：有花纹的狸。[6] 辛夷车：用辛夷木做成的车子。结桂旗：用桂枝编织成旗帜。[7] 被（pī）：同“披”。石兰：香草名。 [8] 芳馨：此处泛指各种香花香草。遗（wèi）：赠送。

## 译文

我啊在山的幽深处，披着薜荔啊又以女萝为衣带。含情脉脉地斜视啊笑容美好可亲，你原是爱慕我啊我姿态美好。驾乘着赤豹啊尾随着文狸，辛夷木做车啊桂枝编成旗。披着石兰啊以杜衡为带，采撷香花香草啊赠给思慕的人。

**余处幽篁兮终不见天[1]，路险难兮独后来[2]。表独立兮山之上[3]，云容容兮而在下[4]。杳冥冥兮羌昼晦[5]，东风飘兮神灵雨[6]。留灵修兮憺忘归[7]，岁既晏兮孰华予[8]？采三秀兮於山间[9]，石磊磊兮葛蔓蔓[10]。怨公子兮怅忘归[11]，君思我兮不得闲[12]。**

## 注释

[1]余:此处为山鬼自称。幽篁(huáng):此处指竹林的幽深处。篁,竹林。 [2]后来:迟到,晚来。 [3]表:独特突出的样子,卓然独立的样子。 [4]容容:同“溶溶”,云气涌动起伏的样子。[5]杳(yǎo):深远。冥冥:幽暗无光的样子。羌(qiāng):楚方言,发语词。晦:黑暗。 [6]神灵:此处指雨神。雨:降雨,下雨。[7]留:为……而滞留。灵修:此处指山鬼所爱的人。憺(dàn):内心欢畅的样子。 [8]晏:晚。孰:谁。华予:使我青春美好。华,使……青春美好。 [9]三秀:香草名,灵芝。於山:即巫山。 [10]磊磊:山石攒聚堆积的样子。葛:一种藤本蔓生植物。蔓蔓:藤茎缠绕的样子。 [11]公子:此处指山鬼所爱的人。[12]君:此处指山鬼所爱的人。



## 译文

我在竹林深处啊终日不见天日,路途艰险困阻啊因此姗姗来迟。卓然独立啊在高山之巅,云海汹涌起伏啊涌动在脚下。山里幽暗啊即使白天也黑暗,东风吹起啊雨神已降雨。为你而滞留啊欢畅得忘了归去,年岁已迟啊谁能使我重返青春美好的样子?奔走山间啊采摘灵芝,山石攒聚啊葛藤缠绕。怨恨你啊惆怅忘了回家,你想念我啊却不得空闲。

**山中人兮芳杜若[1],饮石泉兮荫松柏[2],君思我兮然疑作[3]。靁填填兮雨冥冥[4],猨啾啾兮又夜鸣[5]。风飒飒兮木萧萧[6],思公子兮徒离忧[7]。**

## 注释

[1]山中人：此处指山鬼。芳杜若：像杜若一样芳香。[2]饮石泉：饮用山石间流出的清泉。荫松柏：居住在松柏的树荫下。[3]君：此处指山鬼所爱的人。然疑作：信疑参半。然，肯定；疑，怀疑；作，产生。[4]靁："雷"的古字。填填：雷声。[5]猨：同"猿"。啾啾(jiū jiū)：猿发出的声音。又：长尾猿，一作"狖"(yòu)。[6]飒飒(sà sà)：风声。萧萧：风吹树木时枝叶发出的声音。[7]公子：此处指山鬼所爱的人。离：通"罹"，遭遇。

## 译文

我这个山中人啊就像那杜若一样芳香，饮用那山石间的清泉啊居住在松柏的树荫之下，你想念我啊我却是半信半疑。雷声轰隆隆啊阴雨濛濛，猿啼啾啾啊深夜哀鸣。风声飒飒响啊树木萧萧，思念你啊徒然招来忧愁。

## 赏析

古人常常鬼神不分，有时将"神"称作"鬼"。何晏《论语集解》引郑玄注："人神曰鬼。"《广雅·释天》："物神谓之鬼。"因此，山鬼就是山神。那么，山鬼到底指谁呢？洪兴祖《楚辞补注》认为，山鬼是山中的灵怪。但从此篇内容上看，山鬼应指楚地的巫山女神。早在清代，顾天成《九歌解》就推测山鬼为楚襄王所梦到的巫山神女姚姬（亦作瑶姬）。后来，郭沫若在《屈原赋今译》中又补证此说，认为《山鬼》"采三秀兮於山间"句中的"於山"即"巫山"，"於"与"巫"古音通转，因此山鬼就是巫山神女。况且，此篇的主人公就是一位含情脉脉、笑容可掬、身形窈窕的美丽女子，这也有力地证明山鬼就是巫山女神。

此篇由女巫扮山鬼独唱，写山鬼对意中人的思念。首先，写山鬼容颜俏丽，装束华美，欢快赴约，急切期盼与意中人相见。然后，写山鬼因路途崎岖而迟到，结果没有见到意中人，欢快的情绪立马烟消云散，陷入无限哀愁的情绪。但她仍然还抱有一丝希冀，开始在山林间寻找，同时在山间采食灵芝，以求青春长驻。最后，写山鬼强调自己还是那个芳香如故的“山中人”，既自赞又自怜,此时她的心理发生了变化,由“君思我兮然疑作”转入到“思公子兮徒离忧”。

此篇善于缘情入景，以景衬情。首先，山鬼刚出场时虽没有交代天气，但她所佩戴的香草已约略透露出景物的优美；接着，山鬼看到情人失约，心情顿时蒙上阴影，而景物也逐渐变得黯然失色，云雾弥漫、昼晦风起，给人以山雨欲来之感；最后，在确认情人终于不来时，已是一片凄厉的景色，雷声隆隆，淫雨连绵，风声飒飒，树叶飘零，给人清冷绝望之感。

## 思考讨论

1. 陈本礼《屈辞精义》:“此屈子被放山中寂寥，自写幽怀，岂其为祀鬼设耶?然写鬼之求悦人及鬼之归来山中，诙谐世故不少。”你赞同这种观点吗?请谈谈你的想法。

2. 请你举例分析作者运用了哪些写作手法来塑造山鬼形象。

# 国　殇

**操吴戈兮被犀甲**[1]**，车错毂兮短兵接**[2]**。旌蔽**

日兮敌若云[3]，矢交坠兮士争先[4]。凌余阵兮躐余行[5]，左骖殪兮右刃伤[6]。霾两轮兮絷四马[7]，援玉枹兮击鸣鼓[8]。天时坠兮威灵怒[9]，严杀尽兮弃原壄[10]。

## 注释

[1] 吴戈：吴地所出产的戈，以锋利著名。戈，古代一种横刃长柄武器。被（pī）：同“披”。犀甲：用犀牛皮制成的铠甲。甲，铠甲，古代军人打仗时所穿的用于防护的衣服。 [2] 错：交错。毂（gǔ）：车轮中心用于插轴的地方。短兵：刀剑一类的用于短距离厮杀的短兵器。 [3] 旌（jīng）：旗杆顶端装饰有羽毛的旗。[4] 矢（shǐ）：箭。交坠：交互坠落。士：此处指楚国的将士。[5] 凌：侵犯。躐（liè）：踩踏，践踏。行（háng）：战阵。[6] 殪（yì）：死。刃伤：此处指被兵刃所伤。 [7] 霾：通“埋”。絷（zhí）：用绳子缚住。 [8] 援：拿起。玉枹（fú）：此处指用美玉装嵌的鼓槌。枹，同“桴”，鼓槌。鸣鼓：此处指声音响亮的战鼓。 [9] 天时坠：此处指日暮黄昏。威灵：威严的神灵。[10] 严杀：严酷地激战厮杀。尽：终止。弃：此处指弃尸。壄：“野”的古字。

## 译文

手持着吴戈啊身披着犀甲，敌我战车交错啊短兵相接。旌旗遮蔽太阳啊敌兵密如云，流矢交互坠落啊勇士向前冲。侵犯我战阵啊践踏我军战阵，左骖战死啊右骖被兵刃所伤。掩埋了两车轮啊紧勒住了马缰，擂起玉饰的鼓槌啊战鼓震天响。未逢天时命当陨落啊威严的神灵震怒，惨杀已经终止啊弃尸于原野。

**出不入兮往不反[1]，平原忽兮路超远[2]。带长剑兮挟秦弓[3]，首身离兮心不惩[4]。诚既勇兮又以武[5]，终刚强兮不可凌[6]。身既死兮神以灵[7]，子魂魄兮为鬼雄[8]。**



## 注释

[1] 出:出征。入:此处指生还。反:同“返”,返回。 [2] 忽:恍惚，不明的样子。超：远。 [3] 带：佩带。挟（xié）：夹持在胳膊底下。秦弓：秦地制造的精良之弓。 [4] 惩：惩戒而悔改。 [5] 诚:诚然，实在。以:有 [6] 终:始终。 [7] 以:因此。灵：灵验，显扬。 [8] 子：你们，此处指楚国阵亡的将士。鬼雄：神鬼中的英雄。

## 译文

出征没有再生还啊一去不返，平原迷茫不清啊路途又遥远。佩带长剑啊挟持着秦弓，身首异处啊心亦不悔。诚然既勇敢啊又身怀武艺，始终刚直坚强啊不可侵犯。躯体虽已经死亡啊但精神却因此显扬，你们的忠魂义魄啊化作神鬼中的英雄。

## 赏析

刘熙《释名·释丧制》:“殇，伤也，可哀伤也。”戴震在《屈原赋注》中指出，或在外死者叫做殇，或男女未冠笄而死者叫做殇。国殇，就是为国牺牲的将士。

楚怀王十七年春，楚国与秦国在丹阳（今陕西、河南交界处的丹江以北地区）发生战争，结果秦国大败楚国，斩杀甲士八万，俘虏楚国大将军屈匄（gài）、裨将军逢侯丑等七十余人，夺取楚国的汉中郡。楚怀王大怒，乃尽全国兵力再次攻打秦国，结果秦国在蓝田（今陕西蓝田西），又再次大败楚国。屈原大概是在这样的历史背景下创作《国殇》，既哀悼那些为国牺牲的将士，又赞颂他们为国慷慨捐躯的精神；既安抚那些征战未归的亡魂，又鼓舞人们复仇的斗志。徐志啸《诗经楚辞选评》:“诗篇透出的是作者屈原高度赤烈的爱国爱民的深挚感情，我们从中可一窥诗人屈原激烈跳动的爱国之心。”此论甚为确切。

此篇由女巫扮祭祀者独唱，由男觋扮为国牺牲的将士登场，描摹了一场敌众我寡、以失败告终的战争。先叙敌我双方激烈车战、残酷厮杀的战争场面，以及将士不畏强敌、前仆后继的战争过程。后颂将士奋勇杀敌、刚强不屈的英雄气概，以及忠贞报国、视死如归的爱国精神，把作者对将士的崇敬之情推向高潮，从而大大增强了作品的悲壮美。陆时雍《楚辞疏》:“《国殇》，字字干戈，语语剑戟，左旋右转，真有步伐止齐之象。‘带长剑兮挟秦弓，首身离兮心不惩’，鬼何其雄！”而李清照《夏日绝句》中的“生当作人杰，死亦为鬼雄”两句，也是从《国殇》化用而来。

## 思考讨论

1. 周拱辰《离骚草木史》:“此篇凄楚敢决，字字悲壮，如闻胡笳声，令人泣下，亦令人起舞。”请你谈谈对此说的理解。

2. 有人认为，对那些战败的将士,《国殇》不只是悼亡，更是颂赞。对此，你有何看法?

# 第三章 天 问



**曰：遂古之初[1]，谁传道之[2]？上下未形[3]，何由考之[4]？冥昭瞢暗[5]，谁能极之[6]？冯翼惟像[7]，何以识之[8]？明明暗暗[9]，惟时何为[10]？阴阳三合[11]，何本何化[12]？**

## 注释

[1]曰:发问词，请问。遂古:远古。遂，通“邃”，深远。初:初态，始生的状态。 [2]传道：传说。之：它，即上文的“遂古之初”。 [3]上：天。下：地。形：形成。 [4]何由：“由何”的倒装，根据什么。考：稽考，考察。之：它，即上文的“上下未形”。 [5]冥（míng）：昏暗，此处指夜。昭：光明，此处指昼。瞢暗（méng）：混沌暗昧。 [6]极：穷极，穷究。之：它，即上文的“冥昭瞢暗”。 [7]冯（píng）翼：气充满浮动的样子。冯，通“凭”，楚方言，满。惟：同“唯”，只。像：通“象”，现象，景象。 [8]何以：用什么。 [9]明：光明，此处指昼。 [10]惟：发语词。为：化为，形成。 [11]三合：阴、阳、天三者结合。古人认为统阴阳之上还有一个本体，或称天，或称一，或称冲气。《春秋谷梁传·庄公三年》：“独阴不生，独阳不生，独天不生，三合然后生。” [12]本：本源，起源。

## 译文

请问：远古始生的状态，是谁把它传说下来？那时天地还没有形成，又根据什么来考察它？那时昼夜不分一片混沌，又有谁能把它探究明白？那时只有大气充盈浮动的景象，又是凭借什么来把它识别清楚？昼明夜暗循环不息，这光景是怎么形成的？阴、阳、天三者结合而化生万物，它的本源是什么而又怎么变化？



**圜则九重[1]，孰营度之[2]？惟兹何功[3]，孰初作之[4]？斡维焉系[5]？天极焉加[6]？八柱何当[7]？东南何亏？九天之际[8]，安放安属[9]？隅隈多有[10]，谁知其数[11]？**

## 注释

[1] 圜：同“圆”，此处指天。古人认为天圆地方。九重：九层。古人认为天有九层。　[2] 孰：谁。度（duó）：测度，度量。之：它，即上文的“圜则九重”。　[3] 兹：此。何功：何等功业。[4] 之：它，即上文的“圜则九重”。　[5] 斡（wò）：旋转，这里指天体昼夜旋转。维：绳子。焉：怎么。系：系结。传说天是由大绳系结在枢轴上而旋转的。　[6] 天极：天的顶端，相当于天体旋转的中心轴。加：安放。　[7] 八柱：八个天柱。古人认为天有八座山作擎柱。当（dāng）：担当，支撑。　[8] 九天：九重天。　[9] 安：怎样。属（zhǔ）：连接。　[10] 隅（yú）：角落。隈（wēi）：弯曲处。　[11] 数：数目。

## 译文

上天共有九层，是谁把它测度出来？这是何等的功业，是谁开始兴建它？旋转的天体上绳索是怎么系结上？天的中心轴又是怎么安放？八根天柱是如何支撑上天？大地的东南方向又为何倾塌？九层天的此层彼层之间，它们怎样放置怎样连接？上天有很多角落和弯曲处，又有谁能知道它们的数目？

**天何所沓[1]？十二焉分[2]？日月安属[3]？列星安陈[4]？出自汤谷[5]，次于蒙汜[6]；自明及晦[7]，所行几里[8]？夜光何德[9]，死则又育[10]？厥利维何[11]，而顾菟在腹[12]？**

## 注释

[1]沓:会合。　[2]十二:十二辰，指黄道周天的十二等分。焉：怎么。　[3]属（zhǔ）:连接，此处指附着于天空。[4]列星：众星。　[5]汤（yáng）谷：旸谷，地名，神话中太阳从东方升起的地方。　[6]蒙汜：一称蒙谷，地名，神话中太阳在西方止息的地方。　[7]明:明亮,此处指天亮。及:到。晦:黑暗，此处指天黑。　[8]所行：行程。　[9]夜光：月亮。[10]育:生。此处指月亮每月从逐渐消失到重新出现。　[11]厥:其，指月亮。利：好处。维：表示判断，相当于“乃”、“是”。[12]顾菟：月中之兔。菟：同“兔”。古人认为月中有黑影，是月兔在捣药。

## 译文

天空与地面在哪里会合？黄道十二辰又怎么划分？太阳和月亮怎样附着于天空？众星又怎样有序地陈列于天空？太阳从汤谷出发，到蒙汜停歇下来；从天亮到天黑，行程有多少里？月亮有什么德行，死了却又能复生？它的好处又是什么，兔子愿意呆在它腹中？

**女岐无合[1]，夫焉取九子[2]？伯强何处[3]？惠气安在[4]？何阖而晦[5]？何开而明？角宿未旦[6]，曜灵安藏[7]？**

## 注释

[1]女岐：神女。合：婚配结合。　[2]夫：发语词。取：得。　[3]伯强：厉风之神。　[4]惠气：祥瑞的和风。古人有时称风为气。安：哪里。　[5]阖（hé）：关闭。　[6]角宿（xiù）：星名，二十八宿之一，清晨位于东方。此处指东方。　[7]曜灵：太阳。

## 译文

女岐没有婚配结合，怎么生出九个儿子？厉风之神伯强住在哪里？祥瑞的和风又在何方？为什么天门关闭就黑暗？为什么天门开启就明亮？东方还没有亮的时候，太阳又藏在什么地方？

**不任汩鸿[1]，师何以尚之[2]？佥曰何忧[3]，何不课而行之[4]？鸱龟曳衔[5]，鲧何听焉[6]？顺欲成功[7]，帝何刑焉[8]？**

## 注释

[1]任：胜任。汩（gǔ）：治理。鸿：通“洪”，洪水。　[2]师：众人。尚：推举，选举。之：他。此处指下文的“鲧”（gǔn）。鲧同“鲧”，夏禹的父亲，神话中治理洪水的人物。　[3]佥（qiān）：皆，都。何忧：何必担忧。　[4]课：考察。之：它，此处指治水。相传唐尧时洪水滔天，一些诸侯推荐鲧去治水，尧起初不同意，但在众人劝说之下，尧同意了。　[5]鸱（chī）：猫头鹰一类的鸟。长沙马王堆汉墓出土帛画有一鸱偶立龟背，而龟正从水中爬向高处，或寓意鸱、龟相助。曳（yè）：拖，牵引。　[6]焉：于是，于此。　[7]顺欲：此处指顺从命令。欲：想。　[8]帝：帝尧。刑：惩罚。

## 译文

鲧不能胜任治理洪水，众人又为什么推举他？当众人都说何必担忧的时候，尧为何不考察他而后再进行治水？鸱、龟衔草木拖泥土示意筑堤，鲧为何听从于它们的这种做法？鲧顺从命令想治水成功，尧又为什么要加刑于他？

**永遏在羽山[1]，夫何三年不施[2]？伯禹愎鮌[3]，夫何以变化[4]？纂就前绪[5]，遂成考功[6]；何续初继业[7]，而厥谋不同[8]？**

## 注释

[1]永：长久。遏：拘禁，禁闭。羽山：神话中的山名，相传在东海之滨。　[2]三年：表示多年。施（shǐ）：通“弛”，解除。　[3]伯禹：夏禹。禹称帝前曾被封为夏伯，故称“伯禹”。愎：洪兴祖《楚辞补注》引一本作“腹”，当从。相传禹是鲧死后从鲧的肚子里剖生出来的。《山海经·海内经》：“鲧復（腹）生禹”，“伯禹腹鲧”，反映了人类原始社会从母系过渡到父系的“产翁制”。所谓“产翁制”，就是母亲生孩子，父亲坐月子。妇女在分娩以后，自己不坐月子，往往活动如常，而由丈夫坐床卧褥，好像孩子是他刚生的一样。　[4]何以：为什么。　[5]纂（zuǎn）：继续。就：从事。前：前辈，此处指鲧。绪：余绪，余业。　[6]考：对亡父的尊称。　[7]续初：继承父亲的初志。继业：承续父亲的事业。　[8]厥：其，此处指禹。谋：谋略，办法。

## 译文

尧长期把鲧拘禁在羽山，为何过了多年还不解除？禹从鲧的腹中剖生出来，为什么会有这样的变化？禹继续从事着鲧治洪水的余业，终于完成了他父亲未竟的功业；为何继承他父亲的初志和事业，采取的办法却不一样？

**洪泉极深[1]，何以窴之[2]？地方九则[3]，何以坟之[4]？河海应龙[5]，何尽何历[6]？鮌何所营[7]？禹何所成[8]？康回冯怒[9]，坠何故以东南倾[10]？**

## 注释

[1]洪泉：洪水的源泉。　[2]何以：用什么。窴：同“填”，填塞。之：它，即上文的“洪泉”。　[3]方：分。九则：九等。传说夏禹治水后将全国土地分为九等，按照各地不同的生产条件征收赋税。则，等。　[4]何以：用什么。坟：划分。之：它，即上文的“地”。　[5]应龙：有翅翼的龙。传说应龙以尾划地，夏禹就依据它划过的地方挖通江河，将洪水排泄出去。　[6]尽：通“进”，进奉。历：经历，此处指疏通。　[7]营：经营。[8]成：成就。　[9]康回：共工之名。传说共工和颛顼争夺部族领导权，共工怒触不周山，天柱折，地维断，故大地的东南角倾斜。回，同“回”。冯：通“凭”，满，盛。　[10]坠：“地”的古字。

## 译文

洪水的源泉极深，鲧用什么填塞它？土地被分为九等，禹用什么划分它？河海里有翼的龙帮助禹治水，怎样进奉计谋又怎样疏通河道？鲧怎样治理洪水？禹如何成功治水？共工一时发怒触撞不周山，大地为何因此向东南倾斜？

**九州安错[1]？川谷何洿[2]？东流不溢[3]，孰知其故[4]？东西南北，其修孰多[5]？南北顺椭[6]，其衍几何[7]？昆仑县圃[8]，其凥安在[9]？增城九重[10]，其高几里？四方之门，其谁从焉[11]？西北辟启[12]，何气通焉[13]？**

## 注释

[1]安：怎样。错：通“措”，安置，设置。　[2]洿（wū）：深。　[3]溢：满溢。　[4]故：原因。　[5]孰：哪个。　[6]顺：陈列。椭：狭而长。　[7]衍：余，超出。古人或以为南北距离比东西短，或以为南北距离比东西长。屈原赞同后一说。　[8]昆仑：山名，神话中一座上通于天的神山。县（xuán）圃：地名，在昆仑山上。县，通“悬”。　[9]凥：处所，居所。“居”的古字。　[10]增城：地名，在昆仑山上。　[11]从：由，出入。　[12]辟启：同义复词，开启。　[13]气：风。传说西北有不周山，《淮南子·地形训》：“北门开以纳不周之气。”

## 译文

九州怎样安置？川谷为什么这么深？水东流入海而不满溢，谁知道这其中的缘故？大地从东到西与从南到北，它们的长度哪一个更多些？南北沿着一个狭而长的形体，其超出东西的长度又为多少？昆仑山上的县圃，其处所又在哪里？增城共有九层，其高度有几里？昆仑山上四方的门，又有谁从那里出入？西北方的门开启着，什么风从那里通过？

**日安不到？烛龙何照[1]？羲和之未扬[2]，若华何光[3]？何所冬暖？何所夏寒？**

### 注释

[1]烛龙：神名，居于西北方。相传他双目能发光，睁开眼就是白昼，闭上眼就是黑夜。 [2]羲和：给太阳驾车的神。扬：扬鞭启程。 [3]若华：若木的花。若，若木，神木名，长在日入的地方，能发出光芒。华，同“花”。

### 译文

太阳哪里照不到？哪里需要烛龙去照亮？羲和还没有扬鞭启程，若木的花怎么会发光？什么地方冬天温暖？什么地方夏天寒冷？

**焉有石林？何兽能言？焉有虬龙[1]，负熊以游[2]？雄虺九首[3]，儵忽焉在？何所不死？长人何守[4]？靡蓱九衢[5]，枲华安居[6]？一蛇吞象，厥大何如？**

### 注释

[1]虬（qiú）龙：无角的龙。 [2]负：背负，背驮。熊：指夏禹。相传大禹治洪水通轩辕山，化为熊。 [3]雄：大。虺（huǐ）：毒蛇名。 [4]长人：传说中的巨人。 [5]靡蓱：茎

叶蔓延的浮萍。靡,蔓延。蓱,同“萍”。衢:分叉。　　[6]枲(xǐ)华:枲麻的花。华,同“花”。

## 译文

哪里有石木之林?什么野兽能够说话?哪里有无角的龙,背驮着熊而出游?神异的大毒蛇有九个头,往来迅速它究竟在哪里?什么地方有长生不死的人?巨人又守卫居住在哪里?茎叶蔓延的浮萍有九个分叉,枲麻的花又生长在什么地方?一条大蛇能吞下大象,它到底有多大?



**黑水玄趾[1],三危安在[2]?延年不死,寿何所止[3]?鲮鱼何所[4]?鬿堆焉处[5]?羿焉彃日[6]?乌焉解羽[7]?**

## 注释

[1]黑水:水名,发源于昆仑山。玄:使……黑。趾:脚。　[2]三危:山名,在黑水之南。　[3]止:至。传说是用黑水之藻、三危之露可以长寿。　[4]鲮(líng)鱼:传说中生在海里的一种人面、人手、鱼身的怪鱼。　[5]鬿(qí)堆:鬿雀,传说中一种吃人的鸡形、白头、鼠脚的怪鸟。　[6]羿(yì):后羿,夏代部落有穷氏的首领。相传后羿善射,曾射落九个太阳。彃(bì):射。　[7]乌:神话中所说的太阳里的三足乌。解羽:脱落羽毛。

## 译文

染黑人脚的黑水和三危山在哪里？据说那里的人可延年不死，其寿命到底有多长？鲮鱼在什么地方？鬿雀在什么地方？后羿怎样射下了太阳？三足乌怎样折羽坠落？

## 赏析

《天问》是一篇体式独特、规模宏大的奇文。全篇以“曰”字开头，接连不断地提出一个又一个问题，令人目不暇接，叹为观止。它是屈原关于天地山川之事、夏商周三代兴亡之事、楚国存废之事的总疑问。在屈原的作品中，《天问》最为系统地反映了屈原的自然观、历史观。

对于《天问》，学术界有不同的评价。贬之过者，如胡适《读〈楚辞〉》：“《天问》文理不通，见解卑陋，全无文学价值，我们可断定此篇为后人杂凑起来的。”誉之过者，如徐英《楚辞札记》：“综其文采，风华典则，诘难百端，而出以辞赋，《庄》、《列》之所未闻，《山经》之所不逮；今古杂陈，人神并祝，传书壁之余艺，渫愤懑于无憀，而诡丽若是，浑茂乃尔，此所以为千古辞赋之开祖。百世腾跃，而莫出其环中者与。”

《天问》个别地方的确存在重复倒置，事典荒诞的问题，但整体上次序井然，大义粲然。王夫之《楚辞通释》：“篇内事虽杂举，而自天地山川，次及人事，追述往古，终于以楚先，未尝无次序存焉。”此论当为确解。此节为屈原首问天地之事。

## 思考讨论

1. 此节屈原提出了关于天、地的哪些问题？

2. 王逸《楚辞章句》:“何不言‘问天’? 天尊不可问,故曰‘天问’也。”对此,你是否赞同? 请你说说此篇取名为“天问”的理由。

**禹之力献功[1],降省下土四方[2];焉得彼嵞山女[3],而通之于台桑[4]?闵妃匹合[5],厥身是继[6];胡维嗜不同味[7],而快鼌饱[8]?**

## 注释

[1] 力:致力于。功:事功,工作。此处指治水工程。 [2] 降:自天而降。省(xǐng):察看。下土:国土,天下。 [3] 嵞山:涂山,古国名。 [4] 通:男女私通幽会。台桑:地名,当为桑林之地。 [5] 闵(mǐn):忧虑。妃:配偶。匹合:婚配。 [6] 继:继嗣。 [7] 胡:何,为何。维:语助词。 [8] 快:快意。鼌(zhāo):同“朝”。饱:饱食,此处喻指男女之欢。传说禹与涂山女子匹合后,几日后就离开。

## 译文

禹致力于献身于治水工程,他亲自下来视察天下四方;如何遇到涂山女子,而与她结合于台桑?他忧虑没有可结婚的配偶,为了延续自身的后代而在半途结婚;为什么他的嗜好与众人不同,而只贪求瞬时之聚、片刻之欢?

**启代益作后[1]，卒然离蠥[2]；何启惟忧[3]，而能拘是达[4]？皆归射鞠[5]，而无害厥躬[6]；何后益作革[7]，而禹播降[8]？启棘宾商[9]，《九辩》、《九歌》[10]；何勤子屠母[11]，而死分竟地[12]？**

## 注释

[1] 益：即伯益，夏禹之臣。后：君王。 [2] 卒然：终于，最终。离：通“罹”，遭遇。蠥（niè）：忧。传说禹曾传位于益，启谋夺君位而被益拘禁，后来启又逃脱而杀益得位。 [3] 惟：有。 [4] 拘：拘禁，囚禁。达（tà）：同“挞”，逃脱。 [5] 射：射猎。鞠：畜牧。 [6] 躬：自身。 [7] 作：通“祚”，王位。革：变革，取代。 [8] 播：传布，传扬。降（lóng）：通“隆”，大，光大。 [9] 棘宾：同义复词，陈列。商：古代音乐的五音之一，此处指音乐。 [10]《九辩》、《九歌》：古代两种乐曲名，传说它们是夏启从天帝那里偷来的。 [11] 勤子：抚恤他的儿子。启把王位传给儿子太康，废除氏族社会的酋长选举制，确立王位父子继承制。屠母：使其母身体裂开。传说禹剥母背而生，其母之身分散竟地。 [12] 死分竟地：启死后，其子太康即位，不久因内乱，统一的夏国又陷于分裂。竟，通“境”。

## 译文

启取代益成为国君，最终频遭忧患；为什么启有忧患，而能逃脱出拘禁？益的部下全部去射猎畜牧，没有伤害到启的身体；为什么益的王位被取代，而禹的王位却传扬光大？启陈设、排列宫商之乐，偷取《九辩》、《九歌》；为什么他抚恤儿子裂剥母体，而死后他的国土又陷于分裂？

**帝降夷羿[1]，革孽夏民[2]；胡射夫河伯[3]，而妻彼雒嫔[4]？冯珧利决[5]，封豨是射[6]；何献蒸肉之膏[7]，而后帝不若[8]？浞娶纯狐[9]，眩妻爰谋[10]；何羿之射革[11]，而交吞揆之[12]？**



## 注释

[1]帝：天帝。降：派下。夷羿：后羿，夏代部落有穷氏的首领。有穷国属东夷族，故称为夷羿。 [2]革：革除，消除。孽：忧。 [3]河伯：黄河之神。 [4]妻：娶妻。雒嫔：洛水女神，即宓妃，河伯之妻。雒，同“洛”，洛水。嫔，对妇女的美称。 [5]珧（yáo）：弓名。传说羿的宝弓叫“珧弧”。利：灵活。决：扳指，套在右拇指上用来钩玄放箭。 [6]封：大。豨（xī）：野猪。 [7]蒸肉：祭祀用的肉。蒸，通“烝”，冬祭。膏：脂，肥美的肉。 [8]不若：不顺意。 [9]浞（zhuó）：寒浞，羿的国相。纯狐：纯狐氏之女，羿的妻子。 [10]眩：惑乱。爰：乃，于是。 [11]革：皮革。 [12]吞：吞灭。揆：破灭。

## 译文

天帝派下夷羿，消除夏民灾祸；为什么羿要射杀河伯，而娶那洛水女神为妻？羿有大的姚弓和优良的扳指，用来射杀那些害人的大野猪；为什么献祭肥美的肉，而天帝还依然不顺意？寒浞娶了羿妻纯狐，蛊惑羿的妻子与他合谋；为什么羿能射穿皮革，而妻子奸臣竟能合伙吞灭他？

**阻穷西征[1]，岩何越焉？化为黄熊，巫何活焉？咸播秬黍[2]，莆雚是营[3]；何由并投[4]，而鲧疾修盈[5]？**

## 注释

[1] 阻：险阻。穷：穷绝。 [2] 咸：都。秬（jù）：黑黍。[3] 莆雚（pú huán）：蒲草和芦苇。 [4] 投：弃逐，放逐。[5] 疾：恶，罪恶。修：长。盈：满

## 译文

鲧被放羽山后向西奔走，道路险阻穷绝，那些高山峻岭他又怎么能翻越得过？他死后已经变成了黄熊，神巫又怎么能让他复活？鲧教大家全部播种黑黍，清除那里的蒲草和芦苇；是什么缘由让鲧和其他人一起被放逐，他的罪恶那么长久又那么多？

**白蜺婴茀[1]，胡为此堂？安得夫良药，不能固臧[2]？天式从横[3]，阳离爰死[4]；大鸟何鸣，夫焉丧厥体？**

## 注释

[1] 白蜺：白霓裳，嫦娥的服装。蜺，同“霓”。婴：系在颈上，戴。茀（fú）：妇人的首饰。　[2] 臧（cáng）：通“藏”。[3] 天式：天的法式。从横：纵横交错。从，通“纵”。　[4] 阳：阳精，太阳中的三足乌。

## 译文

嫦娥穿着白霓裳、颈上系着首饰，她在那个厅堂里偷偷地做了什么？羿怎么得到了不死之药，却不能牢固地保藏？天的法式是纵横交错，太阳失去阳精就陨灭；那三足乌为什么要鸣叫，又怎么会丧失它的身体？

**蓱号起雨[1]，何以兴之？撰体协胁[2]，鹿何膺之[3]？鳌戴山抃[4]，何以安之？释舟陵行[5]，何以迁之？**

## 注释

[1] 蓱（píng）：蓱翳，雨师名。号（háo）：呼。　[2] 撰：具有。协：合。胁：从腋下到肋骨尽处部分。　[3] 鹿：此处指风神飞廉，神话中长着鹿身、雀头、蛇尾、豹纹。膺：接受。　[4] 鳌：海中巨龟。戴：顶在头上。抃（biàn）：拍手，此处指巨龟四足舞动。[5] 释：舍弃。陵：陆地。

## 译义

蓱号发起下雨，凭什么兴起雨？神鹿一身八足两头，它怎么接受这样的身躯？巨龟头顶大山舞动四足，神山凭什么能够安稳？巨龟离开水舟在陆地上行走，又凭什么能使大山移动？

**惟浇在户[1]，何求于嫂？何少康逐犬[2]，而颠陨厥首[3]？女歧缝裳[4]，而馆同爰止[5]；何颠易厥首[6]，而亲以逢殆[7]？**



## 注释

[1]惟：发语词。浇（ào）：通“奡”，寒浞与羿的妻子所生的儿子。传说浇到他嫂子的门口，装作有所求，与他嫂子通奸。户：门。　[2]少康：夏代中兴的国君，相的儿子。相被杀之后，少康逃到有虞，有虞首领将自己的两个女儿嫁给了他。后来，少康借助有虞的力量，杀了浇，重新恢复了夏朝。逐犬：放狗打猎。[3]颠陨：坠落。　[4]女歧：浇的嫂子。　[5]馆同：“同馆”的倒装，同室。止：止宿。　[6]颠易：以此以彼。厥首：此处指女歧的脑袋。　[7]亲：亲身，此处指浇。逢殆：遭殃，遇险。传说少康派汝艾刺探浇，汝艾派人晚上袭杀浇而错砍了女歧的头；后来少康与浇一起打猎，浇没有提高警惕，汝艾乃驱使恶犬猛扑浇，并趁机砍下了浇的脑袋。

## 译文

浇在他嫂子的门口，有什么相求于他嫂子？为什么少康能够趁放狗打猎的时候，砍落下浇的脑袋？女歧给浇缝衣裳，而两人同室止宿；为什么女歧被错砍了脑袋，而浇却仍然遭遇灾殃？

**汤谋易旅[1]，何以厚之[2]？覆舟斟寻[3]，何道取之[4]？桀伐蒙山[5]，何所得焉？妹嬉何肆[6]，汤何殛焉[7]？**

## 注释

[1]汤：商汤，古代贤君。易：更换。旅：众，此处指夏民。 [2]厚：厚待。 [3]覆舟：翻船，此处指国家灭亡。斟寻：夏的同姓诸侯国。传说夏相失国后，投靠斟寻，浇发兵攻取斟寻，最后杀死夏相。 [4]取：战胜。 [5]桀：夏朝末代君王夏桀，古代暴君。蒙山：夏时国名。 [6]妹嬉（mò xǐ）：夏桀的元妃，有施氏女，起先得到宠爱，后来被遗弃。 [7]殛（jí）：诛杀。

## 译文

汤谋划使夏民归附，用什么方法来厚待夏民？浇攻灭斟寻如同打翻其船，他是用什么方法来战胜斟寻？桀征伐蒙山，得到了什么？妹嬉有什么过分的行为，汤为什么要把她诛杀？

**舜闵在家[1]，父何以鳏[2]？尧不姚告[3]，二女何亲[4]？**

## 注释

[1]闵(mǐn)：忧患。　　[2]父：舜的父亲，瞽叟。鳏(guān)：同"鳏"，无妻。此处指使鳏居。瞽叟偏爱继妻之子象，使舜到了三十岁还未娶妻。　　[3]不姚告："不告姚"的倒装。姚，舜的姓，此处指舜的父亲。　　[4]二女：尧的两个女儿娥皇、女英。亲：成亲，结婚。尧得知舜的贤德，将女儿娥皇女英嫁给他，并重用他。

## 译文

舜在自己家里饱受忧患，他的父亲为何让他独身不婚？尧没有去告诉舜的父亲姚氏，他的两个女儿为什么跟舜成亲？

**厥萌在初[1]，何所亿焉[2]？璜台十成[3]，谁所极焉[4]？登立为帝，孰道尚之[5]？女娲有体，孰制匠之[6]？**

## 注释

[1]厥：其。萌：萌芽。　　[2]亿：通"臆"，臆测，预料。[3]璜台：璜玉装饰的高台。纣王穷奢极欲兴建玉台，民怨沸腾，

终至亡国。成：层。 [4]极：建造。 [5]道：通“导”，引导。尚：推崇。 [6]制匠：制造。

## 译文

事物的萌芽时期，谁能够预测到它的发展？玉台高达十层，是谁建造了它？女娲能够登上帝位，是谁在引导、推崇？女娲能够抟土造人，她人首蛇身的形体是谁制造的？



**舜服厥弟[1]，终然为害[2]；何肆犬体[3]，而厥身不危败[4]？吴获迄古[5]，南岳是止[6]；孰期去斯[7]，得两男子[8]？**

## 注释

[1]服：服从，顺从。厥弟：其弟，此处指舜的弟弟象。传说舜母死后，舜父瞽叟又娶妻生了象，瞽叟、后妻和象合谋杀舜。瞽叟命舜上粮仓涂泥，趁机纵火烧仓，舜以两顶斗笠护身跳生。后瞽叟命舜挖井，正当舜挖井时，瞽叟和象推土填井，舜从所挖通道逃生。 [2]终然：终于，最终。 [3]犬体：狗的心术。此处指象心眼很坏，如同恶狗。 [4]厥身：其身，此处指象的身体。不危败：没有危险败亡。传说舜称帝后，没有惩处象，反而封象于有庳。 [5]获：得。迄古：终古，长久。 [6]南岳：今江苏丹阳衡山。止：止宿，此处指立国。 [7]期：预期，预料。去：离开。斯：吴国。 [8]两男子：泰伯、仲雍。古公

亶（dǎn）父（周文王的祖父）想让他的第三个儿子季历继位，长子泰伯和次子仲雍为了让国就借故逃到了吴国。吴国人拥立太伯为国君，太伯死则仲雍继主。

## 译文

舜顺从他的弟弟象，最终象还是要作孽；为什么象放肆行禽兽之事，而他本人却没有危险死亡？吴国得到长久存续，它立国于南岳山下；谁能料到泰伯、仲雍跑到吴国，竟让吴国得到了这两位贤人作君主。



**缘鹄饰玉[1]，后帝是飨[2]；何承谋夏桀[3]，终以灭丧？帝乃降观[4]，下逢伊挚[5]；何条放致罚[6]，而黎服大说[7]？**

## 注释

[1]缘：装饰。鹄（hú）：天鹅。　[2]后帝：上帝。飨（xiǎng）：祭献。　[3]谋：谋划，此处指祖宗的基业。　[4]帝：商汤。降：下来。　[5]伊挚：伊尹，名挚。传说为商汤的贤相，曾做过厨役。[6]条：鸣条，汤放逐桀的地方。　[7]黎服：五服的黎民。服，古代王畿以外的地方，由近及远分为侯服、甸服、绥服、要服、荒服，合称五服。说：通“悦”。

## 译文

鼎上饰着天鹅花纹和美玉，夏桀用它来虔诚祭献上帝；为什么继承祖宗基业的夏桀，最终却因身亡而丧失了社稷？商汤下来视察，在下面遇到伊尹；为什么夏桀被放逐鸣条而受罚，五服的黎民百姓都大为喜悦？

## 赏析

第二至第四节，屈原所问的是历史兴亡，“比较广泛地涉及夏、商、周三代奴隶制王朝的兴亡，亦涉及齐、晋、吴、鲁、秦、楚等国的历史。每问一朝，往往是先问一朝一族的起源，然后问它取得统治的经过，再后问它末世无道之事，最后则接问新王朝的兴亡”。(周建忠《楚辞讲演录》)

此节主要问夏代兴亡之事。我们可以按照人物出场顺序的先后，来大致梳理一下此节内容。一讲禹，他献身于治水工程，后为了延续后代，与涂山女子在台桑匹合。二讲启和益，传说启为禹的儿子，益为禹的臣子，禹曾传位于益，启谋夺君位而被益拘禁，后来启又逃脱而杀益得位。三讲羿，天帝派下夷羿，消除夏民忧患，但羿射杀河伯，夺其妻子洛水女神为妻。四讲羿的臣子寒浞，与羿妻纯狐合谋把羿杀死，后娶纯狐为妻。五讲寒浞与羿的妻子所生的儿子浇，传说浇到他嫂子的门口，装作有所求，就与他嫂子通奸。六讲夏代中兴的国君，相的儿子少康，少康派汝艾刺探浇，汝艾派人晚上袭杀浇而错砍了浇的嫂子女歧的头，后来少康与浇一起打猎，浇没有提高警惕，汝艾乃驱使恶犬猛扑浇，并趁机砍下了浇的脑袋。七讲夏朝末代暴君夏桀，最终身亡而丧失社稷。此外，此节还提到了禹的父亲鲧、羿的妻子嫦娥、古代贤君商汤，娶尧之二女的舜，女娲，舜的弟弟象，以及奔吴的泰伯、仲雍等人物及其神话传说。

屈原“两次提到羿与夏先人虽侍奉祭奠上帝维恭，但未获得上帝的佑助，而终以灭亡，也正表现了诗人崇德的天命观”（褚斌杰《楚辞选评》），并试图以史为鉴，警示楚王吸取教训。

### 思考讨论

此节屈原为何在讲夏朝历史时，穿插尧、舜、象等其他历史时期的人物？



## 简狄在台喾何宜[1]？玄鸟致贻女何喜[2]？

### 注释

[1]简狄：有娀氏的美女，住在瑶台上，后来成为帝喾（kù）之妻，生子契，契是殷商的始祖。喾：帝喾，上古帝王，即高辛。宜：相称，般配。 [2]玄鸟：燕子。致：给予。贻：赠予。传说简狄因吞下天帝派去的燕子送的卵而怀孕生下商的始祖契。

### 译文

简狄住在九层瑶台上，帝喾为何认为她般配？燕子给她赠送了礼物，她为何会欢天喜地？

该秉季德[1]，厥父是臧[2]；胡终弊于有扈[3]，牧夫牛羊？干协时舞[4]，何以怀之？平胁曼肤[5]，何以肥之？有扈牧竖，云何而逢？击床先出[6]，其命何从？恒秉季德[7]，焉得夫朴牛[8]？何往营班禄[9]，不但还来[10]？昏微遵迹[11]，有狄不宁[12]；何繁鸟萃棘[13]，负子肆情[14]？眩弟并淫[15]，危害厥兄；何变化以作诈，后嗣而逢长[16]？

## 注释

[1]该：通“亥”，王亥，殷商的祖先。传说他是用牛驾车的首创者。秉：遵循。季：王季，王亥的父亲。传说他勤于政事，曾参与治水，殉职而死。　[2]臧（zāng）：以……为善。　[3]弊：通“毙”，倒毙，死亡。有扈：应作“有易”，夏代的部落名。传说王亥曾带着牛羊到有易游牧，后与有易女发生关系，为有易牧童所杀。

[4]干：盾。协：合。时：是。　[5]平胁：平正的胸膛。曼肤：细润的肌肤。　[6]击床：指绵臣派人趁王亥与有易女私通时杀害王亥。先出：先出手。　[7]恒：王恒，王亥的弟弟。

[8]朴牛：仆牛，拉车的牛。朴，通“仆”。　[9]营：从事。班：赏赐，给予。　[10]但：空，徒。　[11]昏微：上甲微，王亥的儿子。传说他继承王位后，借助河伯的军队攻伐有易，杀其君绵臣。

[12]有狄：有易。　[13]萃：聚集。棘：酸枣树。此处用繁鸟不适合停留在茎上多刺的酸枣树来比喻上甲微后来不该干那种荒淫之事。　[14]负：通“妇”。子：古代对男人的美称，此处指上甲微。

[15]眩弟：昏乱的弟弟。并：皆。　[16]逢：通“丰”，兴盛。

## 译文

王亥遵循他父亲王季的德行，以他父亲作为自己的榜样；为什么他到有易牧牛羊，最终却倒毙于有易之地？王亥两手持着盾牌起舞，为什么能够得到有易氏女的思慕？平正的胸膛细润的肌肤，为什么能肥成此等身躯？有易的那个牧羊小子，怎么会碰见他们偷情？他砍床杀亥已先出手，他的命令从哪里得来？王恒秉承他父亲王季的德行，怎么得到王亥所丢失的仆牛？为什么他去颁赐爵禄，却没有空着手归来？上甲微遵循先人的遗志，有易因被他攻伐而不安；为什么像众鸟聚集在酸枣树一样，那妇女和上甲微放纵自己的情欲？他与昏乱的弟弟皆是淫乱之人，以致危害自己的哥哥；为何他们变化多端又实行欺诈，而后世子孙却能那么兴盛长久？

**成汤东巡，有莘爰极[1]；何乞彼小臣[2]，而吉妃是得？水滨之木，得彼小子[3]；夫何恶之，媵有莘之妇[4]？汤出重泉[5]，夫何辠尤[6]？不胜心伐帝[7]，夫谁使挑之[8]？**

## 注释

[1]有莘：古国名。爰：乃，于是。极：到。　[2]小臣：奴隶，此处指伊尹。传说商汤得知有莘氏奴隶伊尹很有才能，便向有莘氏索求伊尹，而有莘氏拒绝他的索求。于是，商汤要求娶有莘氏女为妻。有莘氏很高兴，并把伊尹作为陪嫁的奴隶送给了商汤。

[3] 小子：小孩，此处指伊尹。传说伊尹的母亲住在伊水边，怀孕时梦见神告诉她，家中的石臼如果出水就往东快跑，不要回头看。第二天他母亲看见石臼果然出水，便告诉邻居赶快逃跑。他母亲往东跑了十里路，忍不住回头看，发现整个地方已被大水淹没，她自己也变成一棵空心桑树。后来，有莘国的养蚕女在空心桑树中捡到一个婴儿，献给了有莘氏君主，有莘氏君主让厨师加以抚养，这个婴儿就是伊尹。 [4] 媵（yìng）：陪嫁的人。此处指作为奴隶陪嫁。 [5] 重泉：地名，汤被桀囚禁的地方。 [6] 辠尤：罪过。辠，“罪”的古字。 [7] 不胜心：不能克制心情。帝：此处指夏桀。 [8] 挑：挑动。



## 译文

汤出巡东方，就到了有莘；为何索求奴隶，却得到了贤妃？在水边的空心桑树中，得到了那个小子伊尹；为什么有莘氏君主会不喜欢他，让他作为奴隶充当女儿的陪嫁？汤从重泉被放出来，究竟犯了什么罪过？汤无法克制心情而攻伐夏桀，哪里需要什么人来挑动他？

**会鼌争盟 [1]，何践吾期 [2]？苍鸟群飞 [3]，孰使萃之？到击纣躬 [4]，叔旦不嘉 [5]；何亲揆发 [6]，足周之命以咨嗟 [7]？授殷天下，其位安施 [8]？反成乃亡，其罪伊何 [9]？争遣伐器 [10]，何以行之 [11]？并驱击翼，何以将之 [12]？**

## 注释

[1]会：会合。争盟：争相盟誓。周武王在甲子日清晨率领军队，来到殷都郊外的牧野，各路诸侯都来会师，争相盟誓。
[2]践:履行。吾:我，此处指周武王。期:约会。 [3]苍鸟:鹰，此处喻指将士。 [4]躬：身。据司马迁《史记·周本纪》记载，商纣战败，自焚而死，周武王攻入殷都后，向商纣的尸体发了三箭，然后下车，用轻剑击刺商纣的尸体，又用大斧砍下商纣的头。
[5]叔旦:周公名旦，周武王的弟弟。嘉:赞许。 [6]发:起兵，举事。 [7]足：完成。咨嗟：叹息。 [8]施：给予。
[9]伊：语助词，相当于“惟”、“维”。 [10]遣:使用，运用。
[11]行：出动，发动。 [12]将（jiàng）:统率，率领。

## 译文

会师那日清晨各路诸侯争相盟誓，他们又是怎样履行了武王的期约？勇猛的将士如雄鹰群飞，又是谁把他们聚拢起来？武王到了朝歌击杀纣的尸体，周公并不赞许这种做法；为什么周公亲自为武王谋划起兵，完成了周朝所受的天命而又叹息？天帝把天下授予殷商，那王位是怎么给予的？反叛成功，殷商于是灭亡，殷商的罪过到底是什么？各诸侯国的将士争先恐后使用武器，武王凭借什么来发动他们？他们并驾齐驱两翼夹击，武王又凭借什么来统率他们？

昭后成游[1]，南土爰底[2]；厥利惟何，逢彼白雉[3]？穆王巧梅[4]，夫何为周流？环理天下[5]，夫

**何索求？妖夫曳衒[6]，何号于市？周幽谁诛[7]，焉得夫褒姒[8]？**

## 注释

[1]昭后：周昭王，周康王的儿子，西周第四代国君。[2]南土：南方，此处指楚国。底：至。[3]逢：迎取。白雉：白色的野鸟。古人认为白雉是罕见的珍禽。传说周昭王巡游楚国，欲取得楚人的白雉，在汉水被楚人谋害，溺死江中。[4]穆王：周穆王，周昭王的儿子，西周第五代国君。梅：通“枚”，马鞭。[5]环理：环行。理，通“履”。[6]曳（yè）：拖，牵引。衒（xuàn）：沿途叫卖。[7]周幽：周幽王，西周末代国君。谁诛：“谁诛”的倒装，讨伐谁。[8]褒姒（bāo sì）：周幽王的王后。据称夏朝末年有两条龙来到王宫，自称“褒之二君”，通过占卜得“藏之吉”，后来龙离去前遗留的唾液被装在木匣子里收藏起来，直到周厉王时打开观看，不小心使龙涎洒流于廷外，化为一只玄鼋爬进王府，一个未成年的宫女碰上了这只鳖。周宣王年间，这个宫女竟然没有婚配而生下一个女婴，她因为害怕就把这个女婴抛弃。这时民间留传着一个童谣：“檿弧箕服，实亡周国。”恰好市面上有一对夫妇在叫卖桑弓弧、箕箭服。宣王听了很不高兴，就下令抓他们来处死。这对夫妇就逃走，在路上遇到那个被抛弃的女婴，看她可怜，便将其抱养，并逃到褒国。后来周幽王起兵攻伐褒国，褒人就把她献给周幽王姬宫涅，因姓姒，故称为褒姒。

## 译文

昭王实现了他的巡游，于是到了南方楚国；巡游的好处究竟是什么，欲取得那白色的野鸟吗？穆王善于策马之术，他为何要到处周游？他环游天下，要索求什么？那对妖人相互牵引沿途叫卖，他们在大街上叫卖什么东西？周幽王起兵攻伐谁，他怎样得到了褒姒？

**天命反侧[1]，何罚何佑？齐桓九会[2]，卒然身杀[3]。**

## 注释

[1]反侧：反复无常。　[2]齐桓：齐桓公，春秋五霸之一，古代明君。九会：九次召集诸侯会盟。　[3]卒然：终于，最终。身杀：遭杀身之祸。齐桓公病时，易牙、竖刁、开方等恶人作乱，他被围困宫中，饥不得食，渴不得饮，最后死于南门寝室。齐桓公死后，诸子争权，尸体在床上停留六七十天而不能入殓，尸体蛆虫满屋，都爬出门外。

## 译文

天命真是反复无常，惩罚谁又保佑谁？齐桓公九合诸侯、一匡天下，最终却遭杀身之祸。

**彼王纣之躬[1]，孰使乱惑？何恶辅弼，谗谄是服[2]？比干何逆[3]，而抑沈之[4]？雷开阿顺[5]，而**

**赐封之？何圣人之一德，卒其异方：梅伯受醢[6]，箕子详狂[7]？**

## 注释

[1]躬：身。　[2]服：用。　[3]比干：商纣王的叔父，相传心有七窍，因忠言直谏而被剖腹杀害。逆：乖于常理。　[4]抑沈：压抑沉没。沈，同“沉”。　[5]雷开：商纣王的奸臣，因阿谀而得到赏赐封爵。阿顺：阿谀顺从。　[6]梅伯：商纣王时的诸侯，因忠言直谏而被害。醢：古代的一种酷刑，把人剁成肉酱。　[7]箕子：商纣王的叔父，因进谏不听只好装疯卖傻而得生。详（yáng）：通“佯”，假装。

## 译文

那个商纣王，是谁使他混乱迷惑？为何憎恶辅国大臣，而任用谗谄小人？比干哪里乖于常理，而竟遭遇压抑沉没？雷开阿谀顺从，竟然受到赏赐封爵？为什么圣人具有一样的品德，最终他们却采取不同的方法：梅伯因坚持直谏而被剁成肉酱，箕子却因佯装疯癫而得以逃生？

## 赏析

此节主要问商代兴亡之事，但也讲到一些周代帝王。一讲简狄嫁给帝喾，吞食燕卵而生子契，契成为殷商的始祖。二讲殷商的祖先亥曾带着牛羊到有易游牧，后与有易女发生关系，为有易牧童所杀。三讲亥的弟弟恒，夺回了亥在有易失去的东西。四讲亥的儿子上甲微攻伐有易。但后来却荒淫于女色，而他的弟弟也

像他一样淫乱，以致国家内乱。五讲商汤得知有莘氏奴隶伊尹很有才能，便向有莘氏索求伊尹，而有莘氏拒绝他的索求。于是，商汤要求娶有莘氏女为妻。有莘氏很高兴，并把伊尹作为陪嫁的奴隶送给了商汤。后商汤被夏桀囚禁在重泉，被放出来之后，就攻伐夏桀。到此戛然而止，商汤后面许多商代帝王事件就没有再讲。六讲周武王发动士兵伐商纣王，并击杀商纣王的尸体。而亲自为武王谋划起兵的周武王的弟弟周公，此时却并不赞许这种做法。七讲西周第四代国君周昭王巡游楚国，欲取得楚人的白雉，在汉水被楚人谋害，溺死江中。八讲周昭王的儿子周穆王，善于策马之术，贪求享乐，四处巡游。九讲西周末代国君周幽王起兵攻伐褒国，得到了褒姒。十讲齐桓公九合诸侯，最终遭杀身之祸。十一讲商纣王昏庸无能，以致使比干、梅伯、箕子等辅国大臣被放逐、杀害，而雷开等谗谄小人却被提拔、任用。

## 思考讨论

1. 此节屈原在讲商朝历史时，为何讲到商汤就戛然而止，对其后面许多商代帝王事件就没有再讲？

2. 此节屈原讲到的周代几个君王有何相似性？屈原为什么在这里讲到他们？

稷维元子[1]，帝何竺之[2]？投之于冰上，鸟何燠之[3]？何冯弓挟矢[4]，殊能将之？既惊帝切激，何逢长之？

## 注释

[1] 稷（jì）：后稷，周的始祖。后稷为帝喾的长子，好农耕，尧时被推举为农师。维：语助词。元子：长子。　[2] 帝：帝喾。竺（dú）：通“毒”，憎恶。　[3] 燠（yù）：温暖。后稷的母亲姜嫄为帝喾元妃。姜嫄出野，见巨人足迹，践之而动如孕。生一子，以为不祥，弃之隘巷，马牛从他旁边过都不踩它；徙置之林中，适会山林多人，迁之；而弃渠中冰上，飞鸟以其翼温暖之。姜嫄以为神，遂收养之。初欲弃之，因名曰弃。　[4] 挟：夹带。

## 译文

后稷是帝喾的长子，帝喾为什么憎恶他？把后稷扔在冰上，鸟为什么温暖他？为什么后稷天生就会拉弓射箭，后稷是如何驾驭这特异的本领？既然刚出生的他使帝喾受惊如此激烈，为什么帝喾还让他的后代兴盛长久？

**伯昌号衰[1]，秉鞭作牧[2]；何令彻彼岐社[3]，命有殷国？迁藏就岐何能依[4]？殷有惑妇何所讥[5]？受赐兹醢[6]，西伯上告；何亲就上帝罚，殷之命以不救？师望在肆昌何识[7]？鼓刀扬声后何喜[8]？武发杀殷何所悒[9]？载尸集战何所急[10]？**

## 注释

[1]伯昌：周文王，名昌，爵号西伯。号：号令。衰：衰微，此处指殷商的衰微。　[2]秉鞭：持鞭，此处喻指执掌权柄。牧：古代州长。周文王曾作过雍州地区的长官。　[3]彻：拆除，毁坏。岐社：岐地社庙。相传周的先人古公亶父曾由豳地迁到岐地，在此立国都建社庙。周逐步强大后，迁都于丰地，故拆毁原来的岐地社庙，而建立丰地社庙。　[4]藏：库藏，宝藏。　[5]惑妇：惑乱人的女人，此处指纣王的宠妃妲己。讥：进谏，规劝。[6]受：商纣王的名。兹醢：周文王子伯邑考进京为质，被纣王杀害，剁成肉酱赐给周文王。　[7]师：太师，古代官名。望：吕望，即姜太公。姜太公未遇周文王时，曾在朝歌街市上屠牛。肆：街市，店铺。昌：周文王的名。　[8]鼓刀：舞动屠刀。后：国君，此处指周文王。　[9]武发：周武王，名发。杀：讨伐。悒：忧郁，忧愁愤恨。　[10]尸：神主，神像。此处指周文王的灵牌。周文王死后不久，周武王就载着周文王的神主去讨伐商纣王，表示奉周文王之遗命。集战：会战。

## 译文

周文王号令于殷商衰微之时，他执掌权柄而成为雍地长官；为什么武王下令拆除那岐地社庙，秉承天命占有整个殷商的天下？周太王带着库藏迁移到岐地，众人为什么能听从跟随他？商纣王有个惑乱人的女人，众人还有什么可极力劝谏他的？商纣王把臣子剁成肉酱，赐给周文王，周文王就向上天控诉；为何商纣王受到上帝的惩罚，殷商王朝的命运竟因此不可挽救？太师吕望在街市上屠牛，周文王又怎么会知道他？吕望舞动屠刀发出响声，周文王又怎么会喜欢他？周武王姬发攻伐商纣王，他为什么那么忧愁愤怒？载着周文王的神主去会战，他又为什么那么迫不及待？

**伯林雉经[1]，维其何故？何感天抑坠[2]，夫谁畏惧？皇天集命[3]，惟何戒之？受礼天下[4]，又使至代之[5]？**



## 注释

[1]伯林：应作“柏林”，地名。雉经：人吊死后像雉死后勾下头。雉：野鸡；经，自缢，上吊。 [2]感天抑坠：呼天抢地。坠，“地”的古字。 [3]集命：完成天命，把天下授给某人。集，就，完成。 [4]受：指纣王，纣王名受。礼：通“理”，治礼。 [5]至：竟至，竟然至于。

## 译文

商纣王在柏林自缢，这到底是什么缘故？他的哀嚎多么呼天抢地，此时又有谁还会害怕他？上天授天下给殷，又是怎样告诫殷商君王的？既让纣王治理天下，却派人竟然至于取代他？

**初汤臣挚[1]，后兹承辅[2]；何卒官汤[3]，尊食宗绪[4]？**

### 注释

[1]臣：以……为小臣。挚：伊尹的名。 [2]兹：此，此处指伊尹。承：承担，担当。辅：辅佐之臣。 [3]官汤：做汤的官吏。 [4]食：享受祭祀。宗绪：商代的宗庙世系。

### 译文

起初商汤以伊尹为小臣，后来伊尹担任辅佐之臣；为什么伊尹最后做了商汤的官吏，死后尊享商代宗庙世系的祭祀？

**勋阖梦生[1]，少离散亡[2]；何壮武厉，能流厥严[3]？**

### 注释

[1]勋：功勋。阖：吴王阖闾。梦：寿梦，阖庐的祖父。生：同“姓”，子孙。 [2]离：通“罹”，遭遇。散亡：离散流亡，此处指阖闾在余昧和王僚在位期间受到排挤打压。 [3]严：威严。

### 译文

功勋显赫的阖闾是寿梦的孙子，少年时曾遭遇离散流亡之苦；为什么壮年时勇武猛厉，能够传播他的威严之名？

彭铿斟雉[1]，帝何飨[2]？受寿永多[3]，夫何久长[4]？

## 注释

[1]彭铿（kēng）：彭祖，姓篯（jiān）名铿，因受封于彭城，故称彭铿。斟：调和。雉：此处指用野鸡做的汤。传说彭祖善于调制野鸡汤，并把它献给尧帝，尧帝因此将彭城赐予他。彭铿从尧时活到周代，达八百岁。 [2]帝：指尧帝。飨：同“享”，享用。 [3]受：得。永：长久。

## 译文

彭祖善于调制野鸡汤祭献给尧帝，彭祖能获得长久的寿命，又是为什么呢？

中央共牧后何怒[1]？蜂蛾微命力何固[2]？

## 注释

[1]共（gōng）：即共伯和。周厉王十三年，民众不堪其暴虐无行而起来造反，流放周厉王于彘（zhì）地，共伯和借机摄政。共伯和十四年，周厉王死在彘地，天大旱，房屋起火。于是进行占卜，卦辞说是周厉王作祟。在国人的要求下，共伯和被迫退位重回共国，而周厉王的太子被立为周宣王。牧：治。后：君王，此处指周厉王。[2]蜂蛾：土蜂和蚂蚁，此处喻指民众。蛾，“蚁”的古字。微：卑贱。

## 译文

共伯和代治中央，周厉王为何发怒？土蜂、蚂蚁的生命如此卑贱，但它们的力量又为何那样顽强？

### 惊女采薇鹿何祐[1]？北至回水萃何喜[2]？

## 注释

[1] 惊（jǐng）女："女惊"的倒装，女子警戒。惊，通"警"，警戒。采薇：采摘薇菜。此处指采摘薇菜的人，也就是伯夷、叔齐。相传伯夷、叔齐二人因为不赞成周武王灭商，守义不食周粟，隐居首阳山，采摘薇菜充饥。后来，有个女子警戒他们，说他们所采的薇菜也属于周。于是，伯夷、叔齐连薇菜也不采摘了。鹿：神鹿。相传伯夷、叔齐不再采摘薇菜充饥之后，一只神鹿来喂奶给他们吃。后来，他们想到鹿肉很美，神鹿知道了他们的心思，就不再来。于是，他们就饿死在首阳山。祐：帮助，辅助。

[2] 回水：河曲，此处指河曲之中的首阳山。回，同"回"。萃：止息。这里指死亡。

## 译文

女子警戒采薇的伯夷、叔齐，神鹿又为什么要来帮助他们？向北行到河曲之中的首阳山，饿死在那里又有什么值得称道的？

兄有噬犬[1]，弟何欲[2]？易之以百两[3]，卒无禄。

## 注释

[1]兄：此处指秦景公，春秋时期秦国国君。噬（shì）犬：会咬人的猛犬。 [2]弟：此处指秦景公的弟弟鍼（qián）。他因受到父亲秦桓公的宠信，非常富裕，有车千乘。后来招致谗言，被秦景公放逐，逃到晋国。 [3]易：交换，交易。两（liàng）：通“辆”，车辆。

## 译文

秦景公有只会咬人的猛犬，他的弟弟鍼为什么想要它？想用百辆车来换取它，最后竟然没有了爵禄。

## 赏析

此节主要问周代兴亡之事，连带提及商代的一些历史。一讲周的始祖后稷，为父亲帝喾所憎恶，并把他扔在冰上，飞鸟以其翼温暖之，姜嫄以为神，遂收养之。二讲周文王号令于殷商衰微之时，他曾执掌权柄而成为雍地长官，周太王曾把库藏迁移到岐地，而周武王下令毁坏岐地社庙，而建立丰地社庙。周文王发现并重用原屠牛于街市的贤才姜太公。三讲周武王载着周文王的神主去讨伐商纣王，纣王在柏林自缢。四讲民众流放周厉王于彘地，共伯和借机摄政。后周厉王死在彘地，天大旱，房屋起火。于是进行占卜，卦辞说是周厉王作祟。在国人的要求下，共伯和被迫退位重回共国，而周厉王的太子被立为周宣王。此外，本节还提到了商纣王、伊尹、阖闾、彭祖、伯夷、叔齐、秦景公及其弟鍼等人物。

## 思考讨论

请联系前面两节，谈谈决定夏、商、周三代兴亡的原因是什么。

**薄暮雷电归何忧[1]？厥严不奉帝何求[2]？伏匿穴处爰何云[3]？荆勋作师夫何长[4]？悟过改更，我又何言？**

## 注释

[1]薄暮：近黄昏，天将黑。此处喻指楚国将要日暮途穷。薄，迫近，接近。归：归隐于野。此处指屈原自己被放逐而归隐于野。[2]奉：持，保持。帝：上帝，天帝。[3]匿：藏。爰：发语词。云：说。[4]荆：楚国。勋：以……为功。作师：兴师，发兵打仗。

## 译文

天快黑时雷声轰轰电光闪闪，我已经归隐于乡野又何必担忧？楚国的威严已经不能保持，我又何必寻求上帝的护佑？我伏藏岩穴，还有什么好述说？楚国热衷发兵打仗，国家怎么能够长久？楚王如觉察过失而改弦更张，我又何必再喋喋不休？

**吴光争国[1]，久余是胜[2]！何环穿自闾社丘陵[3]，爰出子文[4]？吾告堵敖以不长[5]。何试上自予、忠名弥彰[6]？**

## 注释

[1]吴光:吴王阖闾，名光。争国:阖闾谋杀吴王僚，夺取君位。[2]余：我们，此处指楚国。　[3]环：环绕。穿：穿行。闾社：古代居民的村落。二十五家为社，又称里，里有门，叫闾，故称闾社或闾里。　[4]爰：乃，于是。子文：做过楚国的令尹，楚成王时贤相。传说子文是楚宗室斗伯比和郧之女私通所生。[5]堵敖：楚成王兄，为成王所杀。楚国称早死的或不成君的国君为敖。以:通“已”。　[6]试:通“弑”。上:君上，此处指堵敖。自予：把王位给予自己。

## 译文

吴王阖闾杀君篡位，竟然长期战胜楚国！为什么斗伯比环绕穿梭于闾社丘陵，于是就诞生出一代贤相令尹子文？我曾对堵敖说过楚国将衰不能长久。为什么楚成王杀了君上自占王位、忠名却更加彰显？

## 赏析

王逸《楚辞章句》认为，《天问》是屈原在流放期间创作的。当时他忧心愁悴，迷茫中来到楚先王庙和公卿祠堂，因见庙堂的壁画上画着天地山川神灵、古贤圣怪物行事而引发愤慨和疑问，于是在庙堂的墙壁上挥笔写下《天问》。王逸此说大概是出于推测。

洪兴祖《楚辞补注》认为，楚先王庙和公卿祠堂应该在汉北，当时屈原正被楚怀王流放在汉北。我们认为，《天问》应该不是屈原因见壁画而一时愤激之作，而是屈原对自然和历史长期思考后的呕心沥血之作。

此节最能说明《天问》的创作时间。首先，所谓“薄暮雷电，归何忧”、“伏匿穴处，爰何云”，点明了屈原自己当时正被放逐，过着藏身岩穴的艰苦生活。其次，所谓“荆勋作师，夫何长”，也点明了楚国一直热衷发兵打仗而次次败退。据司马迁《史记·楚世家》记载，楚怀王后期，“二十九年，秦复攻楚，大破楚，楚军死者二万，杀我将军景缺”，“三十年，秦复伐楚，取八城”。又，楚襄王元年，秦、楚再次大战，“大败楚军，斩首五万，取析十五城而去”。正是由于连年不断的对外战争，楚国在人力、物力、土地等方面都损失惨重，大有亡国之迹象。因此，屈原才会在此段中有“厥严不奉，帝何求”的感慨。最后，屈原表面上是对吴王阖闾、楚成王的质疑，实际上是对楚襄王的讽谏。在屈原看来，楚襄王因听信谗言而把自己放逐，就像当年吴王阖闾、楚成王曾篡夺王位一样糊涂。但楚襄王毕竟还年轻，只要他肯悟过改更，就一定会像吴王阖闾、楚成王后来那样使国家富强，使自己扬名。由此可见，《天问》应该是屈原在楚襄王早期被流放到江南时所作。

## 思考讨论

贺贻孙《骚筏》：“《天问》一篇，灵均碎金也。无首无尾，无伦无次，无断无案，倏而问此，倏而问彼，倏而问可解，倏而问不可解，盖烦懑已极，触目伤心，人间天上，无非疑端。既以自广，实自伤也。其词与意，虽不如诸篇之曲折变化，然自是宇宙间一种奇文。”对此，你有何看法？

# 第四章　九　章（选五）

## 涉　江

余幼好此奇服兮[1]，年既老而不衰。带长铗之陆离兮[2]，冠切云之崔嵬[3]，被明月兮珮宝璐[4]。世溷浊而莫余知兮[5]，吾方高驰而不顾[6]。驾青虬兮骖白螭[7]，吾与重华游兮瑶之圃[8]。登昆仑兮食玉英[9]，与天地兮同寿，与日月兮齐光。哀南夷之莫吾知兮[10]，旦余济乎江湘[11]。



### 注释

[1]奇服：奇伟的服饰，不同凡俗的服饰。　[2]铗（jiá）：剑柄，此处指剑。陆离：修长而美好的样子。　[3]冠（guàn）：把帽子戴在头上。切云：当时的高冠名。崔嵬（wéi）：高大耸立的样子。[4]被（pī）：同"披"。明月：此处指夜明珠。珮：同"佩"，佩带。宝璐（lù）：宝玉。璐，美玉。　[5]溷（hùn）浊：污浊，混浊。[6]方：将。高驰：高高飞驰。　[7]虬（qiú）：无角的龙。螭（chī）：无角的龙。　[8]重华：虞舜的名。瑶之圃：美玉的园圃。[9]玉英：玉树的花朵。英，花朵。　[10]南夷：楚国南方的落

后民族，此处指屈原被流放的地方。 [11]旦:清晨。济:渡过。江湘：长江和湘水。

## 译文

我自幼喜好这奇伟的服饰啊，年岁已老而此兴趣没有减损。腰间佩带着长长的宝剑啊，头上戴着高耸的切云冠，佩着夜明珠啊还系着宝玉。举世浑浊而没人了解我啊，我将远走高飞而不再回头。驾驭着青虬啊又以那白螭为骖，我要和帝舜同游啊美玉的园圃。登上昆仑啊品尝玉树之花，我的生命和天地啊一样长久，与那日月啊一样光明辉煌。我哀伤南夷没人了解我啊，清晨我就渡过长江和湘水。



**乘鄂渚而反顾兮[1]，欸秋冬之绪风[2]。步余马兮山皋[3]，邸余车兮方林[4]。乘舲船余上沅兮[5]，齐吴榜以击汰[6]。船容与而不进兮[7]，淹回水而凝滞[8]。朝发枉陼兮[9]，夕宿辰阳[10]。苟余心其端直兮[11]，虽僻远之何伤！**

## 注释

[1] 乘：登。鄂渚：地名，在今湖北省境内。反顾：回头看。反，同“返”。　[2] 欸(āi)：叹息的声音。绪风：此处指秋冬季的余风。　[3] 步：慢行。山皋（gāo）：山冈。　[4] 邸（dǐ）：抵达，到达。方林：地名。　[5] 舲（líng）船：有窗户的船。沅（yuán）：沅水。　[6] 齐：齐举，并举。吴榜：吴国产的大桨。击汰：击水，此处指划船。　[7] 容与：缓缓前进。　[8] 淹：滞留，停留。回水：回旋的水流。凝滞：滞留不前。　[9] 枉陼（zhǔ）：地名，在今湖南省境内。陼，同“渚”。　[10] 辰阳：地名，在今湖南省境内。　[11] 端直：端正刚直。

## 译文

登上鄂渚而回头眺望啊，我叹息冬季余风的凄寒。让我的马慢行啊在山冈，让我的车停留啊在方林。乘着舲船而我上溯沅水啊，并举起大桨而激拍着波浪。船行迟缓而难以向前进啊，陷留于漩涡中而阻滞不前。清晨从枉陼出发啊，傍晚就留宿在辰阳。只要我的内心端正又刚直啊，即使被放逐偏远又何必悲伤！

**入溆浦余儃佪兮[1]，迷不知吾所如[2]。深林杳以冥冥兮[3]，乃猨狖之所居[4]。山峻高目蔽日兮[5]，下幽晦目多雨[6]。霰雪纷其无垠兮[7]，云霏霏而承宇[8]。哀吾生之无乐兮，幽独处乎山中。吾不能变心而从俗兮，固将愁苦而终穷[9]！**

## 注释

[1] 溆(xù)浦：地名。儃佪(chán huái)：徘徊。　[2] 如：往。[3] 杳（yǎo）：幽深的样子。冥冥：幽暗无光的样子。　[4] 猨：同“猿”。狖：长尾猿。　[5] 目：同“以”。　[6] 幽晦：幽深晦暗。　[7] 霰（xiàn）：小雪珠。　[8] 霏霏（fēi fēi）：很盛的样子。宇：天宇。　[9] 穷：仕途困顿。

## 译文

进入溆浦我踌躇徘徊啊，心中迷茫不知道我该去往何方。从林幽深而昏暗无光啊，这是猿猴所居住的地方。山势高耸而遮蔽太阳啊，山脚幽暗而又阴湿多雨。小雪珠纷纷坠落而没有边际啊，云气重重聚集而承接着天宇。哀伤我此生不得欢乐啊，幽僻而孤独地住在山中。我不能改变心志而跟从流俗啊，本来就会愁苦而终生仕途困顿！

**接舆髡首兮[1]，桑扈臝行[2]。忠不必用兮，贤不必以[3]。伍子逢殃兮[4]，比干菹醢[5]。与前世而皆然兮[6]，吾又何怨乎今之人！余将董道而不豫兮[7]，固将重昏而终身[8]！**



## 注释

[1] 接舆：楚国的一名隐士，佯狂傲世。髡（kūn）首：剃光头发，在古代髡是一种刑罚。此处指接舆借剃光自己的头发，表示不流于世俗。 [2] 桑扈（hù）：古代的一名隐士。臝（luǒ）行：一作“裸行”，赤身裸体地行走。 [3] 以：用。 [4] 伍子：伍子胥，春秋时期吴国大臣，因屡谏忠言而被迫自尽。 [5] 菹醢：此处指比干被剖心而死，极言其所受刑法之残酷。 [6] 与：通“举”，全，整个。 [7] 董道：正道。豫：犹豫，迟疑。 [8] 重昏：重重幽闭，暗淡不明。

## 译文

接舆佯狂剃光头发啊，桑扈赤身裸体地行走。忠臣不受重用啊，贤士也不被任用。伍子胥遭遇祸殃啊，比干被剖心而死亡。整个前代都是这样啊，我又何必抱怨着今人！我将行正道而不迟疑啊，本来就会终身前途暗淡不明！

**乱曰：鸾鸟凤皇[1]，日以远兮。燕雀乌鹊[2]，巢堂坛兮[3]。露申辛夷[4]，死林薄兮[5]。腥臊并御[6]，芳不得薄兮[7]。阴阳易位[8]，时不当兮[9]。怀信侘傺[10]，忽乎吾将行兮[11]。**

## 注释

[1] 鸾鸟：善鸟名，凤一类的祥鸟。此处喻指贤士。凤皇：善鸟名，凤凰。皇，同“凰”。此处喻指贤士。　[2] 燕雀：恶鸟名。此处喻指小人。乌鹊：恶鸟名。此处喻指小人。　[3] 巢：筑巢。堂坛：殿堂和庭院。此处喻指位列朝堂显赫的高位。　[4] 露申：香草名。巢和堂坛喻指贤士。辛夷：香木名。此处喻指贤士。　[5] 林薄：草木交杂丛生之地。　[6] 腥臊（sāo）：恶臭难闻的气味。此处喻指奸臣。御：用。　[7] 薄：迫近，接近。　[8] 阴阳易位：原指自然界极端混乱的情形。此处指楚国黑白颠倒、是非不分的极端混乱的情况。　[9] 当（dāng）：值，遇。　[10] 信：忠信，诚信。侘傺（chà chì）：进退失据。　[11] 忽乎：迅急的样子。

## 译文

尾声：鸾鸟和凤凰，日益远离啊。燕雀和乌鹊，筑巢在堂坛啊。贤德之士，死于乱草丛中啊。腥臊和恶臭并用，芳香不能近前啊。阴阳颠倒位置，我生不逢时啊。满怀忠信却进退失据，我将迅速远走他方啊。

## 赏析

《九章》，共有九篇，包括《惜诵》、《涉江》、《哀郢》、《抽思》、《怀沙》、《思美人》、《惜往日》、《橘颂》、《悲回风》。朱熹《楚辞集注》："屈原既放，思君念国，随事感触，辄形于声。后人辑之，得其九章，合为一卷，非必出于一时之言也。"此论比较符合事实。司马迁《史记·屈原贾生列传》只提到《哀郢》、《怀沙》之篇名，而没有说到《九章》之名称；而刘向《九叹》则提到了《九章》。由此可见，大概在西汉元帝成帝之际，始有《九章》的名称。

"涉江"，即渡长江。《涉江》是楚襄王初年屈原被流放到楚国江南地区时所作。据司马迁《史记·屈原贾生列传》记载，由于令尹子兰不断进谗言，昏庸无能的楚襄王一怒之下再次将屈原放逐。王逸《楚辞章句》："迁屈原于江南。"此处所谓的"江南"，是楚国的"江南"，在湘鄂之间。我们认为，王逸所谓屈原被楚襄王流放江南的观点是可信的。首先，从《涉江》所记述的行程来看，济江湘，乘鄂渚，至方林，渡洞庭，溯沅水，发枉陼，宿辰阳，入溆浦，其目的地就在楚国的江南地区，这就是屈原济渡长江往楚国江南地区行走的真实记录。其次，从《涉江》所描写的环境来看，"深林杳以冥冥兮，乃猨狖之所居。山峻高目蔽日兮，下幽晦目多雨。霰雪纷其无垠兮，云霏霏而承宇"。其地荒远僻陋，重山深林，谷幽多雨，云岚霰雪，渺无人烟，而这正是开发较晚的

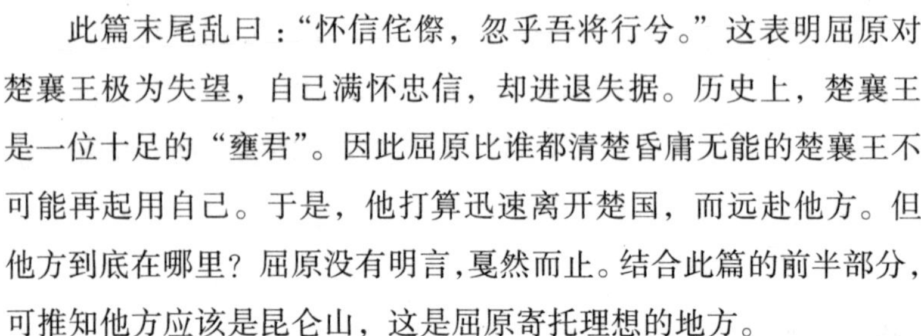

楚国江南地区的真实写照。

此篇末尾乱曰："怀信侘傺，忽乎吾将行兮。"这表明屈原对楚襄王极为失望，自己满怀忠信，却进退失据。历史上，楚襄王是一位十足的"壅君"。因此屈原比谁都清楚昏庸无能的楚襄王不可能再起用自己。于是，他打算迅速离开楚国，而远赴他方。但他方到底在哪里？屈原没有明言，戛然而止。结合此篇的前半部分，可推知他方应该是昆仑山，这是屈原寄托理想的地方。

此篇既是一篇纪行之作，也是一篇言志之作。周建忠《楚辞讲演录》："《涉江》'纪行'只是一个基础、一个载体、一个背景，更主要的还是'言志'，我将它称之为'人生选择宣言书'、'人格魅力宣言书'。"此论甚确。全篇以"旦余济乎江湘"为界，分为前、后两部分。前半部分，虚写自己生逢浊世，怀才不遇，故跟随舜帝，同赴昆仑，祈求与天地同寿，与日月同光。后半部分，实写自己流放江南，水陆并行，触目荒僻，抑郁独哭，然坚守善道而不肯降服，宁困穷终身而绝不后悔，"是其可爱者在此，其可贵者亦在此"（陈怡良《屈原文学论集》）。

## 思考讨论

1. 请比较《涉江》和《离骚》中屈原游历之异同。

2. 在《涉江》中，作者运用哪些写作手法来抒发自己的感情？

## 哀郢

**皇天之不纯命兮[1]，何百姓之震愆[2]？民离散而相失兮[3]，方仲春而东迁[4]。去故乡而就远兮[5]，遵江夏以流亡[6]。出国门而轸怀兮[7]，甲之鼂吾以行[8]。**



### 注释

[1] 不纯命：天命错乱，违反常道。纯，正常，不杂。命，天命。[2] 百姓：百官。愆(qiān)：罪过。 [3] 民：人，此处指屈原自己。[4] 方：正当。仲春：农历二月。东迁：往东方迁逐。 [5] 去：离开。 [6] 江：长江。夏：夏水，汉水其中一段的别名。流亡：四处流荡。 [7] 国门：此处指楚国郢都的城门。轸（zhěn）怀：悲痛，沉痛。 [8] 甲：古代用干支相配来记录日期，此处指天干的甲日。

### 译文

天命反复无常啊，为什么百官会受惊遭罪？我与家人离散而不能相保啊，正当仲春时节而往东方迁逐。我离开故乡而远走他方啊，沿长江、夏水而四处流荡。走出都门而内心悲伤啊，甲日的清晨我已经启程。

**发郢都而去闾兮[1]，怊荒忽其焉极[2]？楫齐扬以容与兮[3]，哀见君而不再得[4]。望长楸而太息兮[5]，涕淫淫其若霰[6]。过夏首而西浮兮[7]，顾龙门而不见[8]。心婵媛而伤怀兮，眇不知其所蹠[9]。顺风波以从流兮[10]，焉洋洋而为客[11]。凌阳侯之氾滥兮[12]，忽翱翔之焉薄[13]？心絓结而不解兮[14]，思蹇产而不释[15]。将运舟而下浮兮[16]，上洞庭而下江[17]。去终古之所居兮[18]，今逍遥而来东[19]。**

## 注释

[1]闾（lǘ）：里门，此处指家乡。 [2]怊（chāo）：惆怅。荒忽：即“恍惚”迷茫怅惘的样子。焉：哪里。极：尽头，终了。 [3]楫（jí）：划船的桨。齐扬：一齐举起。容与：缓缓前进。 [4]君：君王，此处指楚怀王。 [5]长楸（qiū）：高大的梓树。太息：叹息。 [6]淫淫：涕泪交流不止的样子。霰（xiàn）：小雪珠。 [7]夏首：夏口。西浮：向西漂浮。 [8]龙门：郢都的东门。 [9]眇：同“渺”，渺远，渺茫。蹠（zhí）：踏，此处指托身落脚的地方。 [10]从流：顺流。 [11]焉：于是，就。洋洋：水盛大的样子，此处指漂泊不定的样子。 [12]凌：乘。阳侯：神话中的波涛之神，此处指波涛。传说古代陵阳国诸侯溺水而亡，其神能作波涛。氾（fàn）滥：波涛浩大漫溢的样子。氾，同“泛”。 [13]忽：飘忽。翱翔：此处指船随着汹涌的波涛在水中上下起伏的样子。薄：停止，停靠。 [14]絓（guà）结：

牵挂郁结。 [15] 蹇（jiǎn）产：曲折，抑郁难伸。 [16] 运：回。下浮：沿江而下。 [17] 上洞庭：上溯进入洞庭湖。下江：离开长江。 [18] 去：离开。终古：永古，长久。所居：居住的地方，此处指故乡郢都。 [19] 逍遥：徘徊。

## 译文

我从郢都出发而离开家乡啊，惆怅迷茫何处才是尽头？船桨一齐举起而船儿缓缓地前进啊，让我伤心的是想见国君而再也不能。遥望高大的梓树而长长叹息啊，我涕泪交流不止好似雪珠飘散。船过了夏首而向西漂浮啊，我回望龙门而已看不见它。内心悲伤得气喘吁吁而伤心啊，前路渺远竟不知何处可托身。随着风波而顺流下行啊，我漂泊不定而客居他方。乘着浩大漫溢的波涛啊，孤舟起伏而哪里可停靠？心中郁结而不得排解啊，我内心抑郁而不得释放。我将回转那小舟而沿江下行啊，又上溯进入洞庭湖而离开长江。离开世代居住的故乡啊，如今我徘徊而向东方。

羌灵魂之欲归兮[1]，何须臾而忘反[2]。背夏浦而西思兮[3]，哀故都之日远[4]。登大坟以远望兮[5]，聊以舒吾忧心[6]。哀州土之平乐兮[7]，悲江介之遗风[8]。当陵阳之焉至兮[9]，淼南渡之焉如[10]？曾不知夏之为丘兮[11]，孰两东门之可芜[12]？心不怡之长久兮[13]，忧与愁其相接。惟郢路之辽远兮，江与

**夏之不可涉[14]。忽若不信兮[15]，至今九年而不复[16]。惨郁郁而不通兮[17]，蹇侘傺而含慼[18]。**

## 注释

[1]羌（qiāng）：楚方言，发语词。 [2]须臾：片刻。反：同“返”，返回。 [3]背：背弃，离开。夏浦：地名。西思：思念位于西面的楚国郢都。 [4]故都：此处指楚国郢都。 [5]大坟：此处指高高的堤岸。 [6]舒：舒缓，舒散。 [7]州土：乡土。 [8]江介：沿江一带，江边沿岸。遗（yí）风：祖先流传下来的民俗民风。 [9]当（dāng）：值，遇。陵阳：地名，在今安徽省境内。 [10]淼（miǎo）：水面浩大，一望无际。如：往。 [11]曾：何，怎么。夏：同“厦”，大屋。丘：丘墟，废墟。 [12]孰：何，怎么。两东门：此处指郢都东边的两个城门。 [13]怡：快乐，欢乐。 [14]江：长江。夏：夏水。 [15]忽若：迅急的样子。 [16]九年：此处指屈原被流放的时间。复：回，返回。 [17]惨郁郁：悲苦压抑的样子。通：疏通，排解。 [18]蹇：楚方言，发语词。慼（qī）：同“戚”，忧戚，悲苦。

## 译文

我的灵魂总想回去啊，哪有片刻忘记返乡。我离开夏浦东行而思念西面的郢都啊，让我哀伤的是离故都已越来越远。登上高高的堤岸而远远眺望啊，我姑且借此来舒缓心中的忧伤。让我哀叹的是乡土的和平喜乐啊，让我悲伤的是沿江民风依然淳朴而国家危机日深。到了陵阳我将去往何处啊，水面浩大我还能南渡到哪里？我岂会不知道大屋将会变成废墟啊，郢都的两个东门会荒芜？我的心情一直长久不乐啊，旧的烦忧紧接着新的哀愁。回郢都的道路是那么遥远啊，长江与夏水它们又不可涉渡。时间快得真令人难以相信啊，至今已经九年我还未能赦还。悲苦压抑而不得排解啊，我进退失据而满含忧戚。

**外承欢之汋约兮[1]，谌荏弱而难持[2]。忠湛湛而愿进兮[3]，妒被离而鄣之[4]。尧舜之抗行兮[5]，瞭杳杳而薄天[6]。众谗人之嫉妒兮，被以不慈之伪名[7]。憎愠惀之修美兮[8]，好夫人之忼慨[9]。众踥蹀而日进兮[10]，美超远而逾迈[11]。**



## 注释

[1] 承欢：献媚讨好而博取欢心。汋（chuò）约：同“绰约”，姿态柔美的样子。此处指阿谀奉承的媚态。 [2] 谌（chén）：诚然。荏（rěn）弱：软弱。持：通“恃”，依靠。 [3] 湛湛（zhàn zhàn）：厚重的样子。进：进用，启用。 [4] 被（pī）离：众多纷乱的样子。被，同“披”。鄣：同“障”，阻挡，阻障。 [5] 抗行：崇高的品行。 [6] 瞭：明亮。杳杳（yǎo yǎo）：高远的样子。薄：迫近，接近。 [7] 被（bèi）：加上。不慈：不慈爱自己的子女。传说尧将帝位传予舜而舍弃儿子丹朱，舜将帝位传予禹而舍弃儿子商均的崇尚行为被一些古人认为是“不慈”。伪名：污蔑的罪名。 [8] 愠惀（wěn lún）：忠诚谦恭的样子。

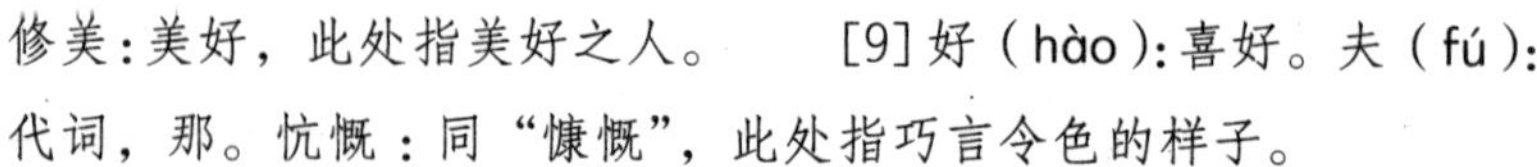

修美：美好，此处指美好之人。　　[9] 好（hào）：喜好。夫（fú）：代词，那。忼慨：同“慷慨”，此处指巧言令色的样子。

[10] 踥蹀（qiè dié）：小步走的样子。此处指小人奔走钻营的样子。

[11] 美：美好之人。超：远。逾迈：越来越远离。

## 译文

群小外表装出求宠的媚态啊，内心却软弱而不可依靠。忠贞之士愿为国家贡献力量啊，众多善妒的奸佞之人横加阻拦。尧和舜的崇高品行啊，光明高远而接近昊天。结党营私的群小嫉贤妒能啊，给尧舜加上“不慈”的污名。憎恶忠诚谦恭的美好之人啊，喜好巧言令色的奸佞之人。结党营私的群小奔走钻营而日渐高升啊，德行美好的贤者却被君王疏离，更加远离。

**乱曰：曼余目以流观兮[1]，冀壹反之何时[2]？鸟飞反故乡兮，狐死必首丘[3]。信非吾罪而弃逐兮[4]，何日夜而忘之[5]？**

## 注释

[1] 曼：延长，展开。流观：环看四方。　　[2] 冀：希望，盼望。壹反：返回一趟。反，同“返”。　　[3] 首丘：头朝向出生的山丘，表示不忘其本，也用来比喻思乡。　　[4] 信：实在，确实。弃逐：流放，驱逐。　　[5] 之：它，此处指楚国郢都。

## 译文

尾声：我放眼环看四方啊，何时才能回一次故乡？鸟儿一定要返回旧巢啊，狐狸临死必定头向故丘。我确实无辜而被流放啊，哪日哪夜把故土淡忘？

## 赏析

“哀郢”，思念郢都。“哀”，刘熙《释名·释言语》：“哀，爱也。爱，乃思念之也。”“郢”，战国时期楚国的国都，在今湖北江陵。郢都是楚国政治、经济、文化中心，也是楚国兴衰存亡的象征。据司马迁《史记·楚世家》记载，它始建于楚文王元年（前689），直到楚襄王二十一年（前278）被秦将白起攻占为止，楚国在此建都长达四百余年。同时，郢都也是屈原的出生成长的地方，是屈原的家乡。因此，对于屈原来说，郢都具有家乡、国都的双重含义。

关于《哀郢》的创作时间，王逸认为此篇作于被楚怀王流放时，而洪兴祖则认为此篇作于被楚襄王流放时。目前，学术界比较认同洪兴祖的观点。但屈原创作此篇，具体在哪一年？篇中“皇天之不纯命兮，何百姓之震愆”，应指楚襄王三年（前296）时，楚怀王未获天命保佑，客死于秦而归葬于楚，此事震惊了当时的百官。屈原很可能因此指斥令尹子兰，说他负有当年劝告楚怀王入秦的误国之罪。于是，令尹子兰联合上官大夫，一起在楚襄王面前诬陷屈原，结果楚襄王听信谗言而将屈原放逐江南，故篇中曰“方仲春而东迁”。而“忽若去不信兮，至今九年而不复”，则表明屈原此时已经流放在外达九年之久。因此，《哀郢》应是屈原被楚襄王放逐江南九年时所作，时当顷襄王十三年左右。

全篇紧扣一个“哀”字，通过追忆当年离开郢都的情景，来抒发自己思乡恋国之情。周建忠《楚辞讲演录》：“在被放江南九年之后，眼看着国事日非，归郢无望，那种思乡恋阙情绪就表现得更为直接、具体、实在、感人，《哀郢》就是这种思想感情的载体。”全篇首写自己离开郢都之状，次写自己离开郢都之忧，又写自己思念郢都之愁，再写自己痛恨党人之情，末写自己冀返郢都之愿。梁启超《屈原研究》评论此篇曰：“任凭是铁石人，读了怕都不能不感动哩。”

## 思考讨论

1. 请比较《诗经・黍离》与《九章・哀郢》的异同。
2. 在《哀郢》中，作者是如何运用叙事与抒情相结合的手法的？

# 抽　思

心郁郁之忧思兮[1]，独永叹乎增伤[2]。思蹇产之不释兮[3]，曼遭夜之方长[4]。悲秋风之动容兮[5]，何回极之浮浮[6]。数惟荪之多怒兮[7]，伤余心之忧忧[8]。愿摇起而横奔兮[9]，览民尤以自镇[10]。结微情以陈词兮[11]，矫以遗夫美人[12]。昔君与我诚言兮[13]，曰黄昏以为期。羌中道而回畔兮[14]，反既有此他志[15]。㤭吾以其美好兮[16]，览余以其修姱[17]。与余言而不信兮[18]，盖为余而造怒[19]。

## 注释

[1]郁郁：忧思抑郁的样子。　[2]永叹：长叹。增伤：倍加忧伤。　[3]蹇产：曲折，抑郁难伸。　[4]曼：曼曼，悠长的样子。　[5]动容：改变容貌，此处指秋风使草木改色　[6]回极：天极回旋的枢轴。浮浮：浮动震荡的样子。　[7]数（shuò）：屡次。惟：思。荪：此处指楚怀王。　[8]伤：使……悲伤。忧忧：忧愁苦闷的样子。　[9]摇：急速地。横奔：任意

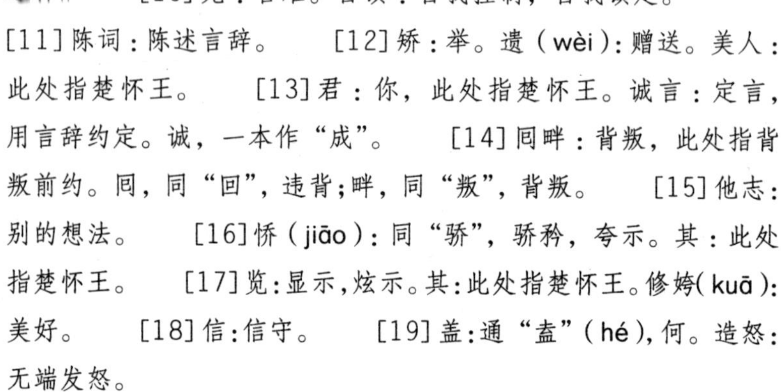
远奔。　[10]尤：苦难。自镇：自我控制，自我镇定。　[11]陈词：陈述言辞。　[12]矫：举。遗（wèi）：赠送。美人：此处指楚怀王。　[13]君：你，此处指楚怀王。诚言：定言，用言辞约定。诚，一本作“成”。　[14]回畔：背叛，此处指背叛前约。回，同“回”，违背；畔，同“叛”，背叛。　[15]他志：别的想法。　[16]憍（jiāo）：同“骄”，骄矜，夸示。其：此处指楚怀王。　[17]览：显示，炫示。其：此处指楚怀王。修姱（kuā）：美好。　[18]信：信守。　[19]盖：通“盍”（hé），何。造怒：无端发怒。

## 译文

我内心郁结且忧虑啊，独自长叹而倍加忧伤。我情思抑郁难伸而不得排解啊，却又偏偏遭遇漫漫秋夜正长。让我悲伤的是秋风使草木改色啊，为何天地又运行得如此浮动震荡。屡次想到怀王喜怒无常啊，就使我的内心悲伤而愁苦。我本想要迅速起程而任意远奔啊，但一见到人们的苦难而自我控制。结续妙思来陈述言辞啊，我双手举起来把它献给楚王。往昔您与我订下口头誓言啊，已说好黄昏作为约会的日期。哪知您中途背叛前约啊，反而已经有了别的想法。用您的美好向我夸示啊，又用您的美妙向我炫耀。与我说好约期而不信守啊，为何又无端找碴对我发怒。

愿承间而自察兮[1]，心震悼而不敢[2]。悲夷犹而冀进兮[3]，心怛伤之憺憺[4]。兹历情以陈辞兮[5]，

**荪详聋而不闻[6]。固切人之不媚兮[7]，众果以我为患[8]。初吾所陈之耿著兮[9]，岂至今其庸亡[10]？何毒药之謇謇兮[11]？愿荪美之可光[12]。望三五以为像兮[13]，指彭咸以为仪[14]。夫何极而不至兮[15]，故远闻而难亏[16]。善不由外来兮，名不可以虚作。孰无施而有报兮，孰不实而有获？**



## 注释

[1]承间:找机会。自察:自明,表明心迹。 [2]震悼:惊恐,恐惧。 [3]夷犹：迟疑不决的样子。冀：希望，盼望。 [4]怛（dá）伤：忧伤。憺憺（dàn dàn）：内心动荡不安的样子。 [5]兹历情:“历兹情”的倒装，经历此等情境。历，经历；兹，此。 [6]详:通“佯”，佯装。 [7]切人:恳切刚直的人。 [8]众：朝堂上的奸佞小人。 [9]耿著：清楚显明。 [10]庸：乃，就。亡:通“忘”，忘记，遗忘。 [11]毒药:一本作“独乐斯”，当从。乐，喜欢。斯，此。謇謇:犯颜直谏的样子。 [12]可光:能够发扬光大。 [13]三五：三皇和五帝，三皇指伏羲、女娲、神农，五帝指黄帝、颛顼、帝喾、帝尧、帝舜。一说三王和五霸，三王指夏禹、商汤、周文王，五霸指齐桓公、晋文公、秦穆公、宋襄公、楚庄王。像：榜样。 [14]彭咸：传说为殷代贤臣。 [15]极：终极，目的。 [16]远闻：远播的声名。

## 译文

我本想找机会表白心迹啊，但又惊恐不安而不敢启齿。悲伤

迟疑又希望觐见啊，我内心忧伤而动荡不安。经历此等情境而向您倾诉啊，您竟然佯装耳聋而不愿倾听。本来耿介之人就不会谄媚啊，朝堂奸佞果然把我看成祸患。当初我的陈诉清楚显明啊，难道您现在就已经遗忘？我为何独自喜欢犯颜直谏啊？就希望把您的美德发扬光大。希望您把三皇和五帝作为榜样啊，我要指着犯颜直谏的彭咸把他作为楷模。有什么目标不能够达到啊，因此声名远播而难以亏损。善良不能从外部而来啊，名声也不能够弄虚作假。不施予哪能有回报啊，不结实又哪能有收获？



少歌曰：与美人抽怨兮[1]，并日夜而无正[2]。㤭吾以其美好兮[3]，敖朕辞而不听[4]。

## 注释

[1]少歌：乐章音节名。美人：此处指楚怀王。抽怨：抒发怨情。[2]并日夜：日日夜夜相连。正：订正，评判。[3]㤭（jiāo）：同“骄”，骄矜，夸示。其：此处指楚怀王。[4]敖（ào）：同“傲”，傲慢，无视。

## 译文

短歌：我向怀王抒发自己的怨情啊，却整日整夜而没有为我评判。用您的美好来向我夸示啊，傲慢对待我的陈辞而不听。

倡曰：有鸟自南兮[1]，来集汉北[2]。好姱佳丽兮[3]，牉独处此异域[4]。既茕独而不群兮[5]，又无良媒在其侧[6]。道卓远而日忘兮[7]，愿自申而不得。望北山而流涕兮[8]，临流水而太息。望孟夏之短夜兮[9]，何晦明之若岁[10]！惟郢路之辽远兮[11]，魂一夕而九逝[12]。曾不知路之曲直兮[13]，南指月与列星。愿径逝而未得兮[14]，魂识路之营营[15]。何灵魂之信直兮[16]，人之心不与吾心同！理弱而媒不通兮[17]，尚不知余之从容[18]。



## 注释

[1] 倡：同“唱”，乐章音节名。鸟：此处为屈原自喻。南：南方，此处指郢都。　[2] 集：栖止，栖宿。　[3] 姱（kuā）：美好。[4] 牉（pàn）：分离。　[5] 茕（qióng）独：孤独。　[6] 良媒：此处指能在楚王面前为自己说合讲情的人。其：此处指楚怀王。[7] 卓远：遥远。日忘：此处指被楚怀王一天天淡忘。　[8] 北山：此处指楚国郢都附近的纪山。　[9] 孟夏：初夏。　[10] 晦明：从天黑到天明，一夜。岁：年。　[11] 郢路：去郢都的道路。[12] 魂：梦魂。九：虚数，表明次数之多。逝：往。　[13] 曾：何，怎么。路：返回楚国郢都的道路。　[14] 径逝：直接前往。[15] 营营：忙忙碌碌的样子，频繁往来的样子。　[16] 信直：诚信忠直。　[17] 理：媒人。　[18] 从容：行为，举止表现。

## 译文

唱：有鸟从南方来啊，就栖宿在汉北之地。容貌多么美好啊，却离群独居异乡。孤独而又不善交往啊，又无说合之人在身旁。道路遥远而一天天被淡忘啊，想要自我申诉却又无法实现。遥望北山而涕流满面啊，我面对流水而连连叹息。我凝望着那初夏的短夜啊，为何从天黑到天明长如年！去郢都的道路多么遥远啊，我的梦魂一夜却往返了九趟。我怎么不知道路是曲还是直啊，以月亮和群星为指路向南方走。想直接前往郢都却没有实现啊，我的梦魂忙忙碌碌地识别道路。我的灵魂为何这般诚信忠直啊，人家的心是不与我的心相同的！媒人笨拙而不能为我说合啊，他们还不了解我的举止表现。



**乱曰：长濑湍流[1]，泝江潭兮[2]。狂顾南行[3]，聊以娱心兮[4]。轸石崴嵬[5]，蹇吾愿兮[6]。超回志度[7]，行隐进兮[8]。低徊夷犹[9]，宿北姑兮[10]。烦冤瞀容[11]，实沛徂兮[12]。愁叹苦神，灵遥思兮[13]。路远处幽，又无行媒兮[14]。道思作颂[15]，聊以自救兮。忧心不遂[16]，斯言谁告兮[17]！**

## 注释

[1] 濑(lài)：沙石间湍急的浅水。湍流：急流。 [2] 泝(sù)：同“溯”，逆着水流而上。江：泛指江河。潭：楚方言，深水

[3] 狂顾：急切回顾。 [4] 娱：宽慰，慰藉。 [5] 轸（zhěn）石：方如车轸的石头。崴嵬（wēi wéi）：山势高耸的样子。 [6] 蹇：挂碍，阻碍。吾愿：此处指我返乡的夙愿。 [7] 超回：徘徊。志度：踟蹰。 [8] 隐进：行进艰难。 [9] 低徊：徘徊，踟蹰。夷犹：犹豫，迟疑。 [10] 北姑：地名。 [11] 烦冤：烦闷，委屈。瞀（mào）容：烦乱不安的神态。 [12] 沛：颠沛。徂（cú）：往。 [13] 灵：灵魂。遥思：此处指思念遥远的楚国郢都。 [14] 行媒：派遣媒人。比喻代屈原向楚王说情的人。 [15] 道思：述说怨情。作颂：撰写颂文。 [16] 遂：终了，结束。 [17] 谁告："告谁"的倒装，告诉谁。



## 译文

尾声：长长的浅水湍急流过沙滩，我正在江河的深水中逆流北上啊。我急切回顾而向南方前进，姑且以此宽慰我的忧心啊。方如车轸的石头嶙峋高耸，竟阻碍了我返乡的夙愿啊。我徘徊踟蹰，行进艰难啊。我徘徊犹豫，住在北姑啊。我烦闷而又委屈，实在是由于颠沛流离啊。我苦叹而又伤神，神思遥念郢都啊。路途遥远而且居处偏僻，又没有派遣媒人说合啊。我述说怨情而撰写颂文，姑且借它来自解苦楚啊。我的忧愁无法终了，这些话又能告诉谁啊！

## 赏析

王夫之《楚辞通释》:"抽，绎也；思，情也。"结合篇中的内容，"抽思"与此篇"与美人抽怨"句中的"抽怨"同义，也与此篇"道思作颂"句中的"道思"同义，就是把郁结于心的怨情抒写出来的意思。

蒋骥《山带阁注楚辞》指出，《抽思》篇中曰“来集汉北”，又前往郢都时曰“南指月与列星”，据此可知汉北为屈原的流放地；另外，篇中曰“昔君与我诚言兮，曰黄昏以为期”，与《离骚》曰“约黄昏以为期兮，羌中道而改路”遥相呼应，这说明《抽思》与《离骚》都作于楚怀王时期。结合此篇内容，我们认为《抽思》是屈原被楚怀王流放、抵达汉北时所作，大概在楚怀王二十七年左右。

此篇用男女的爱情来比喻君臣的关系，以爱情的婚约来比喻君臣的信约，以美人的中途变心来比喻楚怀王的中途失信，以寻求良媒来比喻寻求通君侧之人。全篇以“敖朕辞而不听”为界，分前后两部分。前半部分，以当年离开郢都的秋天时节为背景，追忆自己辅助楚怀王，从被信任到被疏离的过程，并抒发在此期间蒙冤被弃的怨情；后半部分，以如今身处汉北思念郢都为背景，抒发自己身处汉北的痛苦，日夜思念郢都的心情，以及希望楚怀王重新任用自己的愿望。尽管篇中有自救自辩的哀情，但更多的是对国家的忧心，对君王的苦谏。

此篇在结构上有很大的特色，洪兴祖《楚辞补注》：“此章有少歌，有倡，有乱。少歌之不足，则又发其意而为倡；独倡而无与和也，则总理一赋之终，以为乱词云尔。”

## 思考讨论

1.《抽思》表达了作者怎样的思想情感？

2. 请具体谈谈《抽思》中的时空意象。

## 惜往日

惜往日之曾信兮[1]，受命诏以昭诗[2]。奉先功以照下兮[3]，明法度之嫌疑[4]。国富强而法立兮，属贞臣而日娭[5]。秘密事之载心兮[6]，虽过失犹弗治[7]。

## 注释

[1]惜：痛惜。曾信：曾经被楚怀王信任。 [2]命诏：君王对臣民所颁布的诏书。昭诗：一本作“昭时”。昭，使……清明。时，时世，社会。 [3]奉：承继。先功：先王的功业。照下：照耀下民。 [4]明：澄清，明确。嫌疑：此处指法度中含糊不清的地方。 [5]属（zhǔ）：同“嘱”，交付，托付。贞臣：忠贞之臣，此处是屈原自指。娭（xī）：同“嬉”，嬉戏，游乐，这里是安乐清闲的意思。 [6]秘密事：国家机要机密的事情。载心：放在心中。[7]治：惩处。

## 译文

痛惜我往日曾被信任啊，接受王命而使时世清明。承继先王的功业来照耀下民啊，又澄清法度中含糊不清的地方。国家繁荣富强而法律制度确立啊，国事付托于忠贞之臣而君王可每日安乐清闲。我国家机密事情放于心上啊，即使有小过失也没有被惩处。

**心纯庬而不泄兮[1]，遭谗人而嫉之[2]。君含怒而待臣兮，不清澈其然否[3]。蔽晦君之聪明兮[4]，虚惑误又以欺[5]。弗参验以考实兮[6]，远迁臣而弗思[7]。信谗谀之溷浊兮[8]，盛气志而过之[9]。何贞臣之无辠兮[10]，被离谤而见尤[11]？惭光景之诚信兮[12]，身幽隐而备之[13]。**

## 注释

[1]纯庬（máng）：纯洁敦厚。不泄：不泄露国家机密。[2]之：指屈原的才能，承上句"心纯庬而不泄兮"而言。[3]清澈：此处指澄清事情的真相。然否：是和非。[4]蔽晦：遮蔽而使之晦暗。[5]虚：虚妄的东西。惑误：同义复词，迷惑。[6]参验：比较多方情况来验证。考实：考证核实事情的真相。[7]远迁：放逐到偏远之地。弗思：不加思考。[8]溷（hùn）浊：污浊，混浊。[9]盛气志：勃然大怒，盛气凌人。过：责罚，加罪。[10]辠（zuì）：同"罪"，罪过。[11]被（pī）离：众多纷乱的样子。被，同"披"。见尤：被加罪处罚。[12]惭：同"惭"。光景（yǐng）：日月天光。景，通"影"。[13]身幽隐：身处幽僻隐蔽的地方。备：疑作"避"，躲避。

## 译文

我心地纯洁敦厚而不泄国家机密啊，竟遭遇奸佞小人而嫉恨。君主含着怒意对待臣下啊，不能明辨事情的是和非。奸佞小人遮蔽君主耳目而使之昏聩闭塞啊，那些虚妄的东西迷惑又欺骗君王。不验证核实事情的真相啊，把我放逐远方而不加思量。听信奸佞小人的污言秽语啊，他又勃然大怒把我责罚。为什么忠贞之臣没有罪过啊，却遭来众多诽谤还被加罪处罚？惭愧于日月的光辉永恒啊，我将隐身幽僻之处来躲避。

临沅湘之玄渊兮[1]，遂自忍而沈流[2]。卒没身而绝名兮[3]，惜壅君之不昭[4]。君无度而弗察兮[5]，

**使芳草为薮幽[6]。焉舒情而抽信兮[7]，恬死亡而不聊[8]。独鄣壅而蔽隐兮[9]，使贞臣为无由[10]。**

## 注释

[1]玄渊：深渊。 [2]沈流：投水自尽。沈，同“沉” [3]没身：丧生。 [4]壅（yōng）君：被奸佞壅蔽而昏庸的君主。此处指楚襄王。昭：明。 [5]无度：没有是非标准。弗察：不能明察是非善恶。 [6]薮（sǒu）幽：多草湖泽的幽深处。薮，多草的湖泽。 [7]焉：何处，哪里。舒情：抒发心中的情绪。抽信：表达出自己真实的心志。 [8]恬：安，安于。不聊：此处指不苟且于人世。 [9]鄣壅：障塞，阻塞。鄣，同“障”。蔽隐：遮蔽，隐蔽。 [10]为：连词，相当于“则”、“就”。无由：没有出路。由，路。

## 译文

我面对沅水和湘水的深渊啊，就忍受苦楚而投水自尽。我最终身死而名灭啊，可惜糊涂君主还是不明白。君主没有是非标准而不辨善恶啊，使香草般美善的我掩埋在湖泽幽深处。何处倾诉衷情来表明心志啊，我宁愿安然死去而不苟且于人世。君王独自被阻塞又被遮蔽啊，使忠贞之臣没有出路。

**闻百里之为虏兮[1]，伊尹烹于庖厨[2]。吕望屠于朝歌兮[3]，甯戚歌而饭牛[4]。不逢汤武与桓缪兮[5]，**

**世孰云而知之[6]？吴信谗而弗味兮[7]，子胥死而后忧[8]。介子忠而立枯兮[9]，文君寤而追求[10]。封介山而为之禁兮[11]，报大德之优游[12]。思久故之亲身兮[13]，因缟素而哭之[14]。**

## 注释

[1]百里：百里奚。春秋时期虞国人，有贤能。被晋国俘虏成为奴隶，又逃亡到楚国，后被秦穆公用羊皮赎回，任命为秦国大夫，助秦国成就霸业。　[2]伊尹：又名挚。传说为商汤的贤相，曾做过厨役。庖（páo）厨：厨房。　[3]吕望：姜子牙。传说为周代的贤相，曾做过屠夫，后被周文王任命为太师，并辅佐周武王完成灭商大业。朝歌：地名。　[4]甯戚：春秋时期卫国人。传说为齐桓公的贤臣，曾做过商贩。有一日他夜宿齐国东门外，边喂牛边敲击牛角唱歌，抒发自己怀才不遇的苦闷，这些都被齐桓公看见，慧眼识才，收他为客卿。饭：喂养，喂食。　[5]汤：商汤，古代明君。武：周武王，古代明君。桓：齐桓公，春秋五霸之一，古代明君。缪：通“穆”，秦穆公，春秋五霸之一，古代明君。　[6]孰：谁。　[7]吴：春秋时期吴王夫差，因为听信谗言而逼死伍子胥。弗味：不能体味，不能理解。　[8]子胥：伍子胥，春秋时期吴国大臣，因屡谏忠言而被迫自尽。　[9]介子：介子推，春秋时期晋国人。曾跟从晋公子重耳（晋文公）逃亡他国，途中因为食物短缺，割大腿肉给重耳充饥。后重耳回国称君，众人争功求赏，介子推却携母隐居绵山。晋文公找到介子推，想用烧山的方法逼他出山，介子推坚决不从，最后抱树被焚身亡。介子推死后，晋文公穿素服亲自去哭祭他，并且把绵山下的田地

封为介子推的祭田，把绵山改名介山，禁止人们在介山采樵。立枯：抱树站着被烧死。　[10]文君：晋文公。寤：通“悟”，醒悟。[11]介山：绵山。为之：因此。禁：此处指禁止采樵。

[12]大德：此处指介子推随晋文公逃亡途中，割大腿肉给晋文公充饥的恩情。优游：广大的样子。　[13]久故：犹言“故旧”，曾多年长久相处的旧友。亲身：亲近身旁，不离身。　[14]缟（gǎo）素：白色的丧服。



## 译文

听说百里奚曾当过俘虏啊，伊尹曾经在厨房做过厨役。姜子牙曾在朝歌做过屠夫啊，甯戚边放牛边击牛角而高歌。不遇商汤、周武王、齐桓公和秦穆公啊，又有谁能知道他们的才能？吴王听信谗言而不思量分辨啊，竟逼死伍子胥而后就有亡国之忧。介子推尽忠却抱树被烧死啊，晋文公醒悟后急寻介子推。封赐介山而因此禁止采樵啊，用以报答介之推大恩大德。想起旧友曾患难与共啊，晋文公身着丧服而放声哭吊他。

**或忠信而死节兮[1]，或訑谩而不疑[2]。弗省察而按实兮[3]，听谗人之虚辞[4]。芳与泽其杂糅兮[5]，孰申旦而别之[6]？何芳草之早殀兮[7]，微霜降而下戒[8]。谅聪不明而蔽壅兮[9]，使谗谀而日得[10]。自前世之嫉贤兮[11]，谓蕙若其不可佩[12]。妒佳冶之芬**

芳兮[13]，嫫母姣而自好[14]。虽有西施之美容兮[15]，谗妒入以自代[16]。愿陈情以白行兮[17]，得罪过之不意[18]。情冤见之日明兮[19]，如列宿之错置[20]。

## 注释

[1] 死节:为气节而亡。 [2] 訑谩(dàn mán):欺骗，欺诈。不疑:不被疑忌。 [3] 省(xǐng)察:检查自己的思想行为。按实:考察实情。按，考察，审查。 [4] 虚辞：虚妄不实的假话 [5] 泽:污垢。杂糅:混杂在一起。 [6] 申旦:天天。申,重复。旦,日。别：辨别。 [7] 殀：同“夭”，早亡。 [8] 微霜：薄霜，初霜。戒:警戒，戒备。 [9] 谅:诚然，确实。聪不明:“不聪明”的倒装，不能够听清楚看明白。 [10] 得：得志。 [11] 嫉贤：嫉妒贤能之人。 [12] 蕙若：蕙草和杜若，皆香草名。[13] 佳冶：此处指美人。 [14] 嫫(mó)母：古代传说中的黄帝的妻子，容貌奇丑。姣(jiāo):美貌，此处指卖弄扭捏的样子。自好：自认为美好。 [15] 西施：春秋时期越国有名的美女。[16] 自代:自行取代。 [17] 陈情:陈述衷情。白行:表白行迹。[18] 不意：出乎意外。 [19] 见：同“现”，显现。日明：一天比一天更加明显。 [20] 列宿:众星。错置:措置，安放。错，通“措”，安置，设置。

## 译文

有的人忠诚信义而死于守节啊，有的人却欺诈瞒骗而不被疑忌。君王既不反省自己又不考察实情啊，竟听信奸佞小人虚妄不实的假话。芳草与污垢纵然糅合在一起啊，谁又能日复一日地去区分它们？为什么芳草总会早亡啊，薄霜初降就应警戒下面。君王诚然耳不聪目不明而被遮蔽阻塞啊，因此就使得那些谄谀小人日益得志猖狂。自古以来世人就嫉妒贤人啊，认为蕙草和杜若不能佩带。嫉妒美人的芳香美好啊，嫫母扭捏而自以为美好。纵然有西施的绝世美貌啊，谗妒者也会钻营而谋求取代。想陈述衷情而表白行迹啊，我获罪受罚实在出乎意外。实情和枉屈日益显现啊，就像众星措置在天空上。

**乘骐骥而驰骋兮[1]，无辔衔而自载[2]。乘氾泭以下流兮[3]，无舟楫而自备[4]。背法度而心治兮[5]，辟与此其无异[6]。宁溘死而流亡兮[7]，恐祸殃之有再[8]。不毕辞而赴渊兮[9]，惜壅君之不识[10]。**

## 注释

[1] 骐骥（qí jì）：骏马。　[2] 辔（pèi）：马缰绳。衔：马嚼子。[3] 氾（fàn）：同“泛”，漂浮，泛起。泭（fú）：同“桴”木筏。下流：顺流而下。　[4] 舟楫：划船所用的桨。自备：自我用力。备，用。[5] 心治：按照个人意愿办事。　[6] 辟：同“譬”，譬如，比方。[7] 溘（kè）：奄忽，倏忽。流亡：灵魂四处流荡，即死亡。[8] 有再：“再有”的倒装，再次发生。　[9] 毕辞：说完话。赴渊：投水。　[10] 壅（yōng）君：被奸佞壅蔽而昏庸的君主。此处指楚襄王。不识：不明白，不觉悟。

## 译文

想要乘着骏马而奔腾驰骋啊，没勒马的缰绳而任意狂奔。想要乘浮在水面上的木筏而顺流下行啊，却不准备船桨。背弃法度而随心所欲地做事啊，好像与此种情形没有什么区别。宁愿奄忽死去而灵魂四处流荡啊，让我担心的是灾祸还会再次发生。话音未落而投身深渊啊，痛惜昏君不解我的衷情。

## 赏析

“惜往日”，痛惜往日之意。据篇中“临沅湘之玄渊兮，遂自忍而沈流”、“不毕辞而赴渊兮，惜壅君之不识”等句，可知《惜往日》应作于楚襄王时期，屈原临渊自沉汨罗江的前夕。

从篇中我们可以感受到屈原与楚怀王、楚襄王这两任君主之间微妙的关系。《惜往日》开头六句，屈原深情地追忆自己往日曾深得楚怀王的信任，并明确地说出自己的法治思想。据司马迁《史记·屈原贾生列传》记载，楚怀王时期，屈原曾担任左徒，“入则与王图议国事，以出号令；出则接遇宾客，应对诸侯”，同时他还受命制定法令，以图振兴楚国。正是由于这样一段美好的相处时光，尽管屈原后来被楚怀王疏放，但他仍旧在其他作品中一再向楚怀王陈述自己的衷情，并用“美人”、“荃”、“荪”等美称来比喻楚怀王，始终表现出对楚怀王重新任用自己的期待。

跟楚怀王相比，楚襄王与屈原几乎没有什么深情厚谊。楚襄王不仅不吸取楚怀王覆辙的沉痛教训，反而变本加厉，误信谗言，不辨忠奸，废弃法制，不明是非，终于使国家日益陷入败亡的危境。故篇中一再指斥楚襄王为“壅君”，曰“惜壅君之不昭”、“惜壅君之不识”。在此篇中，屈原一再向楚襄王阐述这样的道理：用贞臣则法度立，弃贞臣则法度废；法度立则国强，法度废则国危。同时，屈原也一再向楚襄王表明自己担心的不是个人的安危，而是国家的兴亡，“宁溘死而流亡兮，恐祸殃之有再”。

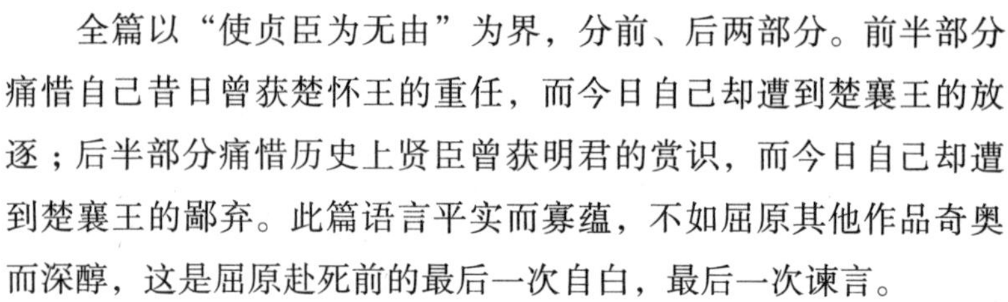

全篇以“使贞臣为无由”为界，分前、后两部分。前半部分痛惜自己昔日曾获楚怀王的重任，而今日自己却遭到楚襄王的放逐；后半部分痛惜历史上贤臣曾获明君的赏识，而今日自己却遭到楚襄王的鄙弃。此篇语言平实而寡蕴，不如屈原其他作品奇奥而深醇，这是屈原赴死前的最后一次自白，最后一次谏言。



### 思考讨论

1. 王萌《楚辞评注》注此篇曰：“所惜者往日，所恨者今日也。”对此，你如何理解？

2. 曾国藩《读书录 · 楚辞》：“余读屈原《九章 · 惜往日》亦疑其赝作。何以辨之？曰：不类。”请结合作品，谈谈你的看法。

## 橘　颂

后皇嘉树[1]，橘徕服兮[2]。受命不迁[3]，生南国兮[4]。深固难徙[5]，更壹志兮[6]。绿叶素荣[7]，纷其可喜兮[8]。曾枝剡棘[9]，圆果抟兮[10]。青黄杂糅[11]，文章烂兮[12]。精色内白[13]，类可任兮[14]。纷缊宜修[15]，姱而不丑兮[16]。

## 注释

[1] 后：后土，对大地的尊称。皇：皇天，对天的尊称。 [2] 徕（lái）：同"来"。服：适应。 [3] 受命：受命于天，即天性。 [4] 南国：此处指楚国。 [5] 深固：根深蒂固。 [6] 壹：专一。 [7] 素：白色。荣：草本植物开的花。 [8] 纷：众多的样子。 [9] 曾：通"层"。剡（yǎn）：锐利。棘：刺。 [10] 抟（tuán）：同"团"，圆。 [11] 杂糅：混杂在一起。 [12] 文章：纹理色彩。烂：灿烂，有光彩。 [13] 精色：颜色鲜明。内白：内瓤洁白。 [14] 类：似，好像。任：担任，担当。 [15] 纷缊（yūn）：芬芳浓郁的样子。宜修：修饰装扮得恰到好处，得体适宜。 [16] 不丑：出类拔萃，与众不同。丑，类。

## 译文

皇天后土孕育佳美的树木，橘树来适应所生的水土啊。它受命于天而不可迁徙，生长于这南方的楚国啊。它根深蒂固而难以迁移，又加上它专一的意志啊。它有绿色的叶白色的花，繁多茂盛得让人欣喜不已啊。它有层叠的树枝锐利的刺儿，结出的果实真是圆实饱满啊。青色与黄色混杂在一起，果皮的文理颜色鲜艳灿烂啊。它有鲜明的外壳白色的内瓤，正像可当重任的君子品格啊。它香味芬芳而修饰适宜，真是美好而出类拔萃啊。

嗟尔幼志[1]，有以异兮[2]。独立不迁，岂不可喜兮！深固难徙，廓其无求兮[3]。苏世独立[4]，横而不流兮[5]。闭心自慎[6]，终不失过兮[7]。秉德无私[8]，参天地兮[9]。愿岁并谢[10]，与长友兮[11]。淑离不淫[12]，梗其有理兮[13]。年岁虽少[14]，可师长兮[15]。行比伯夷[16]，置以为像兮[17]。

## 注释

[1]嗟：叹词，表示赞美。 [2]以：代词，相当于“其”。异：与众不同。 [3]廓：胸怀宽阔，豁达。 [4]苏：醒，清醒。 [5]横：横绝，磊落不群。 [6]闭心：坚守心志。 [7]失过：犯下过错。 [8]秉：保持。 [9]参：合，契合。 [10]谢：凋谢，指死亡。 [11]长友：长久为友。 [12]淑离：美好鲜明的样子。淑，善。离，明。淫：过分。 [13]梗：枝干坚挺。理：纹理。 [14]少：幼，年轻。 [15]师长：为师为长。 [16]行：品行，品德。伯夷：商末人孤竹君之长子。周灭商以后，伯夷耻食周粟而饿死在首阳山。 [17]像：榜样。

## 译文

我赞美你从小就立下志向，与其他草木卓然不同啊。独自挺立而不可迁徙，怎能够不让人喜欢啊！你根深蒂固而难以迁徙，胸怀宽阔而无求于世啊。你清醒地独自挺立于人世间，敢于特立独行而不随波逐流啊。你坚守心志而又自我谨慎，始终没有犯下什么过错啊。你保持美德大公无私，可以与天地相般配啊。希望与你一同在岁末凋谢，长久做朋友啊。你美好鲜明而不过分，枝干挺直而富有纹理啊。你的年纪虽然不大，却可以为师为长啊。你的品行堪比伯夷，可作为榜样啊。

## 赏析

“橘颂”，对橘的颂赞。“橘”，楚地一种有名的特产。《橘颂》是我国文学史上现存最早的咏物之作。篇中的“橘”，已不再只是陪衬起兴之物，而是主要咏赞的对象。

关于《橘颂》的创作时间，有人认为作于屈原晚年，有人认为作于屈原早年。从作品本身来看，此篇应属于屈原早年遭受谗言时所作。首先，从语言句式来看，此篇继承《诗经》四言句式而来，可以说是《诗经》演进到成熟骚体的过渡之作。其次，从情感基调来看，此篇没有流露出被流放的怨愤之情，反而表现出积极向上、矫昂不群的欢快之情。最后，从篇中“嗟尔幼志”、“年岁虽少”等句来看，年轻的橘正是屈原早年形象的投射。当然，屈原写作此篇时，很可能正遭遇君王的误会、谗佞的诬陷，篇中“受命不迁”、“闭心自慎”、“行比伯夷”等句大概由此而来。

黄文焕《楚辞听直》认为，此篇前半部分写橘，后半部分写屈原自己。此论看似高见，实则腐谈。全篇虽可分为前后两部分，但自始至终都在热情赞颂橘。前半部分重在写橘的外在美，包括挺拔的树干、翠绿的叶子、素白的花朵、层叠的枝条、尖锐的刺儿、圆满的果实等；后半部分重在写橘的内在美，包括“廓其无求”、“苏世独立”、“横而不流”、“闭心自慎”、“秉德无私”等。在屈原笔下，橘既有外在美又有内在美。显然，屈原是借赞美橘的秉质，来寄托自己的情志。因此，《橘颂》既是咏物之作，也是言志之作。

## 思考讨论

1. 请具体谈谈作者是如何颂橘的。

2. 林云铭《楚辞灯》：“一篇小小物赞，说出许多大道理……看来两段中句句是颂橘，句句不是颂橘。分不得是一是二，彼此互映，有镜花水月之妙。”对此，你是否赞同？请谈谈自己的看法。

# 第五章　招　魂

**朕幼清以廉洁兮[1]，身服义而未沫[2]。主此盛德兮[3]，牵于俗而芜秽[4]。上无所考此盛德兮[5]，长离殃而愁苦[6]。帝告巫阳曰："有人在下[7]，我欲辅之。魂魄离散，汝筮予之[8]！"巫阳对曰："掌梦[9]。上帝其难从。若必筮予之[10]，恐后之谢[11]，不能复用。"**

## 注释

[1]朕：我。先秦时一般人通用，秦始皇时才规定为帝王专用。　[2]身：亲自。服：服行。沫：通"昧"，昏暗。此处指德行的污损。　[3]主：守。盛德：盛美的德行。　[4]牵：被……所牵累。芜秽：荒芜污秽。　[5]上：此处指君王。考：考察。　[6]离：通"罹"，遭遇。　[7]帝：上帝，天帝。巫阳：神话中的神巫。人：此处指楚怀王。下：此处指下界。　[8]筮（shì）：卜筮，古时用蓍草卜吉凶。予：给予。　[9]掌梦：掌梦之官。　[10]若：如果。　[11]谢：消逝，凋落。此处指身体腐烂。

## 译文

我自幼清白而廉洁啊，亲施仁义而没有污点。坚守这盛美的德行啊，却被世俗牵累而荒弃。君王不察我的美德啊，使我长期遭难而愁苦。上帝告诉巫阳说："有个人在下界，我想要帮助他。他的魂魄已经离散，你去卜筮还魂给他！"巫阳回答说："这是掌梦之官的职责。上帝您的命令难以遵从。如果一定要卜筮还魂给他，恐怕已经迟了，他的身体已腐烂，这样的魂魄他也不能再用。"

## 赏析

司马迁《史记·屈原贾生列传》："余读《离骚》、《天问》、《招魂》、《哀郢》，悲其志也。"显然，司马迁把《招魂》视为屈原的作品。但王逸《楚辞章句》却认为《招魂》是宋玉的作品，曰："招魂者，宋玉之所作也。"可见，从汉代起《招魂》的著作权就打上了官司。但司马迁是西汉人，而王逸是东汉人，前者比后者自然先读到屈原的作品。因此，在没有其他可驳倒司马迁的铁证之下，应当认为《招魂》为屈原所作。

此节为序言，屈原先自述愁苦，后假托巫阳来招魂。

招魂是一种带有原始宗教性的习俗，在巫风盛行的楚国广为流传。王逸《楚辞章句》："招者，召也。以手曰招，以言曰召。魂者，身之精也。"招魂主要有招生魂和招亡魂两种形式。古人认为，人之所以身体有恙，是因为灵魂离开了体魄；如果能召唤灵魂回归到体魄上，则病人就能康复。因此，招生魂就是为了让人的体魄和灵魂重新结合在一起。而招亡魂则是为了让死者的灵魂和尸体一同安葬。正所谓"入土为安"，这里所谓的"安"应指不会因身体而死去的灵魂。"用死者生时衣服作标志（诱饵），把离开形体的灵魂招来附在衣服上，而后将这衣服覆盖尸体，使神形再次结合，最后把尸体与灵魂一同葬入坟墓；甚至还要插上‘招魂幡’。使游离的灵魂再返回形体，就叫做‘复’，这种仪式就叫做‘复礼’。”（金式武《〈楚辞·招魂〉新解》）本篇当为招亡魂以安葬。

## 思考讨论

请查阅相关资料，谈谈楚地的“招魂”文化。

**巫阳焉乃下招曰[1]：“魂兮归来！去君之恒干[2]，何为四方些[3]？舍君之乐处，而离彼不祥些[4]。**

## 注释

[1]焉乃：于是。下：降临下界。古人认为，巫能降神，神附于巫身而传达旨意。招：招回魂灵。　[2]去：离开。君：此处指楚怀王的灵魂。恒干：灵魂平常所寄托的固定的躯体。
[3]四方：此处指在四方游荡。些（suò）：语末收声词。　[4]离：通“罹”，遭遇。

## 译文

巫阳于是下凡召唤说：“魂魄啊归来吧！离开您自己的躯体，为何到四方去游荡？舍弃您快乐的居处，而遭遇险恶的事物。

**魂兮归来！东方不可以讬些[1]。长人千仞[2]，惟魂是索些。十日代出[3]，流金铄石些[4]。彼皆习之，魂往必释些[5]。归来兮！不可讬些。**

## 注释

[1]讬：同“讬”寄居，托身。 [2]长人：高大的巨人。仞(rèn)：古代的长度单位，八尺或者七尺叫做一仞。 [3]十日：十个太阳。代：更替，轮流。 [4]流金：此处指灼热的太阳把金属都晒成流淌的液体。铄(shuò)石：此处指灼热的太阳把石头都晒到销熔了。[5]释：熔化，消散。

## 译文

魂魄啊归来吧！东方不可寄居。那有千仞高的巨人，专门索取人的灵魂。十个太阳更替而出，晒熔了金属和石头。当地的人都已习惯，但你的灵魂前去定会消散。归来吧！东方不可寄居。

**魂兮归来！南方不可以止些[1]。雕题黑齿[2]，得人肉以祀，以其骨为醢些[3]。蝮蛇蓁蓁[4]，封狐千里些[5]。雄虺九首[6]，往来倏忽[7]，吞人以益其心些。归来兮！不可以久淫些[8]。**

## 注释

[1]止：停留。　[2]雕题：在前额雕刻花纹。题，前额。黑齿：用漆把牙齿染黑。　[3]醢：酱。　[4]蝮蛇：南方的一种毒蛇名。蓁蓁（zhēn zhēn）：聚集在一起的样子。　[5]封狐：大狐狸。封，大。　[6]雄：大。虺（huǐ）：毒蛇名。　[7]倏忽：很快的样子。[8]淫：沉溺。

## 译文

魂魄啊归来吧！南方不可停留。那里的人前额刻花啊把牙齿染黑，割下人肉作为祭祀用的祭品，还要把剩下的人骨做成酱。蝮蛇聚集在一起，大狐也到处流窜。大毒蛇有九个头，往来快速如闪电，吞食人来补益心肠。归来吧！南方不可沉溺。



**魂兮归来！西方之害，流沙千里些[1]。旋入雷渊[2]，靡散而不可止些[3]。幸而得脱[4]，其外旷宇些。赤蚁若象[5]，玄蜂若壶些[6]。五谷不生，丛菅是食些[7]。其土烂人[8]，求水无所得些。彷徉无所倚，广大无所极些[9]。归来兮！恐自遗贼些[10]。**

## 注释

[1]流沙：流动的沙丘，能够掩埋人或者动物。　[2]雷渊：传说中的深渊名。　[3]靡（mí）散：此处指身体碎裂，粉身碎

骨。縻，通“靡”，粉碎。[4]脱：逃脱，逃离。[5]赤蚁：红色的蚂蚁。[6]玄蜂：黑色的蜂。壶：通“瓠”，葫芦。[7]菅（jiān）：一种野茅草。[8]烂人：使人皮肉焦烂。[9]极：尽头，终了。[10]遗（wèi）：给予。贼：灾害，祸害。

## 译文

魂魄啊归来吧！西方有害人的东西，流动的沙丘达千里。一旦被卷进深渊，粉身碎骨而不得止息。纵然侥幸而能逃脱，四周是空旷的原野。红色蚂蚁如大象，黑色的蜂像葫芦。那里五谷不生长，只能吃丛丛野茅草。那里土地烂人皮肉，想要找水无处得。彷徨徘徊无依靠，广阔无边没尽头。归来吧！否则恐怕自招祸害。

**魂兮归来！北方不可以止些。增冰峨峨[1]，飞雪千里些。归来兮！不可以久些[2]。**

## 注释

[1]增冰：层叠的坚冰，此处指冰山。增，通“层”。峨峨：高峻耸立的样子。[2]久：久留。

## 译文

魂魄啊归来吧！北方不可停留。冰山高峻耸立，飞雪笼罩千里。归来吧！不可以久留。

魂兮归来！君无上天些[1]。虎豹九关[2]，啄害下人些[3]。一夫九首，拔木九千些。豺狼从目[4]，往来侁侁些[5]。悬人以娭[6]，投之深渊些。致命于帝[7]，然后得瞑些[8]。归来！往恐危身些。

## 注释

[1] 无：通“毋”，不要。 [2] 九（jiū）：通“纠”，把守。关：门闩，此处指天门。 [3] 下人：下界的人。 [4] 从目：竖生着眼睛。从，同“纵”。 [5] 侁侁（shēn shēn）：众多的样子。 [6] 娭：同“嬉”，嬉戏，取乐。 [7] 致命：复命。 [8] 瞑：闭上眼睛，此处指睡觉。

## 译文

魂魄啊归来吧！您不要上天去。虎豹看守天门，吞吃下界凡人。一个巨人有九个头，一下能拔树九千棵。豺狼竖生着眼睛，数量众多且成群往来。将人悬吊来取乐，之后再投深渊中。他们向天帝复命，然后才能够睡觉。归来吧！若去恐怕危害自身。

魂兮归来！君无下此幽都些[1]。土伯九约[2]，其角觺觺些[3]。敦脄血拇[4]，逐人駓駓些[5]。参目虎首[6]，其身若牛些。此皆甘人[7]，归来！恐自遗灾些。

## 注释

[1] 幽都：阴曹地府。地下幽冥，故称“幽都”。　[2] 土伯：地府的妖魔之王，把守地府门户。九约（jiū yào）：把守关口。九，通“纠”，把守。约，通“钥”，关口。　[3] 觺觺（yí yí）：角锐利的样子。　[4] 敦：厚。脄（méi）：同“脢”，背脊肉。血拇：沾染着血的指爪。拇，手脚的大指头，此处泛指爪。　[5] 駓駓（pī pī）：迅速奔走的样子。　[6] 参：同“三”。　[7] 甘人：把人肉当做美食。甘，以……为美味。

## 译文

魂魄啊归来吧！您不要下地府。土伯把守进出的关口，头顶上的尖角很锐利。宽厚的肩背、染血的指爪，奔走迅速地追人不舍。三只眼啊老虎头，他的身形就像牛。他们都把人肉当美味，归来吧！否则恐怕自招灾难。

**魂兮归来！入修门些[1]。工祝招君[2]，背行先些[3]。秦篝齐缕[4]，郑绵络些[5]。招具该备[6]，永啸呼些[7]。魂兮归来！反故居些[8]。**

## 注释

[1] 修门：楚国郢都城南关三门之一。　[2] 工祝：司祭礼之官。工，官。祝，男巫。　[3] 背行：倒退着行走。先：先导，引导，走在前面。　[4] 秦篝（gōu）：秦国的竹笼，一种招魂的

工具。齐缕：齐国的绳线。　[5]郑绵：郑国的棉絮。络：编织，此处指编织衣服。古人认为用竹笼装被招魂者的衣服可以使灵魂有所栖止依附。　[6]招具：招魂用的工具。该备：完备，齐备。[7]永：长久。　[8]反：同“返”。故居：旧居，此处指楚国王宫。

## 译文

魂魄啊归来吧！进入郢都修门。工祝正在招您的魂，他倒退着在前面引路。秦国的竹笼齐国的绳线，用郑国的棉絮编织衣服。招魂工具已经完备，长久呼唤您的魂灵。魂魄啊归来吧！返回您的旧居。

## 赏析

《招魂》所招的对象到底为谁？对此，学术界颇有歧说。或曰所招的对象为屈原的生魂，或曰所招的对象为楚怀王的亡魂。我们认为，《招魂》所招的对象应当是楚怀王的亡魂。首先，从史料记载上看，据《史记·楚世家》记载，楚怀王三十年，秦昭王约楚怀王在武关会面，怀王不听屈原的劝阻，西入秦国。秦昭王要挟楚怀王割让楚国的巫、黔中二郡给秦国，但楚怀王不答应，秦昭王因此扣留楚怀王，不让楚怀王返回楚国。楚襄王三年，楚怀王身死于秦国而归丧于楚国，“楚人皆怜之，如悲亲戚”。当屈原得知此事时，作为楚怀王昔日的大臣，他自然深切悲痛楚怀王客死他国，热切盼望楚怀王魂返故都，故挥笔写下这篇奇伟诡谲的作品。其次，从作品本身来看，此篇极力铺陈楚国的“宫室居处之美，饭食服御之奢，乐舞游艺之盛”（郭沫若《屈原研究》），而这种生活环境只有君王才能拥有。篇中“旋入雷渊，靡散而不可止些”、“恐自遗贼些”、“往恐危身些”，这似乎也在暗示楚怀王一入秦国，就像自投虎口，一去难返。又次，篇中“去君之恒干”、则说明所招之魂不可能是生魂，而应该是亡魂。故应以诗人屈原所作招楚怀王亡魂为是。

此节铺写屈原召唤楚怀王的亡魂，以陈述楚国境外天地四方的险恶，来恐吓楚怀王的亡魂不可留在境外，应该速速回归故国。

## 思考讨论

请具体谈谈此节中所写的“可怖”之处。



**天地四方，多贼奸些[1]。像设君室[2]，静闲安些。高堂邃宇[3]，槛层轩些[4]。层台累榭[5]，临高山些[6]。网户朱缀[7]，刻方连些[8]。冬有突厦[9]，夏室寒些。川谷径复[10]，流潺湲些[11]。光风转蕙[12]，氾崇兰些[13]。**

## 注释

[1]贼奸：祸害邪恶，此处指一切险恶的事物。 [2]像：仿照。[3]邃（suì）：深远。 [4]槛（jiàn）：栏杆。轩：走廊，长廊。[5]层：层叠。累：重叠。榭（xiè）：台上的屋子。 [6]临：面对。[7]网户：此处指雕刻有网状花格的门扇。缀：装饰，点缀。[8]刻方：雕刻的方形花格。 [9]突（yào）：复室，结构重深之屋。厦（shà）：同“夏”，大屋。 [10]径复：萦回往复，曲折环绕。[11]潺湲（chán yuán）：水缓慢流动的样子。 [12]转：流转，吹动。蕙：蕙草，香草名。 [13]氾（fàn）：同“泛”，此处指吹动，摇动。崇：通“丛”，丛生。兰：香草名，兰草。

## 译文

天上地下四面八方，多是险恶的事物。仿照您的居室来陈设，显得既安静又闲适。高大的厅堂深深的屋宇，栏杆围绕着层层的长廊。层叠的高台重叠的屋榭，面对着巍峨高耸的群山。网状的门扇红色为饰，雕刻的方形花格相连。冬天有复室大屋，夏天居室凉快。河谷萦回往复，水流缓缓流淌。日出的和风吹转蕙草，也摇动着丛生的兰草。

**经堂入奥[1]，朱尘筵些[2]。砥室翠翘[3]，挂曲琼些[4]。翡翠珠被[5]，烂齐光些。蒻阿拂壁[6]，罗帱张些[7]。纂组绮缟[8]，结琦璜些[9]。**

## 注释

[1]奥:房屋的角落,此处指内室。　[2]尘:承尘,屋顶棚。筵:垫底的竹席。古人席地而坐，设席每每不止一层。紧靠地面的一层称筵，筵上面的一层称席。　[3]砥（dǐ）室：用磨平的石板砌墙的屋室。翠翘：翠鸟尾巴上的长羽。　[4]曲琼：弯曲的玉钩。[5]翡翠:鸟名,形如燕,羽毛很美丽。此处指翡翠鸟的羽毛。珠被:缀以明珠的锦被。　[6]蒻:同“弱”,柔软,细软。阿:义同“缯”,一种丝织品。拂壁：遮盖墙壁。　[7]罗：一种丝织品，轻软而稀疏。帱（chóu）：帐子。　[8]纂：纯赤色的丝带。组：五色相杂的丝带。绮（qǐ）：有色彩的丝带。缟（gǎo）：纯白色的丝带。[9]琦（qí）：美玉。璜（huáng）：半璧形的玉器。

## 译文

经过厅堂进入内室，红色顶棚竹席铺地。用平的石板砌的墙壁以翠羽为饰,悬挂着弯曲的玉钩。翡翠鸟的羽毛和锦被上的明珠，它们的光芒交相辉映灿烂夺目。细软的缯遮盖墙壁，罗制的帐子挂于床。各色丝带垂于房中，联结着美玉和玉璜。



**室中之观[1],多珍怪些。兰膏明烛[2],华容备些[3]。二八侍宿[4]，射递代些[5]。九侯淑女，多迅众些[6]。盛鬋不同制[7],实满宫些[8]。容态好比[9],顺弥代些[10]。弱颜固植[11],謇其有意些[12]。姱容修态,絙洞房些[13]。蛾眉曼睩[14],目腾光些[15]。靡颜腻理[16],遗视矊些[17]。离榭修幕[18]，侍君之闲些。**

## 注释

[1]观：此处指所见的东西。 [2]兰膏：兰香的油脂。膏，油脂。 [3]华容：华美的容颜，此处指绝世的美人。备：齐备，齐全。 [4]二八：两列，每列八人，共十六人。侍宿：侍候过夜。 [5]射：应作“夕”，当夕。古代王宫，君王的妾侍众多，侍候君王过夜的人彼此间要更替，轮到的那一晚，就叫做“当夕”。递代：轮换值班。 [6]迅众：超群而出众。迅，同“逈”，超越，超出。 [7]鬋(jiǎn):鬓发。制:制式，样式。 [8]实：充实，充满。 [9]比:并，齐。 [10]顺:真正。弥代:绝代，

盖世。 [11] 弱颜：柔嫩的容貌。固：坚定，坚贞。植：通“志”，心志，志趣。 [12] 謇（jiǎn）：楚方言，发语词。 [13] 緪（gēng）：通“亘”，绵延交错不断。此处指美女往来不绝的样子。洞房：幽深的房，卧室。 [14] 蛾眉：像蚕蛾触须般弯曲而细长的眉毛。曼：展开，延长。睩（lù）：谨视，此处指眼睛。 [15] 腾光：闪射出光彩。 [16] 靡：细腻，细致。腻：滑柔，光滑。理：皮肤的肌理。 [17] 矊（mián）：目光深长含情的样子。 [18] 离榭：离馆的台榭。修幕：大帐篷。

## 译文

宫室中所见的东西，多是珍贵且奇异之物。兰香的油脂明亮的灯烛，绝世的美人盈满宫室。十六个侍女侍候过夜，夜间更替轮换着值班。来自各诸侯国的淑女，多是超群出众。美盛的鬓发各异的发式，已充满着您的整个宫殿。容貌姿态都美好，真正称得上绝代。柔嫩的容貌坚贞的心志，各有着动人心神的意态。姣好的容貌美好的体态，络绎不绝地穿梭于卧室。修长的蛾眉下转动双眸，她们的双眸闪射出光彩。细腻的容颜滑柔的皮肤，投送眼神那样深长含情。离馆的台榭高大的帐篷，等待您闲暇的时候来游息。

翡帷翠帐，饰高堂些。红壁沙版[1]，玄玉梁些[2]。仰观刻桷[3]，画龙蛇些。坐堂伏槛[4]，临曲池些。芙蓉始发[5]，杂芰荷些[6]。紫茎屏风[7]，文缘波些[8]。

**文异豹饰[9]，侍陂陁些[10]。轩辌既低[11]，步骑罗些[12]。兰薄户树[13]，琼木篱些[14]。魂兮归来！何远为些？**

## 注释

[1]红壁：用红泥涂饰的墙。沙版：用丹砂涂饰的版。
[2]玄玉：黑色的玉石。梁：房梁。 [3]刻桷（jué）：雕刻过的方形椽子。 [4]伏：靠凭，身体前倾倚靠在物体上。
[5]芙蓉：荷花。始发：初开。 [6]芰（jì）荷：荷叶。
[7]屏风：水葵，茎紫色。 [8]文：同"纹"，此处指荡起纹理。缘：因。 [9]文异：斑纹奇异。豹饰：豹皮的衣饰。
[10]侍：侍卫，守卫。陂陁（pō tuó）：高低不平的山坡。
[11]轩：有高蓬的车。辌（liáng）：古代一种有窗户的卧车。低：通"抵"，抵达，到达。 [12]步：步兵。骑：骑兵。
[13]薄：迫近，接近。 [14]琼木：玉树，此处指名贵的树木。篱：排成藩篱。

## 译文

翡翠鸟羽毛做成的帷帐，装饰在那高大的厅堂上。红泥涂饰的墙壁丹砂涂饰的轩版，黑色的玉石装饰在厅堂的房梁上。抬头看雕琢的方形屋椽，上面刻画着龙蛇的图案。坐在堂前倚靠栏杆，临视那曲折的清池。粉红的荷花初开，夹杂在荷叶中间。那些紫色茎干的水葵，正随着水波荡起纹理。身穿斑纹奇异的豹皮衣饰的武士，一直守卫在那高低不平的山坡上。蓬车卧车纷纷抵达，步兵骑兵排列成行。兰草紧挨着门前的大树，名贵的树木围成了藩篱。魂魄啊快快归来吧！为何要飘荡去远方？

室家遂宗[1]，食多方些[2]。稻粢穱麦[3]，挐黄粱些[4]。大苦醎酸[5]，辛甘行些[6]。肥牛之腱[7]，臑若芳些[8]。和酸若苦[9]，陈吴羹些[10]。胹鳖炮羔[11]，有柘浆些[12]。鹄酸臇凫[13]，煎鸿鸧些[14]。露鸡臛蠵[15]，厉而不爽些[16]。

## 注释

[1] 室家：家族，宗亲。宗：聚集，相聚。 [2] 多方：多种多样，式样众多。 [3] 粢（zī）：稷，小米。穱（zhuō）：一种早熟的麦子。 [4] 挐（rú）：掺杂，杂糅。黄粱：一种黄米，味香。 [5] 大：此处指味道很重。醎：同“咸”。 [6] 辛：辣。甘：甜。 [7] 腱（jiàn）：筋上的肉，味道鲜美。 [8] 臑（ér）：煮得熟烂。若：而。 [9] 和：调和。若：与。 [10] 陈：摆上，陈列。 [11] 胹（ér）：煮得熟烂。鳖（biē）：同“鳖”，甲鱼。炮（páo）：一种烹饪方法，把牲畜连毛裹泥烤熟。羔：小羊。 [12] 有：通“侑”，助。柘（zhè）：同“蔗”，甘蔗。 [13] 鹄（hú）：天鹅。酸：此处指用醋烹制。臇（juàn）：一种煮肉的方法，类似于“炖”。凫（fú）：野鸭。 [14] 鸿：大雁。鸧（cāng）：鸧鸹。 [15] 露：一种烹饪方法，其法未能详知。臛（huò）：此处指用肉炖成汤汁。蠵（xī）：一种大龟。 [16] 厉：烈，猛。爽：败坏胃口。

## 译文

家族宗亲聚集一处，吃的食物式样众多。稻米小米加上新麦，掺杂黄粱味道喷香。味道很重的苦咸酸，再加辣甜五味并用。肥牛筋上的鲜肉，煮得熟烂而芳香。酸与苦调和在一起，摆上吴国风味的汤。煮烂的甲鱼炮制的小羊羔，再助以甘蔗那香甜的汁水。醋烹的天鹅炖制的野鸭，还有煎炸的大雁和鸧鸹。露制的肥鸡炖制的龟汤，味道浓烈而不败坏胃口。

**粔籹蜜饵[1]，有怅餭些[2]。瑶浆蜜勺[3]，实羽觞些[4]。挫糟冻饮[5]，酎清凉些[6]。华酌既陈[7]，有琼浆些[8]。归来反故室，敬而无妨些[9]。**

### 注释

[1] 粔籹（jù nǚ）：一种用蜜和米面煎成的圆形甜饼。蜜饵（ěr）：掺蜜的用米粉蒸成的糕饼。 [2] 有：通“佑”，助。怅餭（zhāng huáng）：麦芽糖。 [3] 瑶浆：美酒。蜜勺：在酒中加入蜂蜜后饮用。勺，通“酌”，饮酒。 [4] 实：装满，斟满。羽觞（shāng）：古代的一种饮酒的器皿有翼，似雀。 [5] 挫：挤压，榨压。糟：酒糟。冻饮：在酒中掺入冰块饮用。 [6] 酎（zhòu）：醇酒。 [7] 华酌：华彩的酒斗。陈：摆上，陈列。 [8] 琼浆：美酒。 [9] 妨：伤害，损害。

### 译文

油煎的圆甜饼掺蜜的蒸糕饼，再助以美味可口的麦芽糖。饮用瑶浆加蜂蜜，把酒斟满饮酒之器。滤去酒糟制冰饮，醇酒清凉又舒爽。华彩的酒斗已摆上，再助以美味的琼浆。归来重返您的故居，人人敬重而不妨碍您。

肴羞未通[1]，女乐罗些[2]。敶钟按鼓[3]，造新歌些[4]。《涉江》《采菱》[5]，发《扬荷》些[6]。美人既醉，朱颜酡些[7]。娭光眇视[8]，目曾波些[9]。被文服纤[10]，丽而不奇些。长发曼鬋[11]，艳陆离些[12]。

## 注释

[1] 肴：肉类，荤菜。羞：珍馐，美味的食物。通：至，达。[2] 女乐：表演歌舞的女子组成的乐队。罗：罗列，排列。[3] 敶：同“陈”，陈列，陈设。按鼓：击鼓。[4] 造：制作，谱出。[5]《涉江》《采菱》：都是楚地的乐曲名。[6] 发：发声唱出。《扬荷》：楚地的乐曲名。[7] 酡（tuó）：醉酒后脸色红润。[8] 娭光：流动而挑逗的目光。娭，同“嬉”。眇视：微微眯眼斜视。[9] 曾：通“层”。[10] 被（pī）：同“披”。文：同“纹”，此处指绣有美丽花纹的绮绣衣装。服：服佩。纤：此处指轻柔细软的绫罗织品。[11] 曼：长。[12] 陆离：修长而美好的样子。

## 译文

珍馐佳肴尚未送至，女乐已经排好。陈设编钟击起鼓，谱出了新的歌曲。《涉江》唱完唱《采菱》，接着还唱出《扬荷》。美人们都已经喝醉酒，容颜因喝醉酒而红润。目光流动挑逗微微眯眼斜视，双眸中泛出了一层层的波光。身披绮绣罗裳，美丽而不怪异。头发秀长鬓发细长，容色美好身材修长。

二八齐容[1]，起郑舞些。衽若交竿[2]，抚案下些[3]。竽瑟狂会[4]，搷鸣鼓些[5]。宫庭震惊，发《激楚》些[6]。吴歈蔡讴[7]，奏大吕些[8]。

### 注释

[1]二八：两列，每列八人，共十六人。齐容：相同的装扮。[2]衽（rèn）：衣襟。交竿：交织在一起的竹竿。这里指古时的一种舞法。 [3]抚：用手按着。案：通“按”，用手压下。[4]竽：古代一种吹奏乐器。瑟：古代一种拨弦乐器。狂会：激烈交会。 [5]搷（tián）：猛力急击。 [6]《激楚》：楚地的乐曲名。 [7]歈（yú）：歌曲。讴：歌曲。 [8]大吕：古代音乐分为十二律，其一为“大吕”。

### 译文

两队十六个舞女装扮相同，跳起郑国的乐舞。衣襟舒展交叠像交织在一起的竹竿，时而又用手按着它而使之下垂。竽声瑟声激烈交会在一起，猛力急击声音洪亮的大鼓。宫庭上下都震动惊荡，她们还发声唱出《激楚》。演唱吴国蔡国的歌曲，奏起了大吕的乐调。

士女杂坐[1]，乱而不分些。放敶组缨[2]，班其相纷些[3]。郑卫妖玩[4]，来杂陈些。《激楚》之结[5]，独秀先些[6]。

## 注释

[1]士：男子。　[2]放：解下。组：衣带子，即绥带。缨：结在颔下，系帽的带子。　[3]班：座次。　[4]妖玩：新奇好玩的事物。　[5]结：结尾。　[6]秀：优秀，出众。先：先前演奏的乐曲。

## 译文

男子女子混杂坐一堂，不分彼此啊不加设防。解下衣带帽带随意地摆放，座位次序相互混杂在一起。郑国卫国新奇好玩的事物，也都错杂其间轮番上场。演奏乐曲《激楚》作为结尾，独胜先前演奏的乐曲。

**菎蔽象棋[1]，有六簙些[2]。分曹并进[3]，遒相迫些[4]。成枭而牟[5]，呼五白些[6]。晋制犀比[7]，费白日些[8]。铿钟摇虡[9]，揳梓瑟些[10]。**

## 注释

[1]菎（kūn）蔽：用玉装饰的下棋用的筹码。菎，同“琨”，美玉。蔽，古代下棋所用的筹码。　[2]六簙（bó）：古代一种弈棋博戏名。[3]曹：伴侣，此处指下棋时各为一方。　[4]遒（qiú）：急，紧急。相迫：相互逼迫，不放松。　[5]枭（xiāo）：枭棋。指古代弈棋博戏时先走到目的地而竖起来的棋。牟：同“侔”，相等。
[6]呼：高声叫唤。五白：指古代弈棋博戏时能得胜利的彩头。

[7] 晋制：晋地所制造的。犀比：用犀牛角做成的一种赌具。
[8] 费：消磨，耗费。　[9] 铿（kēng）：撞击。虡（jù）：悬挂钟的架子。　[10] 揳（xiē）：弹奏。梓瑟：用梓木做成的瑟。

## 译文

玉饰筹码象牙棋子，围拢一起来玩六簙。分成两队同时并进，紧急相逼互相对抗。走成枭棋棋逢对手，高声叫唤五白。晋国制造的赌具犀比，更能消磨无聊的时光。撞击着钟晃动了钟架，弹奏着用梓木做成的瑟。



**娱酒不废[1]，沈日夜些[2]。兰膏明烛，华镫错些[3]。结撰至思[4]，兰芳假些[5]。人有所极[6]，同心赋些[7]。酎饮尽欢，乐先故些[8]。魂兮归来！反故居些。”**

## 注释

[1] 废：停止。　[2] 沈：同“沉”。　[3] 华镫：华美的彩灯。镫，同“灯”。　[4] 结撰：构思撰写这里指酒后赋诗。至：尽，穷尽。　[5] 兰芳：此处指如兰草般芳华的辞藻。假：借，借助。[6] 极：尽，穷尽。　[7] 赋：吟诵。　[8] 先故：先辈故旧。

## 译文

饮酒作乐不会停止，日日夜夜都沉溺其中。兰香的油脂明亮的灯烛，华美的彩灯被遍地安置。构思撰写辞赋费尽思虑，借助兰草般芳华的辞藻。各人尽情书写，一同开心吟诵。畅饮美酒尽情欢乐，先辈旧故共享欢愉。魂魄啊归来吧！返回您的旧居。”

## 赏析

此节铺叙了富丽堂皇、风景秀美的楚国宫殿，奢华珍奇、美女如云的宫室内堂，以及精巧诱人的美食、悦耳华美的乐舞和新奇有趣的博弈娱乐。屈原以“内崇楚国之美”，来诱惑楚怀王的亡魂尽快归返故国。

此节中所谈及的美食部分，可以看出当时楚国发达的饮食文化。楚国地处江南之地、鱼米之乡，物产丰富。“稻粢穱麦，挐黄粱些”，可见稻、小米、麦子和黄粱是主食；“肥牛之腱”、“胹鳖炮羔”、“鹄酸臇凫”、“煎鸿鸧些”、“露鸡臛蠵”，可见肉类非常丰富，有牛、羊、肥鸡等家禽，也有天鹅、野鸭、大雁、鸧鸹等野味，更有甲鱼等水产；“粔籹蜜饵，有㶊餭些”，可见糕点烹饪的精巧纯熟；“瑶浆蜜勺”、“挫糟冻饮”，又可见饮酒文化的发达。除了食材充沛之外，楚国的烹饪技术更是高超多样，有“臑”、“炮”、“酸”、“臇”、“煎”、“露”。同时注意调和，“大苦醎酸”、“辛甘行些”，菜肴五味俱佳。从以上这些情况，“可以看到楚人饮食文化的丰富性、多样性以及精致处，显现出楚在当时文化水准已有一定的程度，不再是粗陋鄙俗的蛮夷小国。而通过楚人饮食文化，除了明白楚人的文化特色外，也反映出楚文化是屈赋滋长的肥沃土壤”（黄碧琏《屈原与楚文化研究》）。

除了饮食文化，此节所呈现的乐舞文化也是楚文化中不可忽视的亮点。楚国巫风盛行，而巫觋用乐舞来取悦于神灵。这使得楚地的乐舞往往带有浓厚的神秘浪漫之气。同时，由于统治者的重视（如专设司乐之官职“乐尹”），以及当时的演奏乐器已达较大规模，楚国乐舞文化已经达到了相当高的水准。如篇中提到楚国的乐器就有“铿钟摇虡”、“揳梓瑟些”、“𪔵钟按鼓”、“竽瑟狂会”、“搷鸣鼓些”等，而且往往是多种乐器合奏齐鸣，气势磅礴，热烈壮观。而楚舞则配合楚乐，与之融合。“二八齐容，起郑舞些。衽若交竿，抚案下些。”楚舞需要舞者长袖、细腰，主要是为了突出一种袅娜飘逸、轻柔婀娜的神韵。

### 思考讨论

刘熙载《艺概·赋概》认为，《招魂》“约之亦只两境，一可喜，一可怖而已。”请谈谈此节中的“可喜”之处。



**乱曰：献岁发春兮[1]，汩吾南征[2]。菉蘋齐叶兮白芷生[3]。路贯庐江兮左长薄[4]。倚沼畦瀛兮，遥望博[5]。**

### 注释

[1] 献岁：进入新年。献，进。发春：春气奋发。 [2] 汩(yù)：水流迅急的样子。南征：向南方行进。 [3] 菉：同“绿”。蘋：水草名。 [4] 贯：穿过，贯穿。庐江：水名。左：此处指庐江的左岸。长薄：漫长连绵的丛林。薄，草木丛生的地方。

[5] 倚：立。沼：池塘，池沼。畦（qí）：水田。瀛（yíng）：大泽。博：广阔，此处指广阔无垠的平野。

## 译文

尾声：进入新年春气奋发啊，我迅速地向南方行进。绿蘋新叶齐整啊，白芷的嫩芽萌生。我穿过了庐江啊，它的左岸有着绵亘的丛林。我站在池沼水田大泽边啊，遥望着那广阔无垠的平野。

**青骊结驷兮齐千乘[1]。悬火延起兮玄颜烝[2]。步及骤处兮诱骋先[3]。抑骛若通兮引车右还[4]。与王趋梦兮课后先[5]。君王亲发兮惮青兕[6]。**

## 注释

[1]青骊（lí）：青黑色的马。结：连接。驷：驾四匹马的车。[2]悬火：火把。延起：连延而起，蔓延燃烧。古人打猎时，先焚烧树林，把鸟兽赶出，进而加以捕捉。玄颜：此处指天空被火光和烟照得黑里透红。烝（zhēng）：火气升腾。 [3]骤处：马奔驰的地方。诱：引导，此处指作为引导者。骋先：在前面奔跑。 [4]抑：抑止，止住。骛（wù）：奔驰，狂奔。若通：顺畅自如。还：转，回转。[5]王：此处指楚怀王。趋：奔赴。梦：云梦泽，在今湖北省境内。课：考核，评比，这里指比试。 [6]君王：此处指楚怀王。发：射箭。兕（sì）：犀牛。

## 译文

青黑色的马连接着车啊，让千辆马车并驾齐驱。火把蔓延燃烧啊，黑烟向暗红的天空升腾。徒步的从猎者走到马奔驰所到的地方啊，作为引导者在前面奔跑。我忽停忽跑顺畅自如啊，引导着骑乘向右方回转。和君王奔赴云梦泽啊，来比一比谁先谁后。君王您亲自射箭啊，使青色的犀牛都畏惧。

**朱明承夜兮时不可以淹[1]。皋兰被径兮斯路渐[2]。湛湛江水兮上有枫[3]。目极千里兮伤春心[4]。魂兮归来！哀江南！**



## 注释

[1]朱明：太阳，此处指白日。淹：停留，久留。 [2]被：覆盖。渐（jiān）：荒芜，淹没。 [3]湛湛（zhàn zhàn）：清澈而幽深的样子。上：岸上。 [4]极：至。

## 译文

白日承继着黑夜啊，时光总不可以停留。水边的兰草覆盖道路啊，这条道路已被它们淹没。江水清澈而幽深啊，岸上有一株株枫树。眺望远方直到千里啊，内心为此等春景悲伤。魂魄啊归来吧！哀怜故国江南！

## 赏析

此节为乱辞，屈原追叙当年与楚怀王共同畋猎的美好情景。而今楚怀王却身死他国，魂魄离散，故再次呼唤楚怀王的亡魂赶快回归故土。

乱辞对于射猎场景的描写，可谓壮观威武。千匹青黑色的骏马拉着车并驾齐驱，众人手中熊熊燃烧的火把照亮天空。君王和臣子共同狩猎，气氛热烈。值得注意的是，在古代，狩猎并不仅仅是为了娱乐，它更是统治者用来选拔将才、训练将士的一种手段。刘向《说苑·兵道》记载楚庄王喜好打猎，于是就有臣子劝谏他不应该过分沉溺于狩猎之乐。楚庄王回答他说："我打猎真正的目的是为了寻求贤才啊！"而且古时狩猎讲武，往往场面严整、要求严格，势同与敌作战。张衡《东京赋》描写到狩猎场面时，就道："坐作进退，节以军声，三令五申，示戮斩牲"。此节描写往日的狩猎场景，是对与楚怀王昔日君臣情谊的深情回忆，更是希望借此来讽谏此时的君王楚襄王不要沉溺于声色，应该举贤任能、整军经武、励精图治、重振楚国声威。屈原哀痛死者，但更寄希望于生者。

## 思考讨论

《招魂》卒章"乱曰"中提到畋猎活动，写这些有什么用意？

# 第六章　九　辩

悲哉，秋之为气也。萧瑟兮[1]，草木摇落而变衰。憭慄兮[2]，若在远行。登山临水兮，送将归。

## 注释

[1] 萧瑟：秋风吹动草木的声音。 [2] 憭慄（liáo lì）：凄怆。

## 译文

悲伤啊，这秋天所形成的苍凉之气。秋风萧瑟啊，草木摇落而凋零衰败。凄怆啊，好像离乡漂泊而远行他乡。登山临水啊，送别将要回乡的朋友。



**泬寥兮[1]，天高而气清。寂寥兮[2]，收潦而水清[3]。憯悽增欷兮[4]，薄寒之中人[5]。怆怳懭悢兮[6]，去故而就新。坎廪兮[7]，贫士失职而志不平[8]。廓落兮[9]，羁旅而无友生[10]。惆怅兮，而私自怜。**

## 注释

[1] 泬寥（xuè liáo）：空旷清朗的样子。 [2] 寂寥：平静而澄澈的样子。 [3] 收潦（lǎo）：积水退尽。潦，积水。水清：夏季水涨，因而浑浊；秋季水退，故而水清。 [4] 憯（cǎn）悽：悲痛，感伤。憯，同“惨”。欷（xī）：抽泣。 [5] 薄寒：轻微的寒气。中（zhòng）：侵袭，侵扰。 [6] 怆怳（chuàng huǎng）：悲伤惆怅的样子。懭悢（kuǎng liàng）：悲伤失意的样子。 [7] 坎廪（lǎn）：坎坷，不得志。廪，同“壈”。 [8] 贫士：此处为宋玉自指。 [9] 廓落：空虚，孤寂。 [10] 友生：志同道合的朋友。

### 译文

多空旷啊，天空高阔而血气清爽。寂静无声啊，积水退尽水泽澄明。悲伤抽泣啊，轻微的寒气侵袭逼人。悲伤失意啊，离开故土去远方谋生。仕途坎坷啊，我失去官职内心不平。空虚孤寂啊，滞留异乡而没有知音。失意伤感啊，只能悲愁地自伤自怜。

**燕翩翩其辞归兮[1]，蝉寂漠而无声[2]。雁廱廱而南游兮[3]，鹍鸡啁哳而悲鸣[4]。独申旦而不寐兮[5]，哀蟋蟀之宵征[6]。时亹亹而过中兮[7]，蹇淹留而无成[8]。**

### 注释

[1]翩翩：轻快飞舞的样子。辞归：此处指燕子在秋天辞北归南。[2]寂漠：同“寂寞”。[3]廱廱（yōng yōng）：大雁的和鸣声。[4]鹍（kūn）鸡：鸟名，形似鹤。啁哳（zhāo zhā）：声音细碎而繁杂。[5]申旦：直到天亮。申，达，到；旦，天亮。[6]宵征：夜间征行。[7]亹亹（wěi wěi）：前进不停的样子。过中：人过中年。[8]淹留：久留。淹，久。

### 译文

燕子轻快地飞回南国啊，那秋蝉寂寞而悄然无声。大雁廱廱叫着向南飞啊，鹍鸡啼唳出繁细的声音。我独自到天亮而不成眠啊，哀怜蟋蟀在夜间征行。时光易逝而人过中年啊，我停滞久留而一事无成。

## 赏析

《九辩》原是古代乐曲名，传说是夏启从天帝那里偷来的。《九辩》乃宋玉借古代乐曲名为题，模拟屈原作品而自创新制。从篇中“岁忽忽而遒尽兮，恐余寿之弗将”、“年洋洋以日往兮，老嵺廓而无处”、“时亹亹而过中兮，蹇淹留而无成”等句可知，《九辩》应作于宋玉晚年。

关于宋玉的生平，史料记载很少。司马迁《史记·屈原贾生列传》：“屈原既死之后，楚有宋玉、唐勒、景差之徒者，皆好辞而以赋见称。”刘向《新序》：“宋玉事楚襄王，而不见察，意气不得，形于颜色。”可见，宋玉是战国时期楚国人，稍后于屈原，而与唐勒、景差同时。宋玉应该出身卑微，曾侍奉楚襄王，但一直不被楚襄王重用。



此节由秋兴悲，抒发孤寂失意之慨。“九辩之哀，此章为最。”（王夫之《楚辞通释》）“怆恍圹悢兮，去故而就新。坎廪兮，贫士失职而志不平。廓落兮，羁旅而无友生。惆怅兮，而私自怜。”显然，由于奸佞小人的排挤，宋玉此时已被免职、被迫流离失所，过着贫苦凄惨的生活，内心极为抑郁。

## 思考讨论

宋玉如何由秋兴悲？抒发了一种怎样的情怀？

悲忧穷戚兮独处廓[1]，有美一人兮心不绎[2]。去乡离家兮，徕远客[3]，超逍遥兮今焉薄[4]？

## 注释

[1] 穷戚：处境穷困。戚，同“蹙”，迫促。廓：空旷的荒野。[2] 美：德行美好之人，此处为宋玉自指。绎：通“怿”（yì），欢喜，喜悦。 [3] 徕：同“来”。 [4] 超：远。逍遥：徘徊。焉：哪里。薄：停止，停靠。

## 译文

悲伤忧愁又穷困啊，我独自在空旷之地，有一个绝世美人啊，她的心情并不欢喜。离开熟悉的家乡啊，来到了这远方为客，在远方徘徊不前啊，而今何处可以栖身？



**专思君兮不可化[1]。君不知兮可奈何！蓄怨兮，积思，心烦憺兮忘食事[2]。愿一见兮道余意，君之心兮与余异。车既驾兮朅而归[3]，不得见兮心伤悲。**

## 注释

[1] 君：君王，此处指楚顷襄王。 [2] 烦憺（dàn）：内心烦乱愁苦。食事：吃饭和做事。 [3] 朅（qiè）：去，离去。

## 译文

我一心思念君王啊，此心意不可以改变。可君王您不了解啊我又能够怎么办！满怀怨恨啊积聚的愁思难以排遣，我内心烦乱愁苦啊竟忘记吃饭和做事。希望能见一面君王啊倾诉表白我的衷肠，可君王您的心思啊却和我并不相同。我乘着车驾前往啊却又去而复返，我不得一见君王啊内心伤心悲苦。

**倚结軨兮长太息[1]，涕潺湲兮下霑轼[2]。忼慨绝兮不得[3]，中瞀乱兮迷惑[4]。私自怜兮何极[5]，心怦怦兮谅直[6]。**



## 注释

[1] 结軨（líng）：古代车厢的栏木。太息：叹息。　[2] 潺湲（chán yuán）：眼泪流淌不止的样子。霑：同“沾”，沾湿。轼：古代车前用于扶手的横木。　[3] 忼慨：情绪激昂，愤激不平。忼，同“慷”。　[4] 瞀（mào）乱：烦乱。　[5] 极：尽头，终了。[6] 怦怦：忠谨的样子。谅：信实，诚实。

## 译文

靠着车箱的栏木啊我长久地哀声叹息，我涕泪流淌不止啊沾湿了扶手的横木。愤激不平想绝情啊却又实在难以做到，我的内心真昏乱啊又充满迷惑难解。私下里自伤自怜啊什么时候才能终了！我内心忠诚谨慎啊自己诚实而正直。

## 赏析

此节宋玉以男女爱情来比喻君臣关系，叙述自己不被重用、去乡离家、四处漂泊、苦闷忧伤的人生境遇。与屈原的男子“求女”

形象不同，此处宋玉自比美人，而将君王比作男子。这一角色设置转换的背后，我们似乎可以看到与屈原独立硬朗的战斗精神相比，宋玉在处理君臣关系上显得更为谦卑。

其实，把自己比作女子而将君王比为夫君，在中国古代文学中十分常见。它源于植根于文人心中的“臣妾”心态。封建社会的伦理秩序讲究三纲五常。“三纲”即君为臣纲、父为子纲、夫为妻纲，“五常”即仁、义、礼、智、信。在这个严格的等级构架中，臣子与女子所处的地位十分相似。臣子之于君王、女子之于夫君，都带有很大的依附性和被动性。这使得两者在心理体验上有很大的共通性和认同感。因此，古代文人多有“臣妾”心理，以女子的绝世美貌喻臣子的贤德才干，以女子对夫君的坚贞喻臣子对君王的赤胆忠心，以女子被弃后思念夫君喻臣子被君王遗弃后急切渴望被重新重用的心情。



### 思考讨论

此节中宋玉自比美人与《离骚》中屈原寻求美人有何异同？

**皇天平分四时兮[1]，窃独悲此廪秋[2]。白露既下百草兮，奄离披此梧楸[3]。去白日之昭昭兮[4]，袭长夜之悠悠[5]。离芳蔼之方壮兮[6]，余萎约而悲愁[7]。**

## 注释

[1] 四时：春、夏、秋、冬四季。每季都是三个月，所以说“平分”。　[2] 窃：暗自，独自。廪秋：寒冷凄清的秋季。廪，通“凛”。[3] 奄：忽然，突然。离披：分散的样子，此处指枝叶凋零。梧楸（qiū）：梧桐和楸树，均为早凋的落叶乔木。　[4] 昭昭：光明的样子。　[5] 袭：进入。悠悠：遥远漫长的样子。　[6] 芳蔼：芳菲而繁茂。此处形容人之壮年。　[7] 萎约：枯萎，枯槁。此处指贫病交加。

## 译文

上天将一年平分四季啊，我独为这寒秋而暗自悲伤。白露已经降临百草之上啊，忽然间梧楸已枝叶凋零。夏季那光明的白日已逝去啊，进入寒秋那遥远漫长的黑夜。盛美的壮年已经远去啊，我贫病交加而悲伤愁苦。

**秋既先戒以白露兮，冬又申之以严霜[1]。收恢台之孟夏兮[2]，然欿傺而沈臧[3]。叶菸邑而无色兮[4]，枝烦挐而交横[5]。颜淫溢而将罢兮[6]，柯彷佛而萎黄[7]。萷櫹椮之可哀兮[8]，形销铄而瘀伤[9]。惟其纷糅而将落兮[10]，恨其失时而无当[11]。**

楚辞选读

## 注释

[1] 申：加上。　[2] 恢台：广大而丰茂的样子。孟夏：夏季的第一个月。此处泛指整个夏季。　[3] 然：乃。欿：同“坎”，陷落。傺（chì）：停止，停顿。沈：通“沉”。臧（cáng）：通“藏”。[4] 菸（yū）邑：枯萎。　[5] 烦挐（rú）：纷乱。　[6] 颜：外表。淫溢：此处指繁茂过甚的样子。罢（pí）：通“疲”，此处指枯败。[7] 柯：树枝。仿佛（fù）：此处指色泽黯然的样子。　[8] 萷（shāo）：同“梢”，树梢。橚槮（xiāo sēn）：此处指树叶落尽而树枝空秃上耸的样子。　[9] 销铄：损毁，消损。瘀伤：病伤。　[10] 惟：思。纷糅（róu）：纷乱错杂。　[11] 当（dāng）：值，遇。

## 译文

秋季已先以白露来警戒啊，冬季又加上了寒霜的威逼。收尽夏季的广大丰茂啊，于是停止发展生机被埋藏。树叶枯萎而失去绿意啊，树枝也纷乱而纵横交错。外表繁茂过甚而将要枯败啊，树枝色泽黯然而凋萎枯黄。树梢空秃上耸真可哀啊，形体消损而内部受到损伤。想到草木纷乱错杂而将凋落啊，痛恨错失美好时光而没有遇到好时机。

**揽騑辔而下节兮[1]，聊逍遥以相佯[2]。岁忽忽而遒尽兮[3]，恐余寿之弗将[4]。悼余生之不时兮，逢此世之俇攘[5]。澹容与而独倚兮[6]，蟋蟀鸣此西堂。心怵惕而震盪兮[7]，何所忧之多方！卬明月而太息**

**兮[8]，步列星而极明[9]。**

## 注释

[1]擥：同“揽”，持。辔（pèi）：马缰绳。 [2]逍遥：徘徊。相佯：同“徜徉”，徘徊，漫游。 [3]遒（qiú）尽：迫近尽头，即将完尽。 [4]将：长。 [5]俇（kuāng）攘：纷扰混乱的样子。[6]澹：安定，安静。容与：缓缓前进。 [7]怵（chù）惕：忧惧，惊惧。震盪（dàng）：震动。盪，同“荡”。 [8]卬（yǎng）：通“仰”。仰望。 [9]极：至。

## 译文

我勒紧缰绳按下策鞭把车子停下来啊，姑且在这儿徘徊逗留而不前行。岁月匆匆而即将完尽啊，恐怕我的寿命难以久长。悲伤我自己生不逢时啊，遭逢这纷扰混乱的世道。徐徐安步前进而独倚门旁啊，只听到蟋蟀在西堂悲鸣。内心忧惧而震动不安啊，为何这忧愁是如此多样！仰望明月而哀声叹息啊，在群星下慢行直至天明。

## 赏析

宋玉《九辩》虽也揭露了楚国当时的黑暗现实，但已经没有屈原作品中那种九死未悔的斗争精神，那种上下求索的执著精神。尽管如此，宋玉《九辩》依然“凄怨之情，实为独绝”（鲁迅《汉文学史纲要》）。

此节宋玉通过对秋色、秋物、秋声的描写，来抒写自己忠贞而被疑、怀才而不遇的悲愤和愁思，使萧条的秋天与哀怨的身世、

衰败的社会互相衬托而融为一体，情因景而愈悲，景因情而愈衰，从而产生强烈的感染力。读之，足令循声者知冤，感怀者兴悼。陈继儒曰："秋气可悲，想古闷如也；自玉一为指破，遂开千古怨端。"（沈云翔《楚辞评林》）

的确，在中国文学史上，《九辩》是后世"悲秋文学"的滥觞。

## 思考讨论

请具体谈谈此节中描绘了哪些秋色、秋物、秋声。



**窃悲夫蕙华之曾敷兮[1]，纷旖旎乎都房[2]。何曾华之无实兮[3]，从风雨而飞飏[4]。以为君独服此蕙兮[5]，羌无以异于众芳[6]。闵奇思之不通兮[7]，将去君而高翔。心闵怜之惨悽兮，愿一见而有明[8]。重无怨而生离兮[9]，中结轸而增伤[10]。**

## 注释

[1]蕙华：蕙草的花。敷：开放，绽放。 [2]纷：众多的样子。旖旎（yǐ nǐ）：纷繁茂盛的样子。都：华丽。 [3]曾华：一重重的花朵。曾，通"层"。实：果实。 [4]飏（yáng）：通"扬"。 [5]服：服佩。 [6]羌（qiāng）：楚方言，发语词。[7]闵（mǐn）：同"悯"，伤念，伤感。奇思：出众的想法。[8]有明：有所表白。 [9]重：痛惜。无怨：没有取怨于君王，

无罪。生离：此处指被君王抛弃。　　[10] 中：内心，心中。结轸（zhěn）：郁结而悲痛。

## 译文

暗自悲伤蕙花曾满枝绽放啊，它纷繁茂盛充满了整个华丽的花房。为什么重重花朵却无果实啊，听凭那风吹雨打而到处飞扬。我原以为君王只佩用蕙草啊，哪知他对待蕙草无异于普通花草。伤感我的奇谋不能够进献啊，我将要离开君王而远走他方。我内心忧苦郁结而又凄凉啊，希望能面见君王而有所表白。痛惜我无罪而被抛弃啊，心中郁结悲痛而又更增悲伤。



**岂不郁陶而思君兮[1]？君之门以九重[2]。猛犬狺狺而迎吠兮[3]，关梁闭而不通[4]。皇天淫溢而秋霖兮[5]，后土何时而得漧[6]！块独守此无泽兮[7]，仰浮云而永叹[8]。**

## 注释

[1] 郁陶：忧思郁积的样子。　　[2] 以：有。九重：九层。此处指君王之门深邃，难以通达。　　[3] 狺狺（yín yín）：狗叫声。　　[4] 关：门闩。梁：桥梁。　　[5] 淫溢：过度，此处指下雨过多。霖（lín）：久雨不停。　　[6] 后土：对地的尊称。漧：同“干”，干燥。　　[7] 块：孤独的样子。无：通“芜”，荒芜。泽：低洼聚水的地方。　　[8] 永叹：长叹。

## 译文

怎能不忧思郁结而思念君王啊？奈何君王的大门有九重之深远。猛犬狺狺而迎门争吠啊，城门和桥梁紧闭而不通。上天下雨过多而秋天久雨不停啊，大地什么时候能够变得干燥！我独自守着这荒芜的沼泽啊，只能仰观着浮云而长叹。

## 赏析

此节写事君不和，自己渴望被君王任用，但君王却偏信奸佞，朝廷小人当道，自己的一片忠心无法传达君王。

宋玉此处所指的是楚襄王时期。这个时期，楚国已经深陷内忧外患的困局。国内奸佞把持朝政、嫉贤妒能，楚王昏庸无能、贪图享乐，众多贤才被排挤甚至迫害，人民生活困苦；国外，秦国正虎视眈眈，而楚国已经放弃联齐抗秦的外交战略，一味偏安求和，妄图通过签订屈辱的合约来换取秦国片刻的满足。国事危亡，加上自身遭遇坎坷，让宋玉震动之余更深深的担忧。他希望自己能被楚襄王重用，能有一番作为，但苦于没有门路，不被赏识。

事实上，宋玉向楚襄王的求职之路，十分艰辛难行。历史上，也有一些相关记载。例如刘向《新序》就有这样一段记录：有一日，宋玉通过他的朋友终于见到了楚襄王，可是这次"面试"并不成功，楚襄王待他没有什么特别，宋玉没能得到楚襄王的赏识。于是宋玉就责怪他的朋友不够卖力，他的朋友批评宋玉说："姜桂倚靠土地而生长，但不会因为土地而辛辣；女子倚靠媒人而出嫁，但不会因为媒人就能夫妻亲昵和顺。你没能得到大王的任用，又怎能怪我呢？"由此可见，宋玉渴望被楚王任用，在仕途一展抱负的良苦用心和强烈愿望。

## 思考讨论

请分析此节中的“蕙华”和“猛犬”的寓意。

**何时俗之工巧兮[1]，背绳墨而改错[2]！却骐骥而不乘兮[3]，策驽骀而取路[4]。当世岂无骐骥兮，诚莫之能善御。见执辔者非其人兮[5]，故驹跳而远去[6]。凫雁皆唼夫粱藻兮[7]，凤愈飘翔而高举。**

## 注释

[1] 工巧：善于取巧。 [2] 背：违背，背弃。绳墨：工匠用的两种工具，此处喻指法度。绳，引绳。墨，墨斗。错：通“措”，安置，设置，此处指措施。 [3] 却：拒绝。骐骥：良马。 [4] 策：鞭策。驽骀（nú tái）：劣马。取路：上路，赶路。 [5] 辔（pèi）：马缰绳。 [6] 驹（jú）：跳跃。 [7] 凫（fú）：野鸭。唼（shà）：水鸟或鱼类争食的样子。粱：小米。藻：水草。

## 译文

为什么世风都善于取巧啊，竟敢违背法度而改变措施！拒绝了千里马而不肯去骑乘啊，偏偏要去驱策着劣马而上路。当今这世上岂无千里良驹啊，实在是没有人善于驾驭罢了。看到执辔的御者并不是适当的人啊，所以骏马扬蹄跳跃而远逃离开。野鸭大雁都吞食小米水草啊，凤凰却更加飘翔而远举高飞。

**圜凿而方枘兮[1]，吾固知其鉏铻而难入[2]。众鸟皆有所登栖兮[3]，凤独遑遑而无所集[4]。愿衔枚而无言兮[5]，尝被君之渥洽[6]。太公九十乃显荣兮[7]，诚未遇其匹合。**

## 注释

[1] 圜：通“圆”。凿（záo）：凿孔，以安榫头。枘（ruì）：榫头。 [2] 鉏铻（jǔ yǔ）：同“龃龉”，互相抵触，不相合。 [3] 登栖：鸟止息在树上。 [4] 遑遑：匆忙往来的样子。集：栖止，栖宿。 [5] 衔枚：古代行军时，为了防止发出声音、暴露行踪，常令士兵嘴中横衔一根筷子样子的东西。此处指闭口不说话。 [6] 被（bèi）：蒙受。渥洽：深厚的恩泽。 [7] 太公：姜子牙。

## 译文

圆形的凿孔而方形的榫头啊，我本知它们互相抵触而难以匹合。众鸟都已经有了止息的地方啊，凤凰独自匆忙往来而无处安居。我愿从此闭口而不再说话啊，曾蒙受君王深厚的恩泽。姜太公九十岁才得显荣贵啊，此前实在没遇到相合的明君。

**谓骐骥兮安归？谓凤皇兮安栖？变古易俗兮世衰，今之相者兮举肥[1]。骐骥伏匿而不见兮[2]，凤皇高飞而不下[3]。鸟兽犹知怀德兮[4]，何云贤士之不处[5]？**

## 注释

[1]相者：相马的人。举肥：挑选、推举肥马。　[2]伏匿：隐藏。　[3]凤皇：善鸟名，凤凰。皇，同“凰”。　[4]怀德：怀恩报德。　[5]不处：不留在朝廷之中。

## 译文

请问骏马啊应该返归到哪里啊？请问凤凰啊又要到哪里去栖息？变易了古时风俗啊世道日益衰微，如今相马的人啊只挑选肥马。骏马都隐藏起来而不肯露面啊，凤凰也高高飞翔而不肯落止凡尘。鸟兽尚且知道要怀恩报德啊，怎能怪贤才不愿留在朝廷中？



**骥不骤进而求服兮[1]，凤亦不贪餧而妄食[2]。君弃远而不察兮[3]，虽愿忠其焉得？欲寂漠而绝端兮[4]，窃不敢忘初之厚德。独悲愁其伤人兮[5]，冯郁郁其何极[6]！**

## 注释

[1]骤进：急进，快跑行进。服：通“犕”（bèi），乘，驾驭。[2]餧：同“喂”。　[3]弃远：抛弃疏远。　[4]寂漠：同“寂寞”。绝端：断绝思绪，此处指对君王的眷恋之情。　[5]伤人：使人伤心。　[6]冯：同“凭”，愤懑。郁郁：忧思抑郁的样子。极：尽头，终了。

## 译文

骏马并不急进而请求驾驭啊，凤凰也不会贪饲而乱吃食物。君王疏远了我而不加省察啊，我纵然愿意尽忠又如何能够？本想甘于寂寞而断绝愁绪啊，但又不敢私自忘记您最初的厚恩。独自悲愁是那么使人伤心啊，内心愤懑抑郁何时才能终了！

## 赏析

此节以骐骥不乘、凤凰高举来比喻自己的人生境遇，慨叹自己虽心怀忠君之心、治国之才，却不被君王任用。

本节中提到了“太公九十乃显荣兮，诚未遇其匹合”。这里的太公是指姜尚，即姜子牙，周代的贤相。传说姜子牙早年因为家道中落生活贫寒，曾经在朝歌做过屠夫。但市井生活不但没有消磨他的意志，反而激励他更加勤奋地学习、研究兴国安邦之道，他坚信自己的才华和能力终有一天会被君王发现并且重用。机会是需要等待的，更是留给那些有准备的人的。终于，这一天到来了。在暮年之时，他于渭水之滨垂钓，偶遇到此游猎的姬昌（周文王），两人一交谈就觉得相见恨晚。求贤若渴的姬昌十分欣赏姜子牙的学识和见解，当即把他请回宫。后姜子牙被任命为太师，并且辅佐周武王完成了灭商大业，建立周朝。当武王封赏姜太公的时候，姜太公已经九十岁了。

宋玉援引姜子牙的事例，以古人老迈却获赏识，慨叹自己年华蹉跎，而无所成就。

## 思考讨论

请举例具体分析此节中的对比手法。

霜露惨悽而交下兮，心尚幸其弗济[1]。霰雪雰糅其增加兮[2]，乃知遭命之将至[3]。愿徼幸而有待兮[4]，泊莽莽与壄草同死[5]。

## 注释

[1] 幸：希望。济：成就，成功。此处指形成祸患。
[2] 霰( xiàn ):小雪珠。雰( fēn ):雪下得极大的样子。 [3] 遭命：遭遇凶险的命运。遭，遇，逢。 [4] 徼幸：同“侥幸”。
[5] 莽莽：草木繁盛的样子。壄：“野”的古字。

## 译文

霜露悲惨凄凉而交相降落啊，我还希望它们不要形成祸患。霰雪纷飞越下越大啊，才知道凶险的命运即将来临。我心存侥幸而有所期待啊，将与繁盛的野草共同灭亡。

愿自往而径游兮[1]，路壅绝而不通[2]。欲循道而平驱兮，又未知其所从。然中路而迷惑兮，自压桉而学诵[3]。性愚陋以褊浅兮[4]，信未达乎从容。窃美申包胥之气盛兮[5]，恐时世之不固[6]。

## 注释

[1]径游：直接求官。游，求仕。　[2]壅（yōng）绝：阻塞断绝。　[3]桉：通“按”，压抑，克制。　[4]褊（biǎn）浅：狭隘浅薄。　[5]申包胥：春秋时期的楚国大夫。　[6]固：应作“同”。

## 译文

我想自己前去直接求官啊，无奈道路已阻断而无法通达。想要沿着常道而平稳前进啊，又不知道应当走哪个方向。走到半路而内心犹豫迷茫啊，我压抑着情志而去学习《诗》。我本性愚蠢而又狭隘浅薄啊，的确是没办法做到态度从容。暗自赞美申包胥豪气壮盛啊，只恐怕当今之时世已经不同。



**何时俗之工巧兮？灭规榘而改凿[1]。独耿介而不随兮[2]，愿慕先圣之遗教。处浊世而显荣兮，非余心之所乐。与其无义而有名兮，宁穷处而守高。**

## 注释

[1]凿：应作“错”，通“措”，安置，设置。　[2]耿介：光明正大。

## 译文

为何时俗都那样善于取巧啊？毁弃了规矩法度而改变秩序。

我独自光明正大而不随从世俗啊，愿追慕前代圣贤留给我们的教诲。身处浊世而有显荣的地位啊，这并非是我内心真正的快乐。与其不义而求得所谓虚名啊，我宁愿处于穷困而自守清高。

**食不媮而为饱兮，衣不苟而为温。窃慕诗人之遗风兮[1]，愿讬志乎素餐[2]。蹇充倔而无端兮[3]，泊莽莽而无垠。无衣裘以御冬兮，恐溘死不得见乎阳春[4]。**



## 注释

[1]诗人：此处指《诗经·魏风·伐檀》的作者。 [2]讬：同“托”。素餐：当是“不素餐”的省文，不白吃饭，即尸位素餐。《诗经·魏风·伐檀》：“彼君子兮，不素餐兮。” [3]倔：通“屈”，委屈。 [4]溘（kè）：忽然，突然。

## 译文

吃饭不苟且而求饱啊，穿衣不苟且而求暖。我暗自追慕那位诗人留给我们的气节风范啊，愿把自己的志趣寄托在“不吃白饭”上。我内心充满委屈而没有尽头啊，就好像那荒野茫茫而没有边际。没有棉衣皮袄来抵御寒冬啊，害怕突然死去无法看到春天。

## 赏析

此节写宋玉痛苦于欲见君王申诉冤屈而不得见，慨叹自身境遇之穷困，同时又表明自己绝不随俗、自守清高的耿介之心。

本节中提到“窃美申包胥之气盛兮，恐时世之不固”，这里讲到的申包胥，是春秋时期楚国的大夫。他曾与伍子胥交好，后伍子胥因父兄被陷害致死，身陷险境，准备流亡他国，以期有朝一日报仇雪恨。临行前，伍子胥对申包胥说：“我一定要让楚国灭亡。”申包胥对曰：“你能灭楚，我必能让楚国重新兴起。”历史验证了这场著名的对答。后吴国在伍子胥的率领下，攻破楚国郢都，楚昭王出逃，伍子胥为泄私愤，掘开已故楚平王的坟墓“鞭尸”。在这样的情势下，申包胥一面派人指责并规劝伍子胥，一面试图寻找救国的办法和机会。申包胥冷静判断，觉得此时只有秦国有实力并且有可能拯救楚国。于是他便到秦国搬救兵。刚开始秦王不愿意出兵，后来申包胥用在秦城墙外七天七夜不吃不喝的痛哭和哀求感动了秦国君臣，终于请到秦国帮忙出兵救楚。后吴国因为受到秦楚夹击无奈退兵，楚国得以复国。楚昭王复国后论功行赏，要封赏申包胥，被其婉拒，后申包胥隐居山林。

宋玉有感于申包胥对君王和楚国的忠心与热诚，以及他力挽狂澜、拯救楚国的非凡才干，表明自己希望报效君王，使得日益衰亡的楚国重新振兴；同时表明自己不看重自身的功名利禄，甘居清贫。

## 思考讨论

请找找此节中宋玉提到了自己所遵守的哪些人生信条。

**靓杪秋之遥夜兮[1]，心缭悷而有哀[2]。春秋逴逴而日高兮[3]，然惆怅而自悲。四时递来而卒岁兮[4]，阴阳不可与俪偕[5]。**

## 注释

[1]靓：通“静”，寂静。杪（miǎo）秋：暮秋。 [2]缭悷（lì）：缠绕而悲结。 [3]春秋：岁月，此处指年岁。逴逴（chuō chuō）：越来越远的样子。 [4]卒岁：过完一年。 [5]阴阳：古人称日为阳，夜为阴；春夏为阳，秋冬为阴。俪偕：并存。

## 译文

寂静的暮秋长夜漫漫啊，内心缠绕悲结而无限哀伤。年岁悠悠流逝而日益增高啊，我内心惆怅而暗自悲凉。四季交替而一年将尽啊，阴阳不可以共存。

**白日晼晚其将入兮[1]，明月销铄而减毁。岁忽忽而遒尽兮[2]，老冉冉而愈弛。心摇悦而日幸兮[3]，然怊怅而无冀[4]。中憯恻之悽怆兮，长太息而增欷。**

## 注释

[1]晼（wǎn）晚：日倾仄的样子。此处指诗人年岁已老。[2]遒（qiú）尽：迫近尽头，即将完尽。 [3]摇悦：喜悦。摇，同“嗂”。 [4]怊（chāo）怅：惆怅，感伤。冀：希望，盼望。

### 译文

太阳已西坠即将落入山岗啊，明月也消损而显得黯然无光。岁月匆匆流逝而即将完尽啊，老迈降临而壮志更加消减松弛。内心喜悦而每日心存侥幸啊，最终却惆怅感伤而失去希望。我心中悲伤惨痛而又凄凉啊，长久地唉声叹气而抽泣倍增。

**年洋洋以日往兮[1]，老嵺廓而无处[2]。事亹亹而觊进兮[3]，蹇淹留而踌躇[4]。**

### 注释

[1]洋洋：广阔无边的样子。 [2]嵺廓：同“寥廓”，空虚而没有着落的样子。 [3]亹亹（wěi wěi）：前进不停的样子。觊（jì）：企图，希望。 [4]淹留：久留。淹，久。

### 译文

岁月无穷尽而日复一日流逝啊，我年老时空虚而没有安身之处。时事前进变化而我仍求进取啊，因此我久留在此地而踌躇徘徊。

### 赏析

此节写宋玉慨叹岁月流逝，年将老迈，但事业却无所成就。他把人生境遇融入了对时间变化的描写中。其实时间是生命的存在形式，因此时间意识就是生命意识中的核心问题。生命若离开时间就无从谈起，它只有在时间中方能呈现出其价值。人类正是通过对时间的切身感受，才真正探寻到生命的意义。

宋玉用自然物象的变化来昭示时间的流逝，表达对时光流逝的感慨。自然物象伴随着日月的轮转和季节的更换，经历着从成长、衰老到死亡的历程，呈现出从繁枝茂叶到枯枝败叶、从生机勃勃到死气沉沉的特征。这些物象不仅仅让原本虚无缥缈的时间变成实实在在的东西，使时间的流逝过程形象地展现在人们的面前，而且还寓意着诗人对时间流逝的哀痛，对生命沉浮的悲怆。

同时，宋玉将人生的过程浓缩到了一年之中季节的轮回，“生命之‘秋’代表着人生华年不再、迈向衰亡的阶段，于是秋景勾勒中年的沉重之感。尤其对一个怀才不遇的人来说，中年的生命没有丰收的喜悦，只有理想的失落与衰老的怅然，宋玉把‘秋景——中年——不遇’三者打通”（吴旻旻《香草美人文学传统》）。



## 思考讨论

请谈谈宋玉的时间意识。

**何氾滥之浮云兮[1]，猋壅蔽此明月[2]！忠昭昭而愿见兮[3]，然霿曀而莫达[4]。愿皓日之显行兮[5]，云蒙蒙而蔽之。窃不自聊而愿忠兮[6]，或黕点而汙之[7]。**

## 注释

[1] 氾（fàn）滥：此处指浮云层层涌现、遮蔽天空的样子。氾，

同“乏”。　[2] 猋（biao）：此处指浮云飞快飘动的样子。壅蔽：阻塞遮蔽。　[3] 见：同“现”，显现。　[4] 雺曀（yīn yì）：阴晦不明。　[5] 显行：光明运行。　[6] 聊：一作“料”，估量。　[7] 黕（dǎn）点：污垢，污点。汙：同“污”。

## 译文

为什么浮云层层涌现遮蔽天空啊，飞快飘动将明月都遮蔽！我有耿介的忠诚而愿求显现啊，然而天色阴晦不明而无法畅达。我希望红日能够光明照耀啊，那重重的云雾把它遮蔽了。我不自量力而愿意竭尽忠诚啊，有人却要恶意中伤于我。



**尧舜之抗行兮[1]，瞭冥冥而薄天[2]。何险巇之嫉妒兮[3]，被以不慈之伪名[4]？彼日月之照明兮，尚黯黮而有瑕[5]。何况一国之事兮，亦多端而胶加[6]。**

## 注释

[1] 抗行：崇高的品行。　[2] 瞭：明亮。冥冥：高远。　[3] 险巇（xī）：凶险可怕，阴险毒辣。　[4] 被（bèi）：加上。伪名：污蔑的罪名。　[5] 黯黮（àn dàn）：昏暗不明貌。　[6] 胶加：缠绕无绪，杂乱不清。

## 译文

尧和舜的崇高行为啊，明亮高远而接近上天。为何嫉妒之人如此阴险毒辣啊，用“不慈”的罪名来诬陷他们？那日月的光芒普照着整个大地啊，尚且会因浮云遮蔽不明而有瑕疵。更何况是一个国家的大事啊，实在是头绪繁多而缠绕不清。

**被荷裯之晏晏兮[1]，然潢洋而不可带[2]。既骄美而伐武兮[3]，负左右之耿介[4]。憎愠惀之修美兮[5]，好夫人之慷慨[6]。众踥蹀而日进兮[7]，美超远而逾迈[8]。农夫辍耕而容与兮[9]，恐田野之芜秽[10]。事绵绵而多私兮[11]，窃悼后之危败。世雷同而炫曜兮[12]，何毁誉之昧昧[13]？**



## 注释

[1] 被（pī）：同“披”。荷裯（chóu）：荷叶制成的短衣。裯，短衣。 晏晏：漂亮而盛美的样子。 [2] 潢（huáng）洋：宽阔的样子，此处指衣服宽松的样子。带：束上带子。 [3] 骄美：自我夸耀美貌。伐武：自我夸耀武勇。 [4] 左右：左右之忠臣。[5] 愠惀（wěn lún）：忠诚谦恭的样子。 [6] 好（hào）：喜好。慷慨：此处指巧言令色的样子。 [7] 踥蹀（qiè dié）：小步走的样子。此处指小人奔走钻营的样子。 [8] 美：美好之人。超：远。逾迈：越来越远离。 [9] 辍耕：停止耕作。容与：缓缓前进。[10] 芜秽：荒芜污秽。 [11] 绵绵：前后相续不断。[12] 雷同：随声附和。炫曜：同“炫耀”。 [13] 昧昧：昏暗不明。

## 译文

披上漂亮盛美的荷叶短衣啊，但是太宽松而无法束带子。君王已夸耀美貌而炫耀勇武啊，辜负了左右忠臣的耿直忠心。憎恶忠臣正直谦恭的美好啊，却喜好那些小人的巧言令色。结党营私的群小奔走钻营而日渐高升啊，德行美好的贤者却遭遇疏离而更加远离。农夫停止耕作而缓缓前进啊，只恐怕田野将会荒芜污秽了。事务相续不断而多存私心啊，暗自悲痛以后国家因此危败。世人随声附和而相互炫耀啊，为何毁誉和赞美都昏暗不明？

**今修饰而窥镜兮[1]，后尚可以窜藏。愿寄言夫流星兮，羌儵忽而难当[2]。卒壅蔽此浮云兮，下暗漠而无光。**

## 注释

[1] 修饰：修饰容貌，此处喻指克服缺点。窥镜：照照镜子，此处喻指找出缺点。 [2] 儵忽：很快的样子。儵，同“倏”。当（dāng）：值，遇。

## 译文

现在修饰容貌而照照镜子啊，以后尚且还可以有地方躲藏。我希望把言语寄托给那流星啊，但是它却飞得太快而很难遇上。最终却还是被这浮云所遮蔽啊，使得整个天下暗淡而没有光亮。

## 赏析

此节写了奸佞当道，败坏国事，国君不辨忠奸，自己欲进而不得。本节中提到“尧舜之抗行兮，瞭冥冥而薄天。何险巇之嫉妒兮，被以不慈之伪名”，是说尧和舜都有着崇高的行为啊，就如同那日月般光辉远大。为何嫉妒之人如此阴险毒辣啊，用“不慈”的罪名来诬陷他们？战国时期有一种不正确的言论，认为尧和舜传位时，都没有把王位传给自己的儿子，而是传给其他贤能之人，所以他们对自己的儿子不慈爱。宋玉在这里，讥讽奸佞对贤才的嫉妒、污蔑和中伤。

## 思考讨论

请分析此节表现了楚国政局怎样的现状。

**尧舜皆有所举任兮，故高枕而自适。谅无怨于天下兮[1]，心焉取此怵惕[2]？乘骐骥之浏浏兮[3]，驭安用夫强策[4]？谅城郭之不足恃兮，虽重介之何益[5]？**

## 注释

[1]谅：诚然，确实。　[2]怵（chù）惕：害怕，警惕。[3]椉：同“乘”。浏浏（liú liú）：同“溜溜”，此处指乘马驰骋无阻的样子。　[4]强策：强劲坚硬的鞭子。　[5]介：铠甲。

## 译文

尧和舜都能够举用贤人啊，所以高枕无忧而自得其乐。若是君王确实没有结怨于天下啊，内心哪里会如此害怕惊惧？若乘着骏马能驰骋无阻啊，驾驭它哪用强劲坚硬的鞭子？内城外郭实在不足以依靠啊，纵使有再厚的铠甲又有什么好处？

**邅翼翼而无终兮[1]，忳惛惛而愁约[2]。生天地之若过兮，功不成而无效。愿沈滞而不见兮[3]，尚欲布名乎天下。然潢洋而不遇兮[4]，直怐愗而自苦[5]。**

## 注释

[1] 邅（zhān）：迟迟不前的样子。翼翼：小心翼翼的样子。[2] 忳（tún）：忧愁苦闷。惛惛：同“惛惛”，心烦意乱。约：穷困。[3] 沈滞：埋没。沈，同“沉”。见：同“现”，显现。 [4] 潢（huáng）洋：宽阔的样子，此处指渺茫而无所着落的样子。 [5] 怐愗（kòu mào）：愚昧的样子。

## 译文

我小心谨慎地行进而不知何处才是终点，忧愁苦闷心烦意乱而穷愁潦倒。人生之于天地就好像白驹过隙啊，我功业不成且毫无建树。甘心被埋没而隐匿不显现啊，却又总希望能够扬名于天下。然而世事渺茫而际遇不佳啊，真是愚昧无知而又自找苦吃。

莽洋洋而无极兮，忽翱翔之焉薄[1]？国有骥而不知乘兮，焉皇皇而更索[2]？甯戚讴于车下兮[3]，桓公闻而知之[4]。无伯乐之善相兮，今谁使乎誉之。罔流涕以聊虑兮[5]，惟著意而得之[6]。纷纯纯之愿忠兮[7]，妒被离而鄣之[8]。

## 注释

[1]忽:飘忽不定的样子。薄:停止,停靠。 [2]皇皇:同“惶惶”，匆忙的样子。 [3]甯戚：春秋时期卫国人。讴：唱歌。[4]桓公:齐桓公,春秋五霸之一。 [5]罔:同“惘”,惆怅,怅惘。[6]著意:用心,专心。 [7]纯纯:专一诚挚的样子。 [8]被(pī)离：众多纷乱的样子。被，同“披”。鄣：同“障”，阻挡，阻障。

## 译文

辽阔原野的无边无涯啊，飘忽不定地飞翔何处能停靠？国家有骏马而不知道骑乘啊，何须急匆匆而到处去追索呢？甯戚在车下唱歌抒发情感啊，桓公听到了而知道他的才能。如果没有伯乐善于相马啊，如今谁会赞誉千里马的真正能力。我惆怅流泪而又姑且深思啊，只有君王用心而能得到贤才。我有满腔专一诚挚的希望效忠的情怀啊，无奈谗妒之人众多纷乱而阻挡了它。

**愿赐不肖之躯而别离兮，放游志乎云中。乘精气之抟抟兮[1]，骛诸神之湛湛[2]。骖白霓之习习兮[3]，历群灵之丰丰[4]。左朱雀之茇茇兮[5]，右苍龙之躣躣[6]。属雷师之阗阗兮[7]，通飞廉之衙衙[8]。前轾辌之锵锵兮[9]，后辎乘之从从[10]。载云旗之委蛇兮[11]，扈屯骑之容容[12]。计专专之不可化兮[13]，愿遂推而为臧[14]。赖皇天之厚德兮，还及君之无恙。**

## 注释

[1] 抟抟(tuán tuán)：结聚成团的样子。 [2] 骛(wù)：追逐，追随。湛湛：聚集的样子。 [3] 骖(cān)：驾。习习：飞动的样子。 [4] 历：经过。 [5] 朱雀：古代祥瑞动物，南方之神。茇茇(pèi pèi)：翩翩飞扬的样子。 [6] 苍龙：古代祥瑞动物，北方之神。躣躣(qú qú)：行走的样子。 [7] 属(zhǔ)：跟随。雷师：雷神。阗阗(tián tián)：象声词，击鼓、雷鸣等较宏大的声音。 [8] 通：开辟，疏通。此处指在前面开路。飞廉：风神。衙衙：行进的样子。 [9] 轾辌(zhì liáng)：应作“轾辌”，轻便的卧车。 [10] 辎乘(zī shèng)：辎重车。从从(cóng cóng)：象声词，车驾行进时车铃发出的响声。 [11] 委蛇：旌旗迎风飘扬的样子。 [12] 扈(hù)：随从，跟随。屯骑：聚集的车骑。容容(yǒng yǒng)：飞扬的样子。 [13] 计：心志，心意。 [14] 臧(zāng)：善。

## 译文

希望让我这个不贤之人与您别离啊，我将纵情游心放浪畅游于云天之中。乘着结聚成团的精气啊，追随着聚集的诸位神灵。驾着飘飘飞动的霓虹啊，经过了众多神灵的处所。左边的朱雀翩翩飞扬啊，右边的苍龙蜿蜒行走。雷神跟随在后面击鼓隆隆啊，风神行色匆匆地在前面开路。前有轻便的卧车铃声锵锵啊，后有辎重车发出隆隆的巨声。载在车上的云旗迎风飘扬啊，随从在后的群骑奔驰如飞。我的心志专一而不可更改啊，愿意就此推广而成为善行。盼望依赖皇天的深厚恩德啊，使我们的君王身体康安无忧。

## 赏析

关于此节内容，朱熹《楚辞集注》:“首言前圣之可法，次言己志之不伸,次愿乞身以远去,而终不忘吁天以正其君,文意方足。”

本节中提到“赖皇天之厚德兮，还及君之无恙”，这里的“无恙”是指身体健康，没有疾病。其实“恙”本是虫名。上古时期，人们草居露宿,经常受到这种虫子的咬噬和侵害。所以人们见面时，经常用“无恙”来互相询问是否安康。后来“无恙”就慢慢引申为没有疾病。在这里宋玉呼吁上天保佑君王的身体安康，可见之前宋玉虽然抒写了君王诸多壅蔽不足之处，但依然对其保有赤诚忠心。同时，君王在古时是国家的象征，君王安康，也就预示着国祚“无恙”。

## 思考讨论

请分析此节中宋玉的神游与《离骚》中屈原的神游有何异同。

# 后　记

有一次，偶然看到某市小学一年级的语文课本中有贺知章的《回乡偶书》一诗：“少小离家老大回，乡音无改鬓毛衰。儿童相见不相识，笑问客从何处来。”“衰”字加了注音 shuāi。

衰，在此处应该读 cuī，在古义中有“等级次第的差别或依次递减”的意思，如《左传·桓公二年》：“故天子建国，诸侯立家，卿置侧室，大夫有贰宗，士有隶子弟，庶人工商各有分亲，皆有等衰。”引申为减少、稀疏。结合贺知章的《回乡偶书》，这里“衰”的意思当指鬓毛减少、疏落，而不是衰老的意思。再从整首绝句的韵脚来看，“衰”字与首句“少小离家老大回”中的“回”和末句“笑问客从何处来”中的“来”，这三字在“诗韵”即“平水韵”中同属灰韵。

这些属于古代文化常识性的内容，过去龆龀蒙童均能脱口成韵，如今在专业教育出版社的小学语文教材中出现这样的差错，管窥一斑，不由得让人担忧。

读错一个字音尚是小事，倘若几代人不读“四书”、“五经”、唐诗、宋词……那中华民族真的就没有了灵魂。民族没有了精神内核，没有了灵魂，如何奢谈中华民族的伟大复兴？

我们承认现代教育将中国教育的视野引向更为广阔的国际空间，带来了许多新理念，给中国教育带来了活力。但是，如何在引入国际现代教育理念和现代教育方式的同时，坚守中国具有传承价值的优秀传统文化？如何在全面实施素质教育的同时，弘扬中国文化特色以保持中国文化特有的气质？这是当前中国教育值得深入研究的问题之一。

梁启超先生曾言："吾不患外国学术思想之不输入，吾惟患本国学术之不发明。"然而，本国学术思想之发明非一代人可以成就，须"由其民族自身传递数世、数十世血液浇灌、精肉所培壅，而始得开此民族文化之花，结此民族文化之果"。要国民热爱中国的传统文化，必须本国先民的成就有其可爱之处，而且要发扬国民精神，也当从固有的精神中有所抉发。

秋霞圃书院自2010年开始筹划编撰一套适合大众普及尤其是中小学生使用的"国学基本教材"，自小学至高中每学期能有一册在手，通过以长期渐进、系统地熏陶、滋养，使中小学生在潜移默化中亲近中国的历史与文化，并使中华传统文化在当下的社会生活中"活化"。当然这种"活化"不是简单的复古，而是在当代的语境中重新梳理中华文明的脉络，从中汲取适应时代需要、社会需要，乃至适应工业文明与后工业文明需要的养料，提炼出中华传统文化的核心价值，以此来滋养一代又一代学子，为中华民族的伟大复兴奠定基础。当然，这些愿景断非一己之力能及，而是需要几代人的不懈努力，我们所起的作用仅仅是抛砖而已。国内儒学研究领军学者之一、武汉大学国学院院长郭齐勇教授听闻我们有此愿望后鼎力支持，欣然担任本套教材的总顾问，协调资源，并为之作序；武汉大学国学院院长助理孙劲松先生、向珂博士在筹组编者队伍时提供了真诚无私的帮助。此后又蒙秋霞圃书院院长、历史学家沈渭滨，语言学家李佐丰，古典文献学者骆玉明、汪涌豪、傅杰、徐志啸等教授在谋篇布局上的悉心指点，形成了本套"国学基本教材"的框架。确定框架之后，我们邀请了武汉大学、复旦大学、华东师范大学、南开大学、中国传媒大学、中山大学、内蒙古师范大学、陕西师范大学、南通大学等高校人文学科中青年学人和江浙沪地区几位优秀的中小学语文教师参与编写。

全书成稿后，沈渭滨、王家范、骆玉明、傅杰、汪涌豪、杨国强、张觉、张新科、徐志啸、鲍鹏山等教授审读了书稿，并提出了宝贵的修改意见；86岁高龄的书法名家章汝奭先生为“国学基本教材”题写书名；《儒藏》总编撰、德高望重的北京大学教授汤一介先生为我们赠书“圣贤之道”；丰子恺先生后人为我们提供了精美而颇有意蕴的24幅漫画用作丛书封面；朱青生教授为我们提供了汉画文献用于插图；画家李永源先生逾古稀之年，为这套丛书手绘了上百幅插画；浙江古籍出版社社长杨林海先生是我故交乡党，听闻我有意筹划一套面向中小学生的“国学基本教材”丛书之后，青睐有加，多方努力协调资源，亲自落实该套教材出版的相关事宜……所有殊胜因缘，都在襄助秋霞圃书院矢志传播中华传统文化的大愿，唯有在此深揖致谢。

由于主持者与编者的学识有限，尽管悉心编校，但不足之处难免，敬请方家、读者指正，以便来年修订时，相应校正。

意见和建议可致电：021-66366439，13816808263。通信地址：上海市嘉定区南大街嘉定孔庙秋霞圃书院，邮政编码：201800，电子邮件 :qiuxiapu@163.com。

李耐儒

癸巳春于嘉定孔庙